Vian...

A June, con affetto

Fabrizio e Silvana

BUR

Guareschi

Mondo piccolo
Don Camillo e il
suo gregge
con 44 disegni dell'autore

Biblioteca Universale Rizzoli

Proprietà letteraria riservata
© 1953, 1981 RCS Rizzoli Libri S.p.A., Milano

ISBN 88-17-13415-5

prima edizione BUR: maggio 1981
terza edizione BUR: novembre 1986

Qui si spiega, in quattro parole, come sono nati don Camillo e Peppone e come continuano a vivere.

Come mi irrita la saggezza dei "funzionari" che fanno il nido dappertutto, anche nei luoghi più impensati e ti aspettano al varco.

Essi mi guardano con aria di noia e di commiserazione quando mi vedono arrivare all'ultimissimo minuto coi miei fogli pieni di parole scritte a macchina o di scarabocchi fatti con l'inchiostro di Cina.

« Sempre all'ultimo momento, sempre in ritardo questo disgraziato Guareschi », essi dicono anche se le loro labbra rimangono mute.

Io sono saturo di caffè, di bicarbonato, di nicotina, di stanchezza, di sonno, in quei momenti. Ho i vestiti appiccicati addosso perché non mi spoglio da due o tre giorni. Ho la barba lunga, le mani sporche. Mi fa male tutto: la testa, lo stomaco, il cuore, il fegato, la bocca. I capelli spettinati mi scendono fin sul naso, davanti agli occhi volteggiano stormi di palline nere: essi mi guardano scuotendo la testa piena di stolta saggezza e mi dicono:

« Perché ogni volta ti riduci all'ultimissimo minuto? Perché non fai il lavoro poco alla volta quando hai tempo? ».

Io non mi sono mai pentito nella mia vita d'aver fatto l'indomani quello che potevo fare oggi.

Se io avessi dato retta ai funzionari di buon senso, oggi io non avrei neppure quel poco che ho.

Io la ricordo, l'antivigilia del Natale del 1946. A causa delle feste bisognava finire il lavoro prima del solito. Bisognava "anticipare" come dicono i "funzionari". Allora, oltre a compilare il "Candido", scrivevo dei raccontini per l' "Oggi", un altro settimanale della ditta, e così, quell'antivigilia, mi trovai come al solito nei guai fino agli occhi: era già sera e io non avevo ancora scritto il pezzo che mancava per completare l'ultima pagina del mio giornale. Ero appena appena riuscito a scrivere, quel pomeriggio, il pezzetto per l'altro settimanale, e già il pezzetto era stato composto e messo in pagina. « Bisogna chiudere subito il "Candido"! », mi disse il proto.

Allora feci cavar fuori il pezzetto dall' "Oggi", lo feci ricomporre in carattere più grosso e lo buttai dentro il "Candido".

« Sia come Dio vuole! », esclamai. Poi, siccome per l'altro settimanale c'era ancora una mezz'ora di tempo, scribacchiai una storiella qualsiasi e tappai anche quel buco rimasto aperto.

« Sia come Dio vuole! », dissi.

E Dio voleva proprio che succedesse quello che era successo. Dio non è un "funzionario".

Voglio dire che se io, dando retta ai "funzionari", avessi preparato il mio lavoro in tempo, don Camillo, Peppone e l'altra mercanzia di "Mondo Piccolo" sarebbero nati e morti l'antivigilia del Natale 1946.

Infatti, il primissimo racconto di "Mondo Piccolo" ("Peccato confessato") era il raccontino che io avevo destinato all'altro settimanale. E che, se fosse uscito in quella sede, sarebbe finito lì, come tutti gli altri raccontini, e non avrebbe avuto nessun seguito.

Invece, appena l'ebbi pubblicato sul "Candido", mi arrivarono tante e poi tante lettere da parte dei miei ventiquattro lettori, che io scrissi un secondo episodio sulle vicende del grosso prete e del grosso sindaco rosso della Bassa.

E, così scherzando scherzando, due ore fa io ho consegnato (all'ultimissimo momento e fra il disgusto dei "funzionari") la duecentesima puntata di "Mondo Piccolo".

E tre ore fa, una lettera da Parigi mi ha annunciato che la prima raccolta di racconti di "Mondo Piccolo" ha raggiunto in Francia una tiratura di ottocentomila copie.

Non mi sono mai pentito di aver fatto domani quello che avrei potuto fare ieri o un mese prima.

Spesso mi rattristo rileggendo le cose che ho fatto: ma in fondo non me ne cruccio mai soverchiamente perché posso dire, in piena coscienza, che mi sono sempre arrabattato per non farle. Sempre mi sono sforzato di rimandarle al domani.

Così vi ho detto, amici miei, come sono nati il mio pretone e il mio grosso sindaco della Bassa.

Già per duecento volte io li ho tirati in ballo costringendoli a fare le cose più strampalate dell'universo. Tanto strampalate che spesso sono perfino vere.

È una lagna, ormai: d'altra parte, adesso che li ho messi al mondo cosa volete che ne faccia? Che li ammazzi?

Ora non è che io mi dia le arie del "creatore": mica dico di averli creati io. Io ho dato ad essi una voce.

Chi li ha creati è la Bassa.

Io li ho incontrati, li ho presi sottobraccio e li ho fatti camminare su e giù per l'alfabeto.

E, sul finire del 1951, quando il grande fiume ha spaccato gli argini e ha allagato i campi felici della Bassa e da lettori stranieri mi sono arrivati pacchi di coperte e indumenti « per la gente di don Camillo e di Peppone », allora mi sono commosso come se, invece di essere un cretino qualsiasi, fossi un cretino importante.

Quello che dovevo dire sulla Bassa e sul "Mondo piccolo", l'ho già detto nel primo volume. A distanza di cinque anni mi ritrovo perfettamente d'accordo con me stesso.

Io non so la sorte che toccherà a questa seconda ondata di storie e non me ne preoccupo. Io so che quando ero ragazzo, mi sedevo spesso sulla riva del grande fiume e dicevo: « Chi sa se, quando sarò grande, riuscirò a passare sull'altra riva! ».

Sognavo di conquistare una bicicletta.

Adesso ho quarantacinque anni e ho conquistato la bicicletta. E spesso vado a sedermi come allora sulla riva del grande fiume e, mentre mastico un filo d'erba, penso: « Si sta meglio qui, su questa riva ».

E ascolto le storie che mi racconta il grande fiume, e la gente dice di me: « Più diventa vecchio, e più diventa svanito ». Invece non è vero perché io sono sempre stato svanito.

Grazie a Dio.

L'Autore

Roncole Parmense, Maggio 1953.

LE LAMPADE E LA LUCE

Don Camillo guardò in su verso il Cristo dell'altar maggiore e disse:

— Gesù, al mondo ci sono troppe cose che non funzionano.

— Non mi pare, — rispose il Cristo. — Al mondo ci sono soltanto gli uomini che non funzionano. Per il resto ogni cosa funziona perfettamente.

Don Camillo camminò un po' in su e in giù, poi si fermò davanti all'altare.

— Gesù, — disse — se io comincio a contare: uno, due, tre, quattro, cinque, sei, sette e vado avanti per un milione di anni sempre a contare, ci arrivo in fondo?

— No, — rispose il Cristo. — Tu, così facendo, sei come l'uomo che, segnato un gran cerchio per terra, comincia a camminare attorno ad esso dicendo: « Voglio vedere quando arrivo alla fine ». Non ci arriveresti mai.

Don Camillo, che ormai mentalmente si era

I

messo a camminare su quel gran cerchio, si sentiva l'affanno che di solito prova chi, per un istante, tenta di affacciarsi alla finestrella che dà sull'infinito.

— Eppure, — insisté don Camillo, — io dico che anche il numero deve avere una fine. Soltanto Dio è eterno e infinito, e, se il numero non avesse una fine, sarebbe eterno ed infinito come Dio.

— Don Camillo, perché ce l'hai tanto coi numeri?

— Perché, secondo me, gli uomini non funzionano più proprio a causa dei numeri. Essi hanno scoperto il numero e ne hanno fatto il supremo regolatore dell'universo.

Quando don Camillo innestava la quarta era un guaio. Andò avanti un bel pezzo, poi chiuse la saracinesca e camminò in su e in giù per la chiesa deserta. Tornò a fermarsi davanti al Cristo:

— Gesù, questo rifugiarsi degli uomini nella magia del numero non è invece un disperato tentativo di giustificare la loro esistenza di esseri pensanti?

Tacque un istante angosciato.

— Gesù, le idee sono dunque finite? Gli uomini hanno dunque pensato tutto il pensabile?

— Don Camillo, cosa intendi tu per idea?

— Idea, per me, povero prete di campagna, è una lampada che si accende nella notte profonda dell'ignoranza umana e mette in luce un nuovo aspetto della grandezza del Creatore.

Il Cristo sorrise.

— Con le tue lampade non sei lontano dal vero, povero prete di campagna. Cento uomini erano chiusi in una immensa stanza buia e ognuno d'essi aveva una lampada spenta. Uno accese la sua lampada ed ecco che gli uomini poterono guardarsi in viso e conoscersi. Un altro accese la sua lampada e scopersero un oggetto vicino, e mano a mano che si accendevano altre lampade, nuove cose venivano in luce sempre più lontane, e alla fine tutti ebbero la loro lampada accesa e conobbero ogni cosa che era nella immensa stanza, e ogni cosa era bella e buona e meravigliosa. Intendimi, don Camillo: cento erano le lampade, ma non erano cento le idee. L'idea era una sola: la luce delle cento lampade, perché soltanto accendendo tutte le cento lampade si potevano vedere tutte le cose della grande stanza e scoprirne i dettagli. E ogni fiammella non era che la centesima parte di una sola luce, la centesima parte di una sola idea. L'idea dell'esistenza e della eterna grandezza del Creatore. Come se un uomo avesse spezzato in cento pezzi una statuetta e ne avesse affidato un pezzo a ciascuno dei cento uomini. Non erano cento immagini di una statua, ma le cento frazioni di una unica statua. E i cento uomini si cercarono, tentarono di far combaciare i cento frammenti, e nacquero mille e mille statue deformi prima che ogni pezzo riuscisse a combaciare perfettamente con gli altri pezzi. Ma alla fine la statua era ricomposta. Intendimi, don Camillo: ogni uomo accese la sua lampada, e la luce delle cento lampade era la Verità, la Rivelazione. Ciò doveva appagarli. Ma ognuno invece credette che il merito delle belle cose che egli vedeva non fosse del creatore di esse, ma della sua lampada che poteva far sorgere dalle tenebre del niente le belle cose. E chi si fermò per adorare la lampada, chi andò da una parte e chi dall'altra, e la gran luce si immiserì in cento minime fiammelle ognuna delle quali poteva

3

illuminare soltanto un particolare della Verità. Intendimi, don Camillo: è necessario che le cento lampade si riuniscano ancora per ritrovare la luce della Verità. Gli uomini oggi vagano sfiduciati, ognuno al fioco lume della propria lampada, e tutto sembra loro buio intorno e triste e malinconico e, non potendo illuminare l'insieme, si aggrappano al minuto particolare cavato fuori dall'ombra dal loro pallido lume. Non esistono le idee: esiste una sola idea, una sola Verità che è l'insieme di mille e mille parti. Ma essi non la possono vedere più. Le idee non sono finite perché una sola idea esiste ed è eterna: ma bisogna che ognuno torni indietro e si ritrovi con gli altri al centro della immensa sala.

Don Camillo allargò le braccia.

— Gesù, indietro non si torna... — sospirò. — Questi disgraziati usano l'olio delle loro lucerne per ungere i loro mitra o le loro sporche macchine.

Il Cristo sorrise:

— Nel regno dei cieli l'olio scorre a fiumi, don Camillo.

IL CERCHIO SI RUPPE

Spocchia l'intransigente, quello che aveva già pronti i ragazzi per la seconda ondata, quello che, in questioni di fede, aveva il coraggio di toccare nel tempo anche Peppone, era, fuori servizio, il barbiere di Molinetto. Raccontavano delle brutte storie su di lui e si diceva ne avesse parecchi sulla coscienza. Si servivano soltanto i proletari da lui, che era anche sarto, e l'unica volta che un signore di città ospite di non so chi, era entrato ingenuamente nella sua bottega, Spocchia aveva stretto l'occhio ai compagni che aspettavano il turno, aveva fatto sedere il disgraziato e aveva cominciato a fargli la barba. Arrivato a metà aveva rimesso giù il rasoio.

— Il resto se lo vada a far tagliare dal prete, — aveva esclamato mentre la combriccola si sganasciava per il gran ridere.

Spocchia ce l'aveva a morte con don Camillo perché era sicuro che, se molte cose Peppone non le faceva o le piantava a metà, la causa doveva essere del prete.

E già da un pezzo continuava a dire sospirando che gliel'avrebbe fatta molto volentieri la barba a don Camillo. E mille volte, quando sbarbava qualcuno dei suoi, arrivato col rasoio a raschiargli la canna della gola, sospirava:

— Se tu fossi don Camillo non darei due lire per la tua pelle!

E così, dàgli e dàgli, un tardo pomeriggio di sabato, quando la bottega era piena di gente, si aperse la porta e comparve don Camillo.

C'erano Peppone, il Brusco, il Bigio, lo Smilzo, il Lungo, Fulmine e altri otto o dieci non della combriccola.

Don Camillo aveva una barbaccia lunga due dita: si tolse il cappello appendendolo a un chiodo, poi si sedette sull'unica sedia rimasta libera.

— Buona sera, — disse tranquillo. — Mi hanno riferito che ci tenevi molto a farmi la barba. Eccomi qua.

Lo guardarono tutti sbalorditi e Spocchia non rispose e strinse i denti e continuò a sbarbare il Pellerossa.

Don Camillo accese il mezzo toscano e cominciò a guardarsi attorno. Oltre a un ritratto di Lenin, c'erano un ritratto di Stalin, uno di Garibaldi, uno di Mazzini, uno di Carlo Marx.

— Tra barbe e baffi ce n'hai del lavoro! — esclamò don Camillo. — Bella clientela, roba internazionale. Gente che paga bene.

Finse di accorgersi soltanto allora dell'esistenza di Peppone.

— Oh, scusi, non l'avevo vista. Buona sera signor sindaco.

— ...sera...

Peppone si immerse nella lettura di un giornale, ma don Camillo, quando si metteva in cammino, era peggio di Fulmine.

— Eh, — sospirò, — ne son passati degli anni! Ti ricordi, Spocchia, quando venivi a fare il chierichetto in chiesa?

— Peccati di gioventù, — ghignò Spocchia. — Adesso, se non sbaglio, è un bel pezzetto che non mi vedete più, in chiesa. Saran dieci o dodici anni.

— Mi pareva proprio di averti visto roba di poche sere fa.

— Vi sbagliate, don Camillo!

— Può darsi: era buio e posso essermi sbagliato. Ad ogni modo il desiderio di rivedere il tuo vecchio parroco ce l'hai, perché la gente continua a raccontarmi che tu dici a tutti che pagheresti chi sa cosa per potermi fare la barba. Questo non lo negherai.

Spocchia si passò il rasoio sulla palma.

— Questo è vero, — borbottò cupo.

— E mi è stato riferito che tu parecchie volte hai anche detto che pagheresti chi sa cosa per farmi un vestito.

— Un vestito di abete con fodera di zinco, — borbottò Spocchia. — Quello ve lo farei volentieri.

— Ti capisco, figliolo, — rispose sorridendo don Camillo. — Però quando si vogliono fare abiti d'abete alla gente, bisogna essere molto precisi nel prendere le misure.

Il servizio al Pellerossa era finito. Spocchia ripose il rasoio e si volse verso don Camillo.

— Reverendo, — disse cupo. — Voi cosa siete venuto a cercare qui?

Don Camillo si alzò e si sedette sulla poltrona rimasta libera.

— Sono venuto qui per farmi fare la barba da te.

Lo Spocchia impallidì per quel poco che poteva ancora impallidire. Poi mise l'asciugamani attorno al collo di don Camillo e prese a insaponargli la faccia. Insaponò a lungo, poi passò a lungo il rasoio sulla cote. Poi cominciò a radere la barba a don Camillo.

Cadde il silenzio e si udì cantare il rasoio e tutti respiravano adagio.

Il rasoio passò e ripassò sulle gote, sotto il naso, sul mento. Era una barba di fil di ferro, e il rasoio, nel silenzio, cantava come una macchina da segar l'erba.

Ecco la lama passare e ripassare sotto il mento di don Camillo, eccola viaggiare su e giù per la gola. Eccola indugiarsi a districare un piccolo groviglio di peli sul pomo d'Adamo.

Contropelo. Allume di rocca. Spruzzata disinfettante. Cipria.

Lo Smilzo che, durante tutto quel tempo, era rimasto immobile a cavalcioni di una sedia stringendo coi denti la spalliera, sollevò la testa, mollò i nervi e si asciugò il sudore della fronte.

Peppone sputò con garbo la testata e l'articolo di fondo dell'*Unità* che, senza accorgersene, aveva durante quel tempo masticato.

— Bravo Spocchia, — esclamò don Camillo alzandosi. — Sei un artista. Mai trovato una mano così leggera. Per la terza prova del vestito di abete fai tu.

Gli mise in mano del danaro, prese il cappello che lo Smilzo gli porgeva, salutò la brigata, poi, prima di uscire, indicò il ritratto del *tovarisch* baffuto.

— Dàgli una spuntatina di baffi, — consigliò, — non gli farà male.

Quando fu di ritorno a casa, don Camillo riferì al Cristo e, alla fine, il Cristo non parve molto convinto.

— Don Camillo, era proprio necessario che tu andassi a provocare quell'uomo con la tua bravata?

— Credo di sì, — rispose don Camillo.

*   *   *

Uscito dalla bottega don Camillo, lo Spocchia continuò a far barbe su barbe e, alla fine, rimasto solo con Peppone, chiuse la porta esterna e si tolse la vestaglia.

— Come vedi, ci siamo, — disse Spocchia accendendo una sigaretta.

— Non capisco, — borbottò Peppone.

— Peppone, non ho voglia di scherzare. La cosa è chiara : quello è venuto qui per provocare. Magari, intanto che lui era qui, fuori c'erano i carabinieri. Magari ci sono ancora.

Peppone si gettò il cappello all'indietro.

— Spocchia, — esclamò Peppone, — spiegati. Non capisco un accidente.

Lo Spocchia spense la sigaretta, l'appallottolò e la gettò in un angolo.

— Si vede che mi sospettavano e mi pedinavano, o magari erano soltanto di passaggio o erano lì per misure di sicurezza, lo sa il Padreterno. Il fatto è che quella sera mi hanno sparato una raffica di mitra e io son dovuto scappare lasciando la bicicletta in un fosso e il giorno dopo la bicicletta non c'era più.

Peppone non batté ciglio.

— Hai sparato tu contro don Camillo? — domandò sottovoce (1).

— Sì.

— Hai fatto una fesseria, Spocchia.

— La fesseria è stata quella di non azzeccarlo. Ma la vera fesseria è stata la prima. Quando ho sparato contro il Pizzi, mi ha visto soltanto il ragazzo, la moglie non poteva vedermi, era troppo avanti. Il ragazzo invece mi ha visto in pieno. Ho incontrato i suoi occhi. Bastava che gli avessi spedito una palla anche a lui e tutto sarebbe finito. Sono stato un imbecille. Lo deve aver detto a sua madre, ma sua madre non ha parlato di sicuro: le ho fatto avere un biglietto anonimo molto chiaro. Il ragazzo ha parlato col prete e, più di una volta, l'ho tenuto d'occhio. E difatti il prete ha fatto poi il suo stramaledetto giornale che ha buttato all'aria la faccenda del suicidio e ha rimesso in ballo la storia.

Peppone era pallido di furore. Afferrò lo Spocchia per il bavero e lo scosse.

— Perché hai sparato, pezzo di cretino? Chi ti aveva dato l'ordine?

— Mi ero appostato dietro la finestra che dà sui campi: quando ho visto il Pizzi puntarti contro la rivoltella, allora ti ho difeso.

— Io non ho bisogno di essere difeso da nessu-

(1) Vedi i racconti del 1º volume: *Paura* e *La paura continua*.

no, tanto meno da te! Avevo dato l'ordine di tirar
fuori le armi soltanto se lo dicevo io!

— Ormai è fatta. Così ho pagato anche un vecchio conto che avevo con quel cretino. Adesso si
tratta di tirarmi fuori dal pasticcio. Se don Camillo è venuto qui, stasera, e ha fatto quel discorso davanti alla gente è perché si sente le spalle sicure : era
una manovra combinata col maresciallo, lo giure-
rei. Provocare, per farne un caso personale, fuori
dal Partito. Ma qui invece il Partito deve entrarci
e mi deve aiutare.

Peppone lo guardò cupo.

— Il Partito? E cosa c'entra il Partito nelle fesserie che fai tu?

— Peppone : eri tu che comandavi la squadra,
il camion era il tuo, tu sei entrato nella cucina e ti
han visto bene la moglie e il ragazzo del Pizzi. E
tu sei il sindaco e il capo della sezione : la responsabilità è tua e tu rappresenti il Partito.

Lo Spocchia era agitatissimo, e Peppone lo
calmò.

— Un momento, — disse. — Non facciamo dei
romanzi. Può darsi che don Camillo sia venuto
semplicemente per fare una bravata. Magari sospet-
ta, ma non ha prove e cerca di farti perdere la calma. Se avessero qualche prova ti avrebbero già bec-
cato. In fondo ti ha visto soltanto il ragazzo e val
tanto il suo sì come il tuo no.

Lo Spocchia sudava.

— Nessuno ha visto, — esclamò, — nessuno,
all'infuori di quel maledetto ragazzo!

— Un testimone solo non vale un fico secco : tu
devi semplicemente dire che mentre io entravo solo,
come è vero, per parlare col Pizzi, tu sei rimasto

assieme agli altri sul camion. Eravamo in venticinque: perché dovrebbero proprio venire a tirare in ballo te?

— Mi ha visto il ragazzo.

— Uno solo non vale.

— C'è la faccenda della mia bicicletta.

— Le biciclette non parlano. Stai calmo e tranquillo. Domani riprendiamo l'argomento.

*   *   *

A mezzanotte la luna batteva sulla neve ed era come di giorno. Un uomo camminava cercando l'ombra magra delle siepi. Arrivato sull'aia della casa del Pizzi, si avvicinò cauto alla porta e tentò di aprirla. Poi tentò di aprire le finestre del pianterreno, poi agguantò una scala sotto il portico e la appoggiò al muro per salire.

Fece del baccano perché scivolò sulla neve gelata e una finestra si aperse e qualcuno gridò: — Chi è là?

Allora l'uomo lasciò la scala e, impugnato un mitra, cominciò a sparare all'impazzata contro le finestre e urlava: — Maledetti! Vi ammazzo tutti! — Da una finestra del pianterreno sporsero le canne di un fucile da caccia e partì un doppietto che, lì a cinque passi, prese in pieno l'uomo e lo stese sulla neve.

Poi arrivò gente, arrivò Peppone: e il ragazzo del Pizzi aveva ancora la doppietta in mano, perché era stato lui a sparare. E quando arrivò il maresciallo disse:

— È Spocchia, quello che ha ammazzato mio padre. L'ho visto io quando gli ha sparato.

Adesso che era morto risultò che l'aveva visto anche la moglie del Pizzi la quale mostrò la lettera anonima, poi l'aveva visto anche un famiglio che rientrava dai campi e s'era fermato un momentino. Poi altri.

Intanto quello che aveva trovato nel fosso la bicicletta dello Spocchia si fregava le mani contento perché adesso la bicicletta era proprio sua.

Peppone scrisse venti « spiegazioni » da affiggere all'albo ma le stracciò tutte, ci sputò sopra e poi gridò: — Chi muore ha pagato, e il conto è chiuso!

Don Camillo commentò il fatto con venti parole: — È la guerra che ha rovinato la gioventù. Non si deve parlare di colpevoli, ma di vittime.

Non ne parlò più nessuno e tutti si sorridevano come usciti da un incubo perché il cerchio della paura era rotto.

LA PENITENZA

Don Camillo raccontò questa favoletta:

— Un feroce lupo, pieno di fame, girava per la campagna e arrivò a un prato recinto da una altissima siepe di rete metallica. E, dentro il recinto, pascolavano tranquille le pecorelle.

« Il lupo girò tutt'intorno al recinto per vedere se, caso mai, qualche maglia si fosse allentata nella rete, ma non trovò buchi di sorta. Scavò con le zampe per tentare di fare un buco nella terra e passar sotto la rete, ma ogni fatica fu vana. Tentò di saltare la siepe, ma non riusciva neppure ad arrivare a metà. Allora si presentò alla porta del recinto e gridò: "Pace, pace! Siamo tutti creature di Dio e dobbiamo vivere secondo le leggi di Dio!". Le pecorelle si appressarono, e allora il lupo disse con voce ispirata: "Viva la legalità! Finisca, una buona volta, il regno della violenza! Facciamo una tregua!".

« "Bene!", risposero le pecorelle. "Facciamo una

tregua!''. E tornarono tranquillamente e brucare l'erbetta.

« Il lupo si accucciò davanti alla porta del recinto, buono buono, e stette lì, e passava il tempo cantando canzonette allegre. Ogni tanto si levava e andava a brucare l'erba che era ai piedi della rete metallica.

« "Uh! Guarda, guarda!'', si stupirono le pecore. "Mangia l'erba anche lui, come noi! Non ci avevano mai detto che i lupi mangiano l'erba''.

« "Io non sono un lupo!'', rispose il lupo. — Io sono una pecora come voi. Una pecora di un'altra razza''.

« Poi spiegò che le pecore di tutte le razze avrebbero dovuto unirsi, fare causa comune.

« "Perché?'', disse alla fine. "Perché non fondiamo un Fronte Pecorale Democratico? Io ci sto volentieri e, anche se l'idea è mia, non pretendo nessun posto di comando. È ora che ci uniamo per far causa comune contro il comune nemico che ci tosa, ci ruba il latte e poi ci manda al macello!''.

« "Parla bene!'', osservarono alcune pecore. "Bisogna fare causa comune!''.

« E aderirono al Fronte Pecorale Democratico e, un bel giorno, aprirono la porta al lupo che entrò nel recinto e, diventato il capo del piccolo gregge, cominciò, in nome dell'Idea, la epurazione di tutte le pecore antidemocratiche, e le prime a cadere sotto le sue zanne furono naturalmente quelle che gli avevano aperta la porta. Alla fine l'opera di epurazione terminò, e quando non rimase più neppure una pecora il lupo esclamò trionfante: "Ecco finalmente il popolo tutto unito e concorde! Andiamo a democratizzare un altro gregge!'' ».

*   *   *

Don Camillo raccontò questa favoletta proprio il giorno in cui Peppone costituì al paese il Fronte Popolare Democratico e Peppone giudicò la favoletta « diffamatoria e provocatoria », e cominciò una intensa opera di propaganda contro il clero « asservito alla causa degli sfruttatori nazionali ed esteri ».

Naturalmente don Camillo replicò e l'aria cominciò a diventare pesante.

Il temporale scoppiò quando sui giornali cominciò la polemica per la famosa faccenda dell'assoluzione che doveva essere negata a chi votasse per i comunisti (1).

Peppone allora partì in quarta e tenne un discorso durante il quale pestò tanti di quei pugni sulla tavola che, alla fine, aveva la mano gonfia.

Poi organizzò un corteo che, arrivato sotto le finestre della canonica, si fermò, e le urla furono tante che don Camillo dovette affacciarsi.

— A nome del popolo, — urlò Peppone, — io vi avverto che se voi mettete in pratica le disposizioni illegali della coercizione elettorale mediante la mancata assoluzione in caso di comunismo recidivo, noi dichiariamo lo sciopero religioso e in chiesa non entra più nessuno fino a nuovo ordine!

Don Camillo si limitò ad allargare le braccia.

— Rispondete! — gridò Peppone. — Cosa decidete di fare?

— Quando ti avranno promosso vescovo ti risponderò, — ribatté tranquillo don Camillo.

(1) Siamo nel 1948, quando il decreto di scomunica non era ancora stato emesso.

— Il popolo comanda più del vescovo e del Papa! — urlò Peppone. — E il popolo chiede che voi rispondiate alla sua domanda. Come vi comporterete?

— Mi comporterò come si deve comportare un sacerdote.

— Non basta! — gridò Peppone.

Don Camillo richiuse la finestra e Peppone levò il pugno:

— La vedremo!

Ci fu una importante riunione alla Casa del Popolo e le discussioni furono molte. Alla fine Peppone disse:

— Qui non bisogna perdersi in chiacchiere. Fatti, ci vogliono, e subito. Si fa immediatamente la prova!

— E chi la fa?

— Io: per il bene del popolo e per il trionfo della causa sono pronto anche a farmi dare l'Estrema Unzione!

Così, poco dopo, vennero ad avvertire don Camillo che c'era uno che aveva bisogno di confessarsi d'urgenza, e don Camillo, entrando in chiesa, trovò Peppone già inginocchiato nel confessionale.

Peppone confessò i suoi peccati e, quando ebbe finito, don Camillo gli chiese:

— C'è altro che hai dimenticato di dirmi?

— Sì, — rispose Peppone. — C'è che io sono comunista e voterò per il Partito comunista e cercherò di convincere più gente che potrò a votare per il Partito comunista, l'unico che possa dare al popolo il benessere e la giustizia sociale e la pace.

Fuori dalla chiesa c'era ad aspettare tutto lo stato maggiore e una adeguata rappresentanza di popolo lavoratore con annesso contorno di curiosi.

— Se gli nega l'assoluzione, — affermò il Brusco, — si dichiara lo sciopero di protesta immediatamente. Qui non ci sono storie: la religione è una cosa e la politica un'altra. Uno può essere un galantuomo a qualunque Partito appartenga. Il fatto stesso che vada a confessarsi significa che non ha la minima intenzione di combattere la religione!

Un mormorio si levò dalla folla.

Intanto Peppone attendeva inginocchiato, col viso davanti alla piccola grata d'ottone, e cercava di vedere, attraverso il traforo, il viso di don Camillo.

— Posso avere l'assoluzione? — chiese Peppone.

— Certamente, — rispose don Camillo, — purché tu faccia la penitenza dovuta per i tuoi peccati. Per penitenza dirai quattro Avemarie, tre Gloria, e quindicimila Paternoster.

Peppone rimase un momento senza parola.

— Quindicimila Paternoster? — esclamò. — Ma è una pazzia!

— Non è una pazzia, fratello: io mi regolo secondo la mia coscienza di sacerdote. Ho ascoltato i tuoi peccati, e non ti nego l'assoluzione purché tu faccia la penitenza che io ti assegno. Quando tu avrai recitato, uno dopo l'altro quattro Avemarie, tre Gloria e quindicimila Pater, tu avrai il diritto di ritenerti assolto. Dio sia lodato.

Don Camillo uscì dal confessionale e si avviò alla sagristia.

Poco dopo lo raggiunse, in canonica, Peppone.

— Voi volete prendermi in giro! — esclamò Peppone. — Quindicimila Pater!

— Io non ti obbligo a dirli: se vuoi essere assolto li dici, se non vuoi essere assolto non li dici. Io non limito la tua libertà, tu sei padrone di dirli o di non dirli. Io sono in regola con le leggi di Dio e degli uomini: non ti ho assegnato una penitenza che tu non possa sopportare. Si possono dire comodamente cinque Pater al minuto, trecento in un'ora, settemiladuecento in ventiquattro ore. Calcolando qualche minuto di sosta ogni tanto, tu vedi che in due giorni e mezzo li puoi dire. Gente, per penitenza, sta digiuna delle settimane: tu ci puoi stare per due giorni e mezzo. Non ti chiedo cose impossibili. Naturalmente non ti mancherà la mia assistenza spirituale, e io, ogni tanto, verrò a farti compagnia, in chiesa, per impedire che tu ti addormenti.

Peppone ghignò.

— E tutto questo perché ho detto che voterò per i comunisti!

— Niente affatto! Questo perché, attraverso il complesso di tutti i tuoi peccati, mi son fatto la convinzione che, per ritrovare quell'orientamento che hai perso, tu hai la necessità di stare per due o tre giorni staccato dalle tentazioni della vita e in compagnia di Cristo.

— Meglio solo che male accompagnato! — urlò Peppone.

— Dopo questa bestemmia, per avere l'assoluzione dovrai recitarne trentamila, di Paternoster, — disse don Camillo.

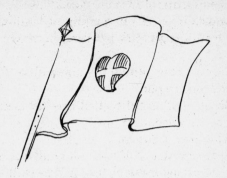

L'INNOCENTE

Si avvicinavano le elezioni e l'aria si scaldava ogni giorno di più. Ed ecco che, una sera, si presentò a don Camillo uno vecchio come il cucco e scalcinato come l'Albania. Era uno di quei mendicanti che girano con un uccelletto dentro una gabbia e, quando qualcuno fa loro l'elemosina, gli danno in cambio un «pianeta della fortuna» che l'uccelletto pesca col becco nella cassettina appesa fuori dalla gabbietta.

Don Camillo si mise la mano in tasca per cavarne il portamonete, ma il vecchio scosse il capo e gli porse un pacchettino.

Erano tutti biglietti da una, da due, da cinque e da dieci.

— Sono mille lire, potete contarle, reverendo, — disse il vecchio. — Bastano per dire una Messa?

— Ce n'è di troppo — rispose don Camillo.

— Va bene, domattina verrò a sentire la Messa. Deve essere una Messa in gamba, col suo tumulo e le candele, e coi tendaggi fuori dalla porta e il cartello con scritto: « Alla memoria di S. M. Vittorio Emanuele III ». E sul tumulo la bandiera.

Don Camillo guardò perplesso il vecchio mendicante.

— Perché? Non si può? — chiese il vecchio.

— No, no, si può.

— Bene, — si compiacque il vecchio mendicante. — A che ora debbo venire?

— Alle dieci e mezzo.

— Bene, reverendo. Mi raccomando di non sbagliare il nome nel cartello da mettere sulla porta.

— Sì, sì, lo so bene. Non è un nome che mi giunge nuovo.

Il vecchio mendicante se ne andò e don Camillo andò a confidarsi col Cristo.

— Se domani qualcuno si accorge del cartello, qui scoppia la rivoluzione francese.

— E allora, don Camillo? Sei pentito di avere acconsentito?

— Niente affatto! Semplicemente ve lo dicevo per pregarvi di dare un'occhiata alla porta mentre io sono voltato, durante la Messa. Se, magari, domattina voi poteste organizzare una piccola bufera di neve, ve ne sarei ancora più grato.

— E se domattina ci sarà il sole?

— Il sole è il più bel dono che Iddio possa dare agli uomini, — sussurrò don Camillo inchinandosi.

La sera don Camillo scrisse con la biacca, sul fondo nero del solito cartiglio di legno, la dicitura e, alle nove, dopo che il campanaro ebbe addobbata la porta, andò lui stesso ad appendere la tavoletta al centro dell'architrave. Alle nove e venti il paese era già in subbuglio e, poco dopo, arrivava il maresciallo coi carabinieri che si disponevano davanti alla chiesa.

Poi, si capisce, arrivò Peppone alla testa di una lunga colonna di dimostranti.

— Come sindaco protesto indignato contro la provocazione! — urlò Peppone. — E chiedo che la funzione sia sospesa per ragioni di pubblica sicurezza.

— Messe di suffragio come questa ne son state celebrate in tutte le città d'Italia e nessuno ha impedito che venissero celebrate, — rispose il maresciallo. — Non vedo perché proprio qui non dovrebbe essere permesso.

— Io non rispondo di quelle che possono essere le giustificate reazioni popolari! — ribatté Peppone. — Questo è un insulto alla democrazia!

Don Camillo apparve alla porta.

— La vostra campagna provocatoria prosegue a gonfie vele, reverendo! — urlò Peppone. — Vedo che adesso lo confessate sfacciatamente, di essere al servizio della reazione! C'è scritto sul cartello!

— Io sono al servizio di Dio, — rispose don Camillo. — Per me tutte le anime dei cristiani sono uguali e non avrei nessuna difficoltà a celebrare una Messa di suffragio anche per la tua anima.

— Morirete prima voi di me!

— Questo lo deve decidere il Padreterno. Ad ogni modo ti prego di dire ai tuoi gregari di far largo perché chi vuol venire in chiesa possa passare.

Peppone sghignazzò.

— Bene! Voglio proprio vedere chi avrà il coraggio di venire in chiesa, stamattina! Largo: mettetevi su due file e in silenzio. Tu, Brusco, tira fuori il notes e marca i nomi di quelli che entreranno.

Tutti si disposero in due lunghe file e aspettarono.

Non si mostrò anima viva: alle dieci e venticinque arrivò il vecchio mendicante con la sua gabbietta a tracolla e passò tranquillo in mezzo alle due muraglie di folla.

— Ohei! — gli gridò lo Smilzo. — Scansati, non è roba per te!

Il vecchio si fermò.

— Dite a me?

— Sì. Scansati: qui tira brutta aria. Questa è una Messa monarchica dei reazionari.

— Lo so — rispose tranquillo il vecchio riprendendo il suo cammino. — L'ho fatta dire io!

Quando Peppone si fu riscosso dal colpo, era troppo tardi: il vecchio era già in chiesa.

— Ne parliamo quando esce! — gridò una donna.

Il vecchio mendicante era solo nella chiesa deserta. Si mise in piedi davanti al tumulo che era coperto dalla bandiera tricolore. Qualcosa evidentemente non andava perché il vecchio scosse il capo e, deposta su un banco la gabbietta, fece un cenno con un dito e l'uccellino mise fuori la testa dalle sbarre e pescò col becco un foglietto rosso.

Il vecchio distese il foglietto che era piegato in quattro e lo spartì in quattro rettangoletti seguendo le righe della piegatura.

Poi mise i quattro rettangoletti di carta rossa in mezzo al bianco della bandiera, due sopra e due sotto, distanti tre dita l'uno dall'altro. Poi ritornò al suo posto, e stette lì fermo.

Quando la Messa fu terminata, don Camillo si avvicinò al vecchio che stava uscendo e gli porse il pacchettino con le mille lire, ma il vecchio scosse il capo.

— No, no, reverendo. Altrimenti la cosa perde tutto il valore e tutto il significato.

Quando il vecchio mendicante apparve sulla porta, corse tra la gente che aspettava un mormorio. Il vecchio si inoltrò zoppicando nel corridoio tra le due muraglie di gente. I carabinieri non fecero a tempo a intervenire: un gruppo di donne si scagliò urlando addosso al vecchio.

Il vecchio fu tratto subito di sotto le unghie delle donne urlanti. Si era fatto largo intorno a lui: guardò la gabbietta sfasciata e i foglietti dei pianeti sparsi per terra.

Vide per terra l'uccellino morto. Tentennò un poco il capo, poi si volse e riprese la sua strada.

La gente se ne andò in silenzio e l'uccellino morto rimase solo in mezzo al sagrato e don Camillo lo raccolse, lo avvolse nei foglietti dei pianeti e lo andò a seppellire nell'orto, ai piedi del noce e nella buca mise anche il pacchetto con le mille lire.

Un colpo di vento spalancò la finestra di una cappelletta e portò via i quattro rettangoletti di carta rossa che erano sul tumulo in mezzo al bianco della bandiera.

IL COMMISSARIO

Il commissario della Federazione (uno di quei tipi cupi e di poche parole che sembrano fatti apposta per girare con un fazzoletto rosso al collo e con un mitra fra le mani) aveva appena incominciato ad *attivizzare* Peppone e soci adunati alla Casa del Popolo, quando apparve lo Smilzo tutto affannato:

— È arrivata la roba americana! — esclamò. — Ci sono fuori i manifesti che i bisognosi possono andare a ritirare il pacco in canonica. Pasta bianca, latte in scatola, marmellata, zucchero e burro. Il manifesto ha fatto molta impressione in giro.

Il commissario chiese cosa dicesse con precisione il manifesto e lo Smilzo riferì:

— «*Il paterno cuore del Santo Padre*», eccetera, eccetera, «*la quale tutti i bisognosi possono rivolgersi all'arciprete don Camillo*», eccetera, eccetera.

— Tutti i bisognosi?

— Tutti indistintamente.

Peppone strinse i pugni.

— Lo sapevo io che quello stramaledetto mi stava preparando un colpo! Speculano sulla miseria, quei vigliacchi! Bisogna provvedere!

— Provvedi, compagno! — ordinò l'ispettore. — Fai chiamare tutti i capicellula.

I capicellula arrivarono trafelati e Peppone li mise al corrente della manovra reazionaria.

— Entro mezz'ora tutti i compagni sappiano che se uno di loro accetta magari uno spillo, lo strozzo! Tu, Smilzo, piantati di guardia alla canonica e non ti muovere un secondo e tieni gli occhi aperti. E notati sul libretto tutti coloro che vanno a ritirare il pacco!

— Bene, compagno, — approvò gravemente l'ispettore. — In questi casi occorre agire con la massima decisione.

*　　*　　*

Per tutta la giornata ci fu la fila davanti alla canonica e don Camillo schiattava di gioia, perché la roba era buona e abbondante e la gente era contenta.

— Poi dovete dirmi se la roba che vi daranno i rossi sarà migliore di questa! — ridacchiava don Camillo.

— I rossi dànno soltanto dei gran pacchi di balle! — rispondevano tutti.

C'erano dei poveri anche fra i rossi, ma nessuno si presentò e questo era l'unico rovello di don Camillo che si era già preparata una formula speciale anche per loro: «Non ti spetterebbe perché tu ricevi già un sacco di roba da Stalin. Ad ogni modo ti faccia buon pro, compagno: eccoti il tuo pacco». Ma non si presentò nessuno di quelli là e, quando vennero ad avvertirlo che lo Smilzo, nascosto dietro una pianta, prendeva i nomi della gente che veniva a ritirare il pacco, don Camillo capì che avrebbe dovuto tenersi la sua famosa frase in corpo.

Alle sei del pomeriggio tutti i poveri «normali» erano sistemati e rimaneva ancora il mucchietto destinato ai poveri «speciali». Allora don Camillo andò a confidarsi col Cristo dell'altar maggiore.

— Gesù, — disse, — vedete che roba?

— Vedo, don Camillo. E tutto ciò è molto commovente, perché è povera gente che ha bisogno come gli altri, ma obbedisce più ai suoi capi che alla sua fame. E così toglie a don Camillo la soddisfazione di umiliarla coi suoi sarcasmi.

Don Camillo abbassò il capo.

— Carità cristiana non significa dare il superfluo al bisognoso, ma dividere il necessario col bisognoso. San Martino divise il suo mantello col poverello che tremava per il freddo: questa è carità cristiana. E anche quando dividi il tuo unico pane con l'affamato, tu non devi gettarglielo come si getta un osso a un cane. Bisogna dare con umiltà: ringraziare l'affamato di averti concesso di dividere con lui la sua fame. Tu oggi hai fatto soltanto della beneficenza e neppure il superfluo tuo, ma il superfluo degli altri hai distribuito ai bisognosi e non c'è stato nessun merito nella tua azione. Eppure non eri umilissimo come avresti dovuto essere, ma il tuo cuore era pieno di veleno.

Don Camillo scosse il capo.

— Gesù, — sussurrò, — fate che quei disgraziati vengano. Io non dirò loro niente. E non avrei detto loro niente neppure se fossero venuti prima. Lo so che voi mi avreste illuminato.

Don Camillo andò ad aspettare in canonica, ma passò un'ora e nessuno si fece vedere e allora chiuse la porta e la finestra.

Passò ancora un'ora ed erano già le otto passate quando qualcuno bussò alla porta e don Camillo corse ad aprire. Si trovò davanti a Stràziami, uno tra i più fidi di Peppone, e Stràziami era cupo e accigliato come sempre.

Stràziami rimase fermo e silenzioso sulla soglia della saletta.

— Ciò non cambierà di un millimetro quello che penso di voi e dei vostri amici e le mie decisioni elettorali, — borbottò ad un tratto. — Ve lo dico perché non vi facciate illusioni.

Don Camillo approvò con un leggero reclinar del capo. Poi trasse dall'armadio uno dei pacchi rimasti e lo porse a Stràziami.

L'uomo prese il pacco e lo celò sotto il tabarro. Poi stette lì ad aspettare.

— Dite pure, reverendo, — esclamò con ironia Stràziami. — Avete il diritto di fare del sarcasmo sul compagno Stràziami che viene di nascosto a prendere il pacco della roba americana.

— Esci dalla parte dell'orto, — rispose don Camillo.

*　　*　　*

Peppone e il commissario federale stavano cenando quando arrivò lo Smilzo.

— Ormai sono le otto e un quarto e il prete è andato a letto.

— Tutto regolare? — si informò Peppone.

Lo Smilzo titubò un poco.

— In complesso sì.

— Parla chiaro! — gli ordinò il commissario federale con voce dura. — Riferisci con precisione e cerca di non dimenticare niente.

— Durante la giornata, in canonica è venuta solo gente qualunque e ho preso i nomi. Poi un quarto d'ora fa ho visto entrare in canonica uno che col buio non sono riuscito a identificare bene.

Peppone strinse i pugni.

— Sputa, Smilzo! Chi era?

— Mi pareva uno dei nostri...

— Chi?

— Ho l'idea che assomigliasse a Stràziami. Però te lo dico sinceramente: non lo potrei giurare.

Finirono di mangiare in silenzio: quindi il commissario si alzò.

— Andiamo a vedere, — disse. — Queste cose non si debbono lasciare in sospeso.

*   *   *

Il bambino di Stràziami era quello famoso magro e pallido, con gli occhi grandi che don Camillo aveva rincorso una volta. Un bambino che parlava poco e guardava molto. Ora il bambino di Stràziami, seduto alla tavola di cucina, stava contemplando con gli occhi sbarrati suo padre che, cupo e accigliato, apriva con un coltello la scatola di marmellata.

— Dopo, — disse la madre. — Prima la pastasciutta, poi il latte condensato con la polenta e poi la marmellata.

La donna portò in tavola la zuppiera e cominciò a rimestare la pasta fumante. Stràziami andò a sedersi vicino al muro, tra la credenza e il camino e stette a rimirarsi come uno spettacolo il ragazzo che, con i grandi occhi, ora seguiva le mani della madre, ora guardava la scatola della marmellata, ora la scatola del latte condensato, come sperduto in mezzo a tutta quell'allegria.

— Non vieni? — chiese la donna a Stràziami.

— No, io non mangio, — borbottò Stràziami.

La donna si sedette davanti al bambino e si apprestava a riempirgli il piatto di pasta, quando la porta si spalancò ed entrarono Peppone e il commissario federale.

Il commissario guardò la pasta, girò le scatole per leggerne le etichette.

— Dove hai preso quella roba? — chiese con voce aspra a Stràziami che si era alzato e lo rimirava pallido.

Il commissario federale attese per qualche istante una risposta che non venne, poi, con estrema calma, sollevò i quattro lembi della tovaglia, li riunì, tolse il fagotto dalla tavola e, aperta la finestra, buttò tutto nel fosso.

Il bambino tremava e si era messe tutt'e due le mani davanti alla bocca e guardava atterrito il commissario federale. La donna si era rifugiata contro il muro e Stràziami, lì in mezzo alla stanza con le braccia ciondoloni, pareva impietrito.

Il commissario si avviò: giunto sulla porta, si volse.

— Il comunismo è disciplina, compagno. Chi non lo capisce se ne vada.

La voce del commissario riscosse Peppone che,

addossato al muro, era rimasto a guardare a bocca aperta e gli pareva un sogno.

Si incamminarono in silenzio, fianco a fianco, in mezzo alla campagna buia e Peppone non vedeva l'ora di arrivare in paese.

Davanti all'Albergo della Posta, il commissario gli tese la mano.

— Parto domattina alle cinque, — disse. — Buona notte, compagno.

— Buona notte, compagno.

Peppone marciò diretto fino alla casa dello Smilzo.

«Lo riempirò di calci», pensava. Ma, quando fu davanti alla porta dello Smilzo, rimase titubante un poco, poi tornò indietro.

A casa trovò il bambino ancora sveglio nel suo lettuccio e il bambino gli sorrise e gli tese le braccia, ma Peppone non si fermò.

— Dormi! — disse soltanto.

E lo disse con voce dura, cattiva e minacciosa perché nessuno potesse sospettare - neanche lui stesso - che pensava con angoscia agli occhi sbarrati del figlio di Stràziami.

LA GRAN GIORNATA

Il Federale, quando arrivò in paese per l'ultimo comizio elettorale, rimase a bocca aperta per la meraviglia. Disse che di sezioni in gamba come quella di Peppone non ce n'era una in tutta la provincia.

Quando salì sulla tribuna, dalla massa che stipava la piazza si levò un tal temporale di urla e di battimani da far tremare i vetri delle finestre.

Peppone presentò l'oratore, e l'oratore, cessati gli applausi, si avvicinò al microfono e disse:

— Cittadini...

Poi dovette interrompersi perché dalla folla si era levato un mormorio e tutti guardavano in aria. Si sentì avvicinarsi il ronzio e di lì a poco apparve un piccolo aereo rosso che, arrivato sopra la piazza, sganciò mezza tonnellata di manifestini rossi.

Qui successe un putiferio e tutti pensarono soltanto ad arraffare al volo i manifestini. Ne arraffò uno anche Peppone e strinse le mascelle.

L'oratore spiegò che davvero i nemici del popolo avevano poca fantasia, se non riuscivano che ad aggrapparsi alle solite vecchie favole, e controbatté validamente. La piazza si rimise calma, ma, in quel momento, lo stramaledetto aereo rosso riapparve e sganciò dei manifestini verdi.

— Fermi tutti! — urlò Peppone. — I galantuomini democratici non debbono raccogliere le provocazioni degli avversari venduti allo straniero!

La piazza accolse con calma l'arrivo dei manifestini verdi che parlavano del regime di vita dell'operaio russo, e l'oratore riuscì a parlare per cinque buoni minuti. Ma poi l'aereo ritornò a farsi vivo e tutti i nasi si levarono in aria.

Non lanciò niente.

— Brucia! — urlò la gente vedendo un pennacchio di fumo nero uscire dalla coda dell'apparecchio e ci fu un pauroso ondeggiamento nella folla. Ma si trattava di un'altra faccenda perché l'apparecchio faceva strani giri nel cielo e il fumo nero rimaneva sospeso in aria e, poco dopo, la gente si accorse che l'aereo aveva scritto a lettere enormi: « W la D. C. ».

Un urlo di furore si levò dalle schiere degli attivisti e, soltanto quando la scritta si dissolse, tornò la calma in piazza e l'oratore poté riprendere il suo discorso.

Dopo cinque minuti riecco il mascalzone volante. Non buttò niente sulla piazza, ma, arrivato al limite del paese, sganciò una quantità enorme di strani arnesi che presero a scendere ondeggiando leziosamente nell'aria. Si vide che erano piccoli paracadute con un sacchettino legato sotto, e la folla non poté resistere e ci fu uno squagliamento generale e attorno alla tribuna rimasero soltanto le squadre di attivisti.

Quando la gente ritornò sghignazzando, qualcuno portò uno dei paracadute a Peppone: nel sacchetto c'era stampato « *Grano inviato dalla Russia* », e dentro il sacchetto c'era un pizzico di coriandoli.

La folla, sotto gli urli di Peppone, smise di sghignazzare e l'oratore ricominciò a parlare. Ma si udì ancora avvicinarsi il delinquente dell'aria.

Allora Peppone sentì che le budella gli si annodavano per la rabbia e, saltato giù dal palco, chiamò la squadraccia e si allontanò di corsa.

Arrivati alla cascina del Lungo si fermarono davanti al pagliaio.

— Via, spicciarsi! — urlò Peppone.

Gli uomini cavarono fuori di sotto la paglia un grosso arnese coperto di sacchi e, tolti i sacchi, apparve luccicante di grasso una mitragliera da venti millimetri.

La piazzarono e il Brusco tentò di obiettare qualcosa ma Peppone non lo lasciò finire:

— Siamo in guerra! Se loro hanno il diritto di servirsi dell'aviazione noi abbiamo il diritto di servirci della contraerea!

Per fortuna l'aereo aveva finito il suo lavoro e se ne andò e la contraerea non entrò in azione. Ma ormai il comizio era andato a catafascio perché nell'ultimo lancio l'aereo aveva sganciato mezzo quintale di copie de *La Campana* edizione speciale, con un potente articolo di don Camillo. E tutti, meno gli attivisti che si erano cacciati il giornale in saccoccia, si erano messi a leggere.

Il Federale era nero. E non rispose neppure alle scuse di Peppone.

— Compagno, — disse Peppone costernato, — se lo avessi immaginato avrei piazzato la mitragliera prima e, dopo il primo lancio, lo avremmo liquidato. Quando l'ho piazzata era troppo tardi.

Il Federale si fece spiegare la storia della mitragliera e impallidì e la fronte gli si coperse di sudore.

— In complesso è andata anche bene, — balbettò mentre risaliva sulla macchina.

Intanto don Camillo, che aveva seguito la faccenda dall'alto della torre, sbirciando attraverso una finestrina, stava pregando a mani giunte:

— Gesù, dammi la forza di resistere alla tentazione di mettermi a suonare le campane a festa.

E Gesù gli diede la forza di resistere alla tentazione. E fu un gran bene perché Peppone aveva un gatto vivo nello stomaco, e se avesse sentito suonare le campane non ci avrebbe pensato su un secondo: sarebbe ritornato di corsa al pagliaio e, cacciata fuori la mitragliera, avrebbe aperto il fuoco contro il campanile.

Così venne la famosa domenica.

*   *   *

Peppone si mise in ghingheri, gonfiò il petto e uscì di casa per andare a votare. Davanti alla sezione si collocò in coda e tutti gli dissero: «Si accomodi signor sindaco», ma egli rispose che in regime democratico tutti sono uguali.

Ma, in realtà, trovava ingiusto che il suo voto

valesse quanto quello di Pinòla, lo stagnino che era ubriaco sette giorni alla settimana e non sapeva neanche da che parte si alzava il sole.

Peppone si sentiva forte come una mandria di tori. Prima di uscire aveva preso un lapis e aveva segnato una decina di crocette su un foglio.

— Dev'essere il voto più deciso di tutto il comune, — spiegò alla moglie. — Così: zac, zac e Garibaldi vince alla faccia dei venduti e degli sfruttatori.

Peppone si sentiva forte e sicuro di sé come non mai e, ricevuta la scheda, si avviò verso la cabina con feroce baldanza: «*Ne posso dare uno solo di voti*», pensò, «*ma lo darò con tanta rabbia che deve valere per due!*».

Si trovò nella penombra della cabina, con la scheda spalancata davanti e il lapis stretto fra le dita.

«*Nel segreto della cabina elettorale Dio ti vede e Stalin no*», pensò alla frase letta su uno dei manifestini che il maledetto apparecchio aveva lanciato sul comizio e, istintivamente, si volse perché gli pareva di sentire che qualcuno, dietro, lo stava guardando.

«*I preti sono la peggiore genia dell'universo*», conclude. «*Riempiono il cervello della povera gente con un sacco di favole. Avanti: croce su Garibaldi!*».

Ma il lapis rimase lì e non si mosse. E così, Peppone, non sapendo cosa fare, dovette pensare alla maestra. «*Sei sempre stato un mascalzone*», gli sussurrò all'orecchio la voce della maestra morta, e Peppone scosse il testone: «*Non è vero!*», ansimò.

Una grande bandiera rossa gli passò davanti agli occhi e Peppone puntò il lapis sulla stella con Garibaldi. Ma ecco apparirgli sul foglio bianco il volto pallido del figlio di Stràziami. «*L'America, se vince il Fronte, non ci darà più niente*», gli sussurrò all'orecchio la voce di don Camillo.

«*Vigliacchi!*», rispose Peppone stringendo i denti.

«*Centomila italiani prigionieri in Russia non sono tornati!*», gli sussurrò ancora all'orecchio la voce perfida di don Camillo.

«*Non dovevano andarci!*», rispose con rabbia Peppone. Ma gli apparve la vecchia Bacchini che non voleva più votare per nessuno perché nessun Partito poteva farle ritornare il figlio dalla Russia, e Peppone si morse le labbra.

«*Compagno*», gli sussurrò allora all'orecchio la voce dura del commissario federale, «*il comunismo è disciplina*».

Peppone puntò deciso il lapis verso la stella con Garibaldi ma riecco la voce perfida di don Camillo:

«*Chi ha riempito le fosse di Catin?*».

«*Sono infami invenzioni!*», rispose Peppone. «*Sei un porco venduto allo straniero!*».

Ma proprio allora gli venne fatto di pensare alla medaglia d'argento di don Camillo e alla sua medaglia d'argento. Le sentì tintinnare come se cozzassero l'una contro l'altra ed era lo stesso suono.

«*E il Pizzi, chi lo ha ammazzato?*», sussurrò ancora la voce di don Camillo.

«*Non sono stato io*», balbettò Peppone. «*Voi lo sapete chi è stato!*».

« *Lo so* », rispose perfida la voce di don Camillo, « *è stato quello lì, quello lì che è nascosto sotto la stella con Garibaldi. L'avete già ucciso una volta, il Pizzi, perché lo volete ammazzare ancora?* ».

Peppone avvicinò la punta del lapis al quadratino con la stella e Garibaldi.

« *Voto per tutti quelli che ci hanno ammazzato gli altri* », disse.

Improvvisamente sentì la voce del suo ex capo partigiano, il saragatiano che era stato tirato giù dal palco e picchiato:

« *Beati quelli che sono rimasti lassù, in montagna, compagno Peppone* ».

« *Carne maledetta!* », sussurrò la voce di don Camillo. « *Se non fossero morti lassù, avreste picchiato anche loro* ».

Pensò al commissario che portava via la roba da mangiare al figlio di Stràziami. Pensò al figlio.

Peppone vide che la punta del lapis tremava, ma una grande bandiera rossa sventolò davanti ai suoi occhi e lo rinfrancò.

« *Contro tutti gli sfruttatori del popolo che si arricchiscono col nostro sudore!* », disse con rabbia appressando la punta della matita al quadratino con la stella e Garibaldi.

« *Non è la tua bandiera* », sussurrò la voce perfida di don Camillo e un drappo tricolore sventolò davanti agli occhi di Peppone.

« *No, io non tradisco! È inutile, maledetti!* », disse Peppone ansimando e chinandosi sulla scheda.

Uscì poco dopo, e quando consegnò la scheda, aveva paura che gli domandassero cosa aveva fatto in tutto quel tempo. Ma si accorse che erano passati quattro minuti soltanto, e si sentì rinfrancato.

Don Camillo stava cenando solo, ed era già buio quando entrò Peppone.

— Non usa più neppure chiedere permesso quando si entra in casa d'altri? — si informò don Camillo.

— Infami! — gridò Peppone stravolto. — Siete la rovina della povera gente!

— Interessante, — osservò don Camillo. — Vieni a tenere un comizio?

— Voi riempite la testa della povera gente con le vostre menzogne!

Don Camillo approvò con un cenno del capo.

— Va bene: ma perché me lo vieni a dire proprio ora?

Peppone si buttò a sedere e si prese la testa fra le mani.

— Mi avete rovinato, — disse poi con angoscia.

Don Camillo lo guardò.

— Sei pazzo?

— No, — disse Peppone. — Adesso non lo sono più, ma lo sono stato stamattina e ho commesso un delitto!

— Un delitto?

— Sì, io Peppone, io, il capo dei lavoratori, io il sindaco, ho consegnato scheda bianca!

Peppone si nascose ancora la testa tra le mani e don Camillo gli riempì un bicchiere di vino e glielo mise davanti.

— Ma se perdiamo vi faccio la pelle, perché la colpa è vostra! — gridò Peppone rialzando la testa di scatto.

— D'accordo, — rispose don Camillo. — Se

il Fronte perde per un voto mi farai la pelle. Se perde per due o tre milioni di voti, la faccenda del tuo voto passa in second'ordine.

Peppone parve toccato.

— Vi faccio la pelle lo stesso per via dell'aeroplano, — ribatté.

— D'accordo, intanto bevici sopra.

Peppone levò il bicchiere e anche don Camillo levò il suo. E ci bevvero sopra tutt'e due.

Quando Peppone uscì si fermò un momentino sulla porta.

— Queste cose le dobbiamo sapere soltanto noi due, — disse minaccioso.

— D'accordo, — rispose don Camillo.

Invece andò subito a raccontarlo al Cristo dell'altar maggiore.

E poi gli accese davanti due grossi ceri:

— Questo, — spiegò don Camillo, — perché gli avete risparmiato il rimorso di aver votato per Garibaldi e questo perché gli avete evitato il rimorso di aver votato per un Partito che non è il suo.

TECNICA DEL COLPO DI STATO

Alle dieci del martedì sera piovigginava e tirava vento, ma la piazza era piena di gente piantata lì da tre ore o quattro ad ascoltare l'altoparlante che dava le notizie sulle elezioni.

Improvvisamente la luce mancò e tutto piombò nel buio. Qualcuno andò alla cabina, ma tornò ben presto dicendo che non c'era niente da fare perché il guasto era chi sa dove, lungo la linea o alla centrale.

La gente aspettò una mezz'oretta; poi, siccome s'era messo a piovere forte, tornò a casa e il paese diventò deserto e silenzioso.

Peppone andò a chiudersi alla Casa del Popolo assieme al Bigio, al Brusco, a Stràziami, a Gigio lo zoppo, il comandante della « Volante Rossa » del Molinetto: e tutti stavano lì a rodersi l'anima al lume di un moccolotto e a bestemmiare contro quelli della luce che boicottavano il popolo, quando alle undici e mezzo arrivò lo Smilzo che era andato con la moto a vedere se a Roccaverde sapessero qualcosa.

Entrò con gli occhi fuori della testa, sventolando un foglio.

— Il Fronte ha vinto! — ansimò. — Cinquantadue per cento Senato e cinquantuno Camera! Non c'è più niente da fare per gli altri! Bisogna organizzare subito una dimostrazione! Se non c'è luce, incendiamo due o tre pagliai dei più vicini!

— Bene! — urlò Peppone. Ma Gigio lo zoppo agguantò lo Smilzo per la giacchetta.

— Chiudi la ciabatta e non ti muovere, — disse con calma. — Per adesso nessuno deve sapere niente. Sistemiamo, prima di tutto, la faccenda della lista.

Peppone lo guardò sbalordito.

— La lista? E quale lista?

— Quella dei reazionari da far fuori subito. Vediamo un po'.

Peppone balbettò che non avevano fatto nessuna lista e lo zoppo sogghignò:

— Poco male: ce l'ho già pronta e completa. La vediamo un momentino assieme e, una volta deciso, si procede.

Lo zoppo trasse di tasca un foglietto con una ventina di nomi e lo mise sulla tavola.

— Mi pare che ci siano tutti i porci reazionari del paese, — spiegò. — Ho messo i più urgenti: per gli altri si vede dopo.

Peppone scorse i nomi della lista e si grattò la pera.

— Cosa ne dici? — domandò lo zoppo.

— Bah, — rispose Peppone. — In linea di massima siamo d'accordo. Non trovo però che ci sia tanta fretta. Abbiamo tutto il tempo che vogliamo per sistemare le cose con garbo.

Lo zoppo batté il pugno sul tavolo.

— Non abbiamo un minuto da perdere, invece, — esclamò con voce dura. — Adesso che non sospettano di niente li possiamo agguantare: se aspettiamo domani, taglieranno la corda!

Il Brusco intervenne.

— Tu sei matto! Prima di fare fuori della gente ci si deve pensare sette volte!

— Io non sono matto e tu non sei un buon comunista! — gridò lo zoppo. — Questi sono tutti porci reazionari e nessuno lo può mettere in dubbio, e se tu, avendo tutta la comodità di farlo, non li elimini, tradisci la causa e il Partito!

Il Brusco scosse il capo.

— Neanche per sogno! Si tradisce il Partito facendo delle fesserie! E se uno agisce come intendi agire tu, rischia di commettere delle fesserie fenomenali perché può sbagliare eliminando degli innocenti.

Lo zoppo alzò il dito minaccioso:

— È sempre meglio eliminare dieci persone innocue che lasciarsi scappare una sola persona che può far del male al Partito. A danneggiare il Partito, non sono i morti, ma i vivi! Te l'ho già detto; tu sei un cattivo comunista! E, se vuoi saperlo, lo sei sempre stato! Sei un molle, un sentimentale, un borghese travestito!

Il Brusco impallidì e Peppone intervenne.

— Basta! Il concetto del compagno Gigio è giusto, e non lo si può mettere in discussione in quanto è uno dei concetti basilari del comunismo. Il comunismo indica la meta alla quale si deve arrivare: e la discussione democratica deve soltanto riguardare la scelta del modo più rapido e più sicuro per arrivarci.

Lo zoppo, soddisfatto, fece di sì con la testa.

— Quindi, — continuò Peppone, — stabilito che queste persone sono o possono essere dannose al Partito e che perciò vanno eliminate, si deve studiare quale è il modo per arrivare allo scopo. Perché se noi, per leggerezza, agissimo in modo che qualcuno di questi reazionari riuscisse a squagliarsela, allora saremmo colpevoli del tradimento di fronte al Partito. Mi spiego?

— Giusto, — dissero tutti. — Giustissimo.

— Qui siamo in sei, — spiegò Peppone, — e le persone da eliminare sono venti, fra cui gente come il Filotti che ha un mezzo reggimento in casa ed è gonfio di armi. Se noi attacchiamo una per una queste persone, al primo colpo di fucile scappano tutti gli altri. Quindi si deve adottare il concetto dell'attacco simultaneo: occorre mobilitare gli uomini e formare venti squadre tutte adeguate ai diversi obiettivi.

— Benissimo, — approvò lo zoppo.

— Benissimo un accidente! — urlò Peppone. — Perché non è ancora tutto! Occorre infatti una ventunesima squadra, la più robusta che, appena la forza intervenga, la immobilizzi. Inoltre occorrono delle squadre di copertura per sorvegliare le strade e gli argini. E quando uno pretende di agire, come volevi agire tu, senza nessuna cautela, esponendo l'operazione al rischio dell'insuccesso, non è un buon comunista, ma un cretino!

Lo zoppo impallidì e masticò amaro. Peppone diede le direttive. Lo Smilzo sarebbe andato ad avvertire le cellule delle frazioni, che adunassero gli uomini, i quali, al levarsi di un razzo verde, si concentrassero in punti stabiliti dove si sarebbero trovati il Bigio, il Brusco e Stràziami, i quali avrebbero formato le squadre e assegnato gli obiettivi, in attesa del razzo verde. Lo Smilzo partì sulla moto e il Bigio, il Brusco, Stràziami e lo zoppo si misero a lavorare per combinare le squadre.

— Tutto sia fatto perfettamente, — disse Peppone. — Rispondete personalmente del successo. Io intanto vado a vedere come va la faccenda dei carabinieri.

* * *

Don Camillo, dopo aver atteso per un bel po' che la luce tornasse e che la radio riprendesse a chiacchierare, si accingeva ad andarsene a letto, quando sentì bussare e, aperta con cautela la porta, si trovò davanti Peppone.

— Via! — ansimò Peppone agitatissimo. — Sbrigarsi! Fate il fagotto e squagliatevela! Mettetevi un vestito da uomo, montate in barca e poi fate l'accidente che volete!

Don Camillo lo guardò incuriosito.

— Hai bevuto, frontagno sindaco?

— Via! — esclamò Peppone. — Il Fronte ha vinto e le squadre stanno organizzandosi. È saltata fuori la nota di quelli da far fuori e il primo siete voi!

Don Camillo si inchinò:

— Quale onore inaspettato, signor sindaco! Non mi sarei mai immaginato che voi foste uno di quei fior di mascalzoni che fanno le liste della brava gente da eliminare!

Peppone ebbe un gesto d'impazienza.

— Non dite fesserie, reverendo! Io non voglio ammazzare nessuno!

— E allora?

— È quel maledetto zoppo che ha tirato fuori la nota e le direttive del Partito.

— Il capo sei tu, Peppone: potevi dirgli che andasse all'inferno lui e la sua nota.

Peppone sudava e si passò la mano sulla faccia.

— Voi non capite niente di queste cose! Il capo è sempre il Partito e comanda sempre quello che parla in nome del Partito. Se insistevo, quel maledetto mi avrebbe messo in nota davanti a voi!

— Che bello! Il compagno Peppone e il reazionario don Camillo appesi alla stessa pianta!

— Don Camillo, sbrigatevi! — ansimò Peppone. — Voi ve ne infischiate perché siete solo, ma io ho un figlio, una moglie, una madre e un sacco di altra gente che dipende da me! Sbrigatevi se volete salvare la pelle!

Don Camillo scosse il capo.

— E perché soltanto io? E gli altri?

— Gli altri non posso mica andarli ad avvertire io! Non sono mica preti! — esclamò Peppone. — Dovete farlo voi. Andate da due o tre intanto che arrivate alla barca e dite che passino subito la parola. E che si sbrighino! Scrivetevi subito la nota!

— Bene, — approvò don Camillo quando ebbe preso la nota dei nomi. — Mando il ragazzo del campanaro a chiamare il Filotti e i Filotti che sono in cinquanta avvertono poi tutti gli altri. Io non mi muovo di qui.

— Voi dovete andarvene! — urlò Peppone.

— Il mio posto è qui, — ribatté calmo don Camillo, — e non mi muovo neanche se viene Stalin in persona.

— Siete pazzo! — urlò Peppone. Ma in quel

momento bussarono alla porta e dovette correre a nascondersi nella stanza vicina.

Il nuovo arrivato era il Brusco: ma fece appena a tempo a dire: « Don Camillo tagliate la corda » che si udì ancora bussare alla porta. Il Brusco andò anche lui a nascondersi dov'era andato Peppone, e, di lì a poco, entrò nella stanza il Bigio.

— Don Camillo, — disse il Bigio, — ho potuto liberarmi soltanto adesso. Qui la faccenda scotta e voi dovete filare. Questa è la nota degli altri da avvertire.

Poi dovette rifugiarsi anche lui nella stanza vicina perché bussarono ancora. Ed era Stràziami, sempre cupo e feroce. Il quale però non fece neppure a tempo a cominciare che rientrarono Peppone, il Brusco e il Bigio.

— Pare una di quelle vecchie farse da oratorio, — sghignazzò don Camillo. — Adesso aspettiamo lo zoppo e poi siamo al completo.

— Quello non verrà, — borbottò Peppone.

Poi sospirò; batté la mano sulla spalla del Brusco, diede una manata sulla pancia al Bigio e uno scapaccione a Stràziami.

— Vacca miseria! — esclamò. — Ci si ritrova ancora tutti, come ai bei tempi. Possiamo ancora capirci come allora.

Gli altri tre fecero di sì con la testa.

— Peccato, — sospirò Peppone, — se ci fosse anche lo Smilzo ci sarebbe tutta la vecchia guardia!

— C'è, — spiegò calmo don Camillo. — Lo Smilzo è stato il primo a venire.

— Bene! — approvò Peppone. — E adesso sbrigatevi, voi!

Don Camillo era testardo.

— No, ti ho già detto che il mio posto è qui. Mi basta sapere che voi non sparerete contro di me.

Peppone perdette la pazienza e si calcò giù il cappello fino alle orecchie, dopo avergli anche dato un'avvitata, come faceva quando si preparava a scazzottarsi con qualcuno.

— Voi due pigliatelo per le spalle che io lo prendo per le gambe e lo portiamo via di peso e lo leghiamo sul biroccio. Tu, Stràziami, vai ad attaccare la cavalla.

Non fecero in tempo ad alzare le mani che la luce si accese, e rimasero abbagliati.

Dopo qualche secondo la radio riprese a chiacchierare:

«...Ecco i risultati della Camera dei Deputati, di numero 41.000 sezioni su 41.168: Democrazia Cristiana 12.000.257, Fronte Popolare 7.547.468...».

Stettero tutti zitti ad ascoltare finché la radio non tacque. Poi Peppone guardò cupo don Camillo.

— La gramigna non si estirpa mai, — disse con rabbia. — L'avete scampata anche questa volta!

— Anche voi l'avete scampata, — rispose calmo don Camillo. — Dio sia lodato.

Chi non la scampò fu Gigio lo zoppo che stava fieramente aspettando l'ordine di far partire il razzo verde e che, invece, ricevette tante di quelle pedate che lo azzopparono anche nel sedere.

Sic transit gloria mundi.

ARRIVI DALLA CITTÀ

Gigino si sentì addosso gli occhi della madre e delle due sorelle, ma non alzò la testa dal piatto.

La cameriera tornò in cucina e la signora ripeté:

— E allora?

— Ho parlato con tutti i professori e col preside, — spiegò il padre. — Hanno detto che va ancora peggio dell'anno scorso.

Gigino aveva quattordici anni ed era in seconda media: ripetente della seconda, dopo aver fatto per due anni la prima.

— Mascalzone! — disse la signora rivolta verso Gigino. — Lezioni private di latino, lezioni di matematica, soldi, sacrifici!

A Gigino vennero le lacrime agli occhi.

La signora si protese sopra la tavola, agguantò Gigino per i capelli e gli sollevò il viso.

— Mascalzone! — ripeté.

Si sentì ciabattare la cameriera e la signora si ricompose. Quando la ragazza se ne fu andata, la signora si rivolse al marito:

— Ma cosa combina?

— Niente, — spiegò il padre allargando le braccia. — Come condotta è a posto e nessuno si lamenta. Quando lo interrogano non risponde, quando fa i compiti in classe non riesce a scrivere una parola che non sia una bestialità. I professori non me lo hanno detto ma mi hanno fatto capire che per loro è un cretino.

— Non è un cretino! — gridò la signora. — È un vigliacco! Ma è ora di finirla: bisogna trovare il modo di farlo studiare. Sono pronta a sopportare tutti i sacrifici dell'universo, ma deve andare in collegio.

Le due sorelle guardarono Gigino con disprezzo.

— Per causa sua poi ne dobbiamo soffrire noi! — esclamò la maggiore che era già all'università.

— Dobbiamo soffrirne noi che non ne abbiamo nessuna colpa, — aggiunse l'altra che era una delle più brave del liceo.

— Ne soffriamo tutti, — disse il padre. — Quando in una famiglia c'è una disgrazia pesa su tutti. Ad ogni modo, a costo di scannarmi, lo metterò in collegio.

Gigino era un ragazzo timido, di quelli che parlano poco: ma quella volta la disperazione lo prese e parlò.

— Non voglio più studiare! — disse. — Voglio fare il meccanico!

La signora scattò in piedi e diede uno schiaffo a Gigino.

— Voglio fare il meccanico! — ripeté Gigino.

Il padre intervenne:

— Calmati, Maria. Non bisogna far scenate.

Lascialo dire: andrà in collegio e là troveranno il modo di farlo studiare.

— Non voglio più studiare! — insistette Gigino. — Voglio fare il meccanico.

— Vattene nella tua stanza! — disse il padre.

Gigino se ne andò e il consesso riprese la discussione.

— È più che mai necessario chiuderlo in collegio, — affermò la signora. — Ormai si ribella e qui succederebbero scenate d'inferno.

— Provvederò subito, — assicurò il padre. — Oggi sono riuscito a mantenermi calmo, ma in seguito non so se ci riuscirei più.

— È un ragazzo che ci farà rodere il fegato a tutti, — disse la signora. — D'altra parte non possiamo permettere che, a forza di ripetere le classi, diventi la favola della città. Quando si ha un decoro bisogna mantenerlo ad ogni costo.

— Certamente, — approvò il padre. — Il figlio del nostro usciere che ha fatto la prima media con Gigino è già due classi più avanti di lui.

La signora ebbe una crisi di pianto e le due ragazze guardarono con aria di rimprovero il padre.

Non c'era nessuna necessità, perbacco, di dire una cosa simile. Ma il padre aveva da tanto tempo quella cosa lì, sullo stomaco, e doveva ben dirla.

*   *   *

Gigino arrivò con la corriera delle sei del pomeriggio. Gironzolò per il paese e subito venne sera. Incominciò a piovigginare e il ragazzo si riparò sotto il porticato in fondo alla piazzetta. Guardò le vetrine delle tre o quattro bottegucce.

Aveva ancora in tasca duecento lire e avrebbe voluto entrare nel caffè per bere una tazza di latte, ma non trovava il coraggio di farlo.

Traversò la piazza e andò a rifugiarsi nella chiesa. Si mise nell'angolo più nascosto e, verso le dieci, quando don Camillo andò a dar la buona notte al Cristo dell'altar maggiore, trovò Gigino addormentato su una panca.

Il ragazzo, svegliato d'improvviso dall'urlaccio di don Camillo, vedendosi davanti quell'omaccio nero che pareva ancora più colossale nella penombra della chiesa, sbarrò gli occhi.

— Cosa fai qui? — domandò don Camillo.

— Scusi, signore, — balbettò il ragazzo. — Mi sono addormentato senza volere.

— Ma che signore! — borbottò don Camillo. — Non vedi che sono un prete?

— Scusi, reverendo, — mormorò il ragazzo, — vado via subito.

Don Camillo vide quei due grandi occhi pieni di lacrime e agguantò per una spalla Gigino che già s'era avviato verso la porta.

— E dove vai? — domandò.

— Non lo so, — rispose Gigino.

Don Camillo cavò fuori dall'ombra il ragazzo, lo spinse davanti all'altar maggiore dove c'era luce, e lo squadrò attentamente.

— Oh, un signorino, — disse alla fine. — Vieni dalla città?

— Sì.

— Vieni dalla città e non sai dove vai. Hai del danaro?

— Sì, — rispose il ragazzo mostrando i due biglietti da cento lire.

Don Camillo si avviò verso la porta rimorchiandosi Gigino. Quando furono arrivati in canonica, don Camillo prese tabarro e cappello:

— Seguimi, — disse brusco. — Andiamo a sentire cosa pensa di questa storia il maresciallo.

Gigino lo guardò sbalordito.

— Non ho fatto niente, — balbettò.

— E allora perché sei qui? — urlò don Camillo. Il ragazzo abbassò la testa.

— Sono scappato da casa, — spiegò.

— Scappato. E per qual ragione?

— Vogliono per forza farmi studiare, ma io non capisco niente. Io voglio fare il meccanico.

— Il meccanico?

— Sì, signore. Tanti fanno il meccanico e sono contenti. Perché non posso essere contento anch'io?

Don Camillo riappese all'attaccapanni il tabarro.

La tavola era ancora apparecchiata. Don Camillo frugò nella credenza e trovò un po' di formaggio e un pezzettino di carne.

Poi si mise a sedere e stette a guardarsi come uno spettacolo Gigino che mangiava secondo tutte le regole della buona creanza.

— Il meccanico vuoi fare? — domandò a un certo punto.

— Sì, signore.

Don Camillo si mise a ridere e il ragazzo arrossì.

Il letto dell'ospite era sempre pronto, al primo piano, e così non fu difficile sistemare il ragazzo.

Prima di lasciarlo solo nella stanza, don Camillo gli buttò sul letto il suo tabarro.

— Qui non ci sono i termosifoni, — spiegò. — Qui fa freddo sul serio.

Prima di addormentarsi, don Camillo si rigirò nel letto parecchio.

« Il meccanico », borbottava. « Vuol fare il meccanico! ».

*   *   *

La mattina don Camillo si alzò come il solito che era ancor buio, per la prima Messa: ma stavolta si studiò di non fare baccano per non svegliare il signorino che dormiva nella stanzetta vicina. E, prima di scendere, aperse cautamente la porta per controllare se tutto funzionava bene nella camera dell'ospite. E trovò il letto rifatto alla perfezione e Gigino seduto sulla sedia a piedi del letto.

La cosa lo lasciò sbalordito.

— Perché non dormi, tu? — disse di malumore.

— Ho già dormito.

Quella mattina pioveva e faceva un freddo infame e così l'unico ad ascoltare la Messa di don Camillo era Gigino. E don Camillo fece anche il suo bravo sermoncino e parlò dei doveri dei figli, e del rispetto che i figli debbono avere per la volontà dei genitori e fu uno dei discorsi nei quali mise maggiore impegno. E il povero Gigino, solo e sperduto nella chiesa semibuia e deserta dove la voce tonante del colossale sacerdote rimbombava e ingigantiva, sentendosi dire « voi ragazzi », aveva l'idea di essere responsabile, davanti a Dio, dei peccati di tutti i ragazzi dell'universo.

*   *   *

— Nome, cognome, paternità, luogo e data di nascita, luogo di residenza e numero del telefono! — ordinò don Camillo a Gigino quando ebbero consumata la colazione.

Il ragazzo lo guardò impaurito poi disse tutto quello che doveva dire, don Camillo andò al posto pubblico a telefonare.

Gli rispose la signora.

— Vostro figlio è mio ospite. Non datevi pensiero perché qui è al sicuro da ogni pericolo, — spiegò don Camillo dopo essersi qualificato. Poi sopraggiunse il padre e don Camillo rassicurò anche lui e gli diede un consiglio: il ragazzo era un po' scosso. Si rendeva conto del male che aveva fatto ed era pentito sinceramente. Lo lasciassero tranquillo qualche giorno da lui che avrebbe fatto in modo di convincerlo a mettersi di buona volontà a studiare come intendevano i genitori.

Avrebbero, a loro completa sicurezza, ricevuto dal Vescovado conferma di quanto appreso attraverso il telefono. Telegrafassero se permettevano che il ragazzo rimanesse qualche giorno ospite di don Camillo.

Il telegramma arrivò nel primo pomeriggio.

— I tuoi genitori ti hanno concesso di restare con me un po' di tempo, — disse allora don Camillo a Gigino.

E Gigino finalmente sorrise.

Don Camillo si mise il tabarro e uscì con Gigino.

Arrivarono fino all'estremità del paese e si fermarono davanti all'officina di Peppone.

Peppone stava smontando pezzo per pezzo un motore d'automobile e, quando vide don Camillo, buttò per terra la chiave inglese e si mise i pugni sui fianchi.

— Qui non si parla di politica, — disse cupo Peppone, — qui si lavora.

— Bene, — rispose don Camillo accendendo il suo mezzo toscano. Poi spinse avanti Gigino.

— Che roba è? — domandò Peppone.

— Questo è un borghese che è scappato di casa perché lo vogliono far studiare e invece lui vuol fare il meccanico. Ti interessa?

Peppone guardò il ragazzo esile ed elegante poi sghignazzò.

— Tu vuoi fare il meccanico?

— Sì, signore, — rispose Gigino.

— Qui non ci sono signori! — urlò Peppone. E gli occhi di Gigino si riempirono di lacrime.

— Sì, capo, — sussurrò Gigino.

Peppone grugnì, si volse, raccolse la chiave inglese e riprese a lavorare accanto al motore.

Gigino guardò don Camillo e don Camillo gli fece cenno di sì.

Allora Gigino si tolse il cappottino e, sotto, aveva la sua brava tuta di tela blu.

Peppone buttò via la chiave inglese e cominciò a lavorare con le chiavi fisse. Svitò quattro dadi del 16 poi gli serviva la chiave del 14.

E se la trovò davanti al naso.

Tremava, la chiave del 14, perché Gigino aveva una paura maledetta, ma era una chiave del 14 e Peppone l'agguantò con malgarbo.

Don Camillo allora si avviò: quando fu sulla porta si rivolse a Gigino:

— Giovanotto, — disse, — qui si lavora, non si fa della politica. Se senti quel disgraziato lì parlare di politica, lascia tutto e torna a casa.

Peppone levò gli occhi e guardò cupo don Camillo.

*   *   *

Il padre arrivò dopo una diecina di giorni e don Camillo lo ricevette con tutti i riguardi.

— Ha messo la testa a posto? — s'informò il padre.

— È un bravo ragazzo, — rispose don Camillo.

— Dov'è adesso?

— Sta studiando, — rispose don Camillo. — Lo andiamo a trovare.

Quando giunsero all'officina di Peppone, don Camillo si fermò ed aperse la porta.

Gigino stava lavorando alla morsa con la lima.

Venne avanti Peppone e il padre di Gigino lo guardò a bocca aperta.

— È il padre del ragazzo, — spiegò don Camillo.

— Ah! — disse Peppone con aria poco benevola squadrando diffidente il signore pieno di dignità.

— Fa bene? — balbettò il signore.

— È nato per fare il meccanico, — rispose Peppone. — Fra un anno non saprò più cosa insegnargli e bisognerà mandarlo in città a lavorare nella meccanica di alta precisione.

Don Camillo e il padre di Gigino tornarono in silenzio alla canonica.

— Cosa dico a mia moglie? — domandò sgomento il padre di Gigino.

Don Camillo lo guardò.

— Dica la verità: lei è contento di aver preso una laurea e di essere finito caporeparto in un ufficio statale?

— Il mio sogno era di diventare specialista di

motori a scoppio, — sospirò il padre di Gigino.

Don Camillo allargò le braccia:

— Dica questo a sua moglie!

Il padre di Gigino sorrise tristemente.

— Preghi per me, reverendo. Verrò tutte le settimane a trovare Gigino. Se occorre qualcosa mi scriva. Non a casa però: mi scriva in ufficio.

Poi si fece raccontare come era andata la faccenda della presentazione a Peppone e, quando seppe il particolare della chiave del 14 che era proprio del 14 e ci voleva quella del 14, gli brillarono gli occhi.

— Mio padre, — esclamò, — era il miglior tornitore della città. Buon sangue non mente!

MISERIA

Don Camillo entrò nell'officina e trovò Peppone che, seduto in un angolo, stava leggendo tranquillamente il giornale.

— Il lavoro nobilita, — disse don Camillo. — Cerca di non sforzarti troppo.

Peppone levò un istante gli occhi, volse la faccia per sputare verso babordo, poi riprese la lettura.

Don Camillo si sedette su una cassetta, si tolse il cappello, si asciugò il sudore, poi osservò calmo:

— Nella vita quello che conta è la buona grazia.

In quel momento entrò lo Smilzo, ancora ansimante per la corsa in bicicletta. Vistosi davanti don Camillo si toccò con un dito la visiera del berretto:

— Buon giorno, Eminenza, — disse. — L'influenza del clero sulle menti semplici ancora ottenebrate dalle nebbie del medioevo è un elemento ritardatore del progresso.

Peppone non si mosse di un millimetro. Don Camillo continuò a sventolarsi col fazzoletto limi-

tando la sua reazione a un impercettibile spostamento del viso che gli permise di guardare con la
coda dell'occhio dalla parte dello Smilzo. Lo Smilzo si sedette per terra contro il muro e non disse
più niente.

Passò qualche minuto e arrivò Stràziami con la
giacchetta su una spalla e il cappello all'indietro.
Vista la situazione, si appoggiò allo stipite della
porta e si interessò del paesaggio.

Dopo qualche minuto, arrivò il Lungo che, senza dir verbo, spostò con la zampa gli utensili sul
banco e si sedette.

Passarono dieci minuti e l'unico dei cinque che
dava segno di essere vivo era don Camillo che continuava a sventolarsi col fazzoletto.

Ad un tratto Peppone spiegazzò il giornale e
lo buttò via.

— Mondo schifoso! — gridò con voce rabbiosa.
— Non c'è dunque nessuno che ha da fumare?

Nessuno si mosse e don Camillo continuò a farsi
vento col fazzoletto.

— Neanche voi? — disse con cattiveria Peppone a don Camillo. — È da stamattina che non
fumo!

— E io son due giorni che non sento l'odore del
tabacco, — borbottò don Camillo. — Speravo che
ne avessi tu.

Peppone buttò lontano con un calcio una latta
vuota.

— L'avete voluto? — urlò. — Adesso godete-
velo anche voi il vostro De Gasperi!

— Se tu, invece di leggere il giornale, lavorassi,
i soldi per fumare li avresti! — ribatté calmo don

Camillo. E allora Peppone buttò per terra il canpello e cominciò a urlare.

— Lavorare! Lavorare! E che accidente faccio se nessuno mette più il naso in officina? Cosa faccio se questa porca gente piuttosto che far accomodare una macchina per segare l'erba si cuoce il cervello tagliando l'erba con la falce? Cosa lavoro se da due mesi ho il camion fermo perché nessuno fa più un trasporto? Me lo dite voi dove sbatto la zucca per tirare avanti?

— Nazionalizza l'azienda, — rispose calmo don Camillo, e Peppone muggì come un bue.

Lo Smilzo alzò il dito.

— Il piano Marshall, — continuò gravemente, — è l'oppio dei popoli. Il proletariato ha bisogno di riforme sociali, non di illusioni.

Peppone si piantò a gambe larghe davanti a don Camillo.

— Smettetela di farvi vento con quel maledetto fazzoletto! — urlò. — E ditemi invece: cosa ha fatto fino ad ora il vostro sporco governo?

— Non lo so, — rispose calmo don Camillo. — I giornali non ci stanno più nel mio bilancio. Da un mese non leggo che il libro da Messa.

Peppone scrollò le spalle.

— Vi fa comodo di non sapere quello che succede! — urlò. — Il fatto è che voi tutti avete tradito il popolo per i vostri sporchi interessi!

Don Camillo smise di farsi vento col fazzoletto.

— Io? — chiese con voce sommessa.

Peppone si grattò in testa poi andò a sedersi nel suo angolo e si nascose la faccia tra le mani, e il silenzio ripiombò nell'officina semibuia.

Passò qualche minuto.

— E pensare che di là dal fiume c'è gente che può lavorare e fa sciopero, — esclamò ad un tratto don Camillo. — Questo è un delitto in un momento simile!

Peppone alzò la testa.

— Lo sciopero è l'unica arma che possiede ancora il lavoratore! — urlò. — Volete toglierci anche quello? Toglierci tutto? Perché dunque abbiamo combattuto e rischiata la pelle?

— Per perdere la guerra più alla svelta, — rispose don Camillo.

Cominciò la discussione su chi dovesse pagare la guerra e continuò fino a tardi. Poi, scolando una ventina di canestri da benzina, si riuscì a riempire il serbatoio della moto e così lo Smilzo e il Lungo partirono, mentre don Camillo ritornava verso casa.

A mezzanotte una barca scivolava silenziosa sull'acqua del fiume e dentro c'erano cinque uomini in tuta e con la faccia sporca d'unto: parevano macchinisti o roba del genere e tre erano pezzacci di cristiano con spalle larghe così. Toccarono terra dall'altra sponda, molto più a valle. Dopo un paio di chilometri, fra i campi deserti, trovarono un camioncino che li aspettava e montarono e arrivarono a una grossa fattoria, dove gente li aspettava.

Poco dopo i cinque uomini stavano già portando enormi carrette di letame fuor dalle stalle. Poi si buttarono sotto a mungere ed erano in cinque, ma parevano un battaglione. Verso le nove, quando stavano mungendo le ultime vacche, arrivò qualcuno ansimando: — La squadra!

I cinque fecero appena in tempo a levarsi in

piedi e a uscire dalla stalla: la squadra era già sotto la « porta morta » dove erano allineati i bidoni pieni di latte.

— Adesso vi faccio vedere come si fa il burro! — sghignazzò il capo della squadra di sorveglianza dando una pedata a un bidone che si rovesciò. E il latte si sparse in terra.

— E intanto che voi sistemate gli altri bidoni, noi sistemiamo questi maiali di crumiri! — urlò il capo della squadra avanzando minaccioso verso i cinque.

I bulli della squadra erano in dodici, ma tre stanghe come quelle manovrate dai tre omoni grossi facevano almeno per otto e i due magri erano svelti come anguille e lavoravano sfruttando la velocità. La squadra, dopo un certo tempo, dovette andarsene con le ossa ammaccate. Tre ore dopo apparve sulla strada carraia che porta alla fattoria un mezzo esercito.

I cinque agguantarono dei tridenti ed aspettarono l'attacco.

La squadraccia si fermò una ventina di metri prima dell'aia. — Non vogliamo farvi niente, — gridò il capo della banda. — La colpa non è vostra ma di chi vi è venuto a prendere in città. È lui che deve pagare. Voi andatevene per i fatti vostri e pensiamo noi a regolare i conti col vecchio.

Le donne della fattoria cominciarono a piangere e il padrone vecchio e i suoi due figli erano bianchi di paura.

— Non si può, — borbottò uno dei cinque.

Rimasero; e gli altri avanzarono brandendo i bastoni.

— Attenzione! — urlò uno dei tre più grossi. E brandendo il forcale lo lanciò verso la piccola mandria in arrivo che si fermò e fece un balzo indietro. E il forcale si infilzò nella terra a mezza strada.

L'uomo che aveva lanciato il forcale, con un balzo fu nella stalla, ma ritornò fuori in tempo per spalancare davanti alla banda che si era rimessa in moto la bocca di un mitra.

Il mitra è una cosa seria che fa paura, ma quello che fa più paura quando ci si trova davanti a un mitra è la faccia di chi lo impugna. Perché si capisce subito se è uno che è deciso a sparare o meno. E la faccia dell'omaccio col mitra dava l'esatta idea che, se uno non tagliava la corda entro un minuto, la festa sarebbe immediatamente cominciata.

Ci fu un tentativo, la notte, ma bastò una raffica di cinque colpi per convincere la banda che era meglio soprassedere.

Rimasero dodici giorni, fino al termine dello sciopero, e quando se ne andarono li riempirono di soldi e di roba da mangiare.

Nessuno seppe mai chi fossero i cinque maledetti crumiri.

Un fatto positivo è che per un bel po' Peppone, lo Smilzo, Stràziami e il Lungo non parlarono più di crisi, e poi ci fu una lunga discussione tra don Camillo e il Cristo dell'altare, perché il Cristo sosteneva che il mitra l'aveva portato lui, don Camillo, e don Camillo replicava che l'aveva portato invece Peppone. E, alla fine, don Camillo allargò le braccia.

— Cosa volete, Gesù mio, — disse. — Come

faccio a dirvelo? Così camuffati come eravamo, e con la faccia finta e la barba lunga, non si capiva più quale fossi io e quale Peppone. Di notte tutti i crumiri sono bigi.

E siccome il Cristo insisteva che il fatto era avvenuto di giorno, don Camillo allargò ancora le braccia.

— Cosa volete! In determinate circostanze si perde la nozione del tempo...

LA «VOLANTE»

Era una sera di febbraio e pioveva e le strade della Bassa erano piene di fango e di malinconia.

Don Camillo, davanti al fuoco, stava sfogliando una raccolta di vecchi giornali, quando arrivò qualcuno a spiegargli che stava succedendo qualcosa di grosso.

Allora don Camillo lasciò il libraccio e, buttatosi addosso il tabarrone nero, corse in chiesa.

— Gesù, — disse, — ci siamo ancora col figlio di quel disgraziato!

— Di quale disgraziato parli?

— Il figlio di Peppone. Dev'essere poco simpatico al Padreterno...

— Don Camillo, come osi dire che esistano esseri umani più o meno graditi al Padreterno? Dio è uguale per tutti.

Don Camillo stava frugando in un armadietto e parlava col Cristo crocifisso, stando dietro l'altare.

— Gesù, — rispose, — il figlio di Peppone questa volta è spacciato e mi hanno mandato a chiamare per dargli l'Olio Santo. Un chiodo arrugginito, roba da niente... E adesso muore.

Ormai aveva trovato tutto quello che gli occorreva: passò ansimando davanti all'altare, si inginocchiò in fretta poi scappò via. Ma non corse molto: arrivato a metà della chiesa, si fermò e tornò indietro.

— Gesù, — disse quando fu davanti all'altare. — Io devo farvi un lungo discorso, ma non ho tempo. Ve lo farò lungo la strada. L'Olio Santo ve lo metto qui, sulla balaustra. Non lo porto.

Camminò in fretta sotto la pioggia e, soltanto quando fu arrivato davanti alla porta di Peppone, si accorse che aveva il cappello in mano. Si asciugò la testa con un lembo del tabarro e bussò.

Venne ad aprirgli una donnetta che lo precedette e bisbigliò qualcosa affacciandosi a una porta. E allora si udì un urlo immenso e la porta si spalancò ed apparve Peppone.

Alzò i pugni. Aveva gli occhi iniettati di sangue.

— Via! — urlò. — Via di qua!

Don Camillo non si mosse.

La moglie e la madre di Peppone si aggrapparono a lui disperatamente, ma Peppone pareva impazzito e si scagliò su don Camillo afferrandolo per il petto.

— Via di qui! — urlò. — Cosa volete voi? Siete venuto a liquidarlo? Via o vi strozzo.

Bestemmiò ed era una bestemmia atroce, una bestemmia da far impallidire il cielo. Ma don Camillo non si turbò: lo scostò con un urtone ed entrò nella stanza del bambino.

— No! — urlò Peppone. — No, l'Olio Santo no! Se gli date l'Olio Santo vuol dire che è finito!

— Di che Olio Santo parli? Io non ho nessun Olio Santo con me.

— Giurate!

— Giuro.

Allora Peppone si calmò di botto.

— Non avete portato l'Olio Santo?

— No. Perché dovevo portarlo?

Peppone guardò il medico poi guardò don Camillo. Poi guardò il bambino.

— Di che cosa si tratta? — domandò don Camillo al dottore.

Il dottore scosse il capo.

— Reverendo, qui, soltanto la streptomicina potrebbe salvarlo.

Don Camillo strinse i pugni.

— Solo la streptomicina lo può salvare? E Dio no? — urlò. — Dio c'è dunque per niente?

— Io faccio il medico, non il prete.

— Voi fate schifo! — gridò don Camillo.

— Bene! — approvò Peppone.

Don Camillo era ormai lanciato.

— Dov'è questa streptomicina?

— In città, — rispose il dottore.

— La si va a prendere!

— Arriveremo sempre troppo tardi, reverendo. È questione di minuti. Non c'è nessun mezzo per arrivare in città. Il telefono e il telegrafo sono interrotti per via del temporale. Niente da fare.

Allora don Camillo tirò su il bambino, lo avvolse nella coperta e nella trapunta.

— Sbrigati! — gridò a Peppone, — chiama quelli della squadra!

Quelli della squadra stavano aspettando nell'officina: c'erano lo Smilzo e l'altra robaccia giovane.

— Ci sono sei motociclette in paese: io vado da Breschi a prendere la «Guzzi» da corsa, voi andate a prendere le altre. Se non ve le dànno, sparate!

Scattarono. Don Camillo corse da Breschi.

— Se non mi dài la moto, questo bambino muore. E se muore io ti rompo il collo! — disse don Camillo.

Non aprirono neanche la bocca e gli piangeva il cuore pensando alla «Guzzi» da corsa, nuova di zecca, buttata allo sbaraglio in mezzo al fango e alla notte.

Dieci minuti dopo la squadra era al completo, sulle motociclette rombanti. C'era qualche testa rotta in qualche casa, ma don Camillo disse che questo non aveva importanza.

— Siamo in sei: uno deve arrivare per forza in città, — spiegò don Camillo. Egli era a cavalcioni della «Guzzi» da corsa, rossa e scintillante, e aveva il bambino in grembo. Se lo fece assicurare bene col mantello e una corda, poi partì.

Due davanti, due dietro affiancati, in mezzo don Camillo e, davanti a tutti, Peppone sulla enorme «DKW» di Bolla, lungo le strade buie e deserte e squallide della Bassa, la «Volante», saetta sotto la pioggia.

La strada è viscida, le curve improvvise e insidiose. Le ruote rasentano i fossi, i muri: ma la «Volante» non si ferma.

Via, via, via dentro il fango, in mezzo al ghiaietto.

Ed ecco la grande strada asfaltata.

Le macchine rombano, ed è una corsa folle.

Ma, ad un tratto, don Camillo sente un gemito doloroso uscire dal fagotto che ha in grembo. Bisogna far più presto.

— Gesù, — implora don Camillo a denti stretti. — Gesù, dammi ancora del gas!

Ed ecco che la « Guzzi » ha come un balzo. Pare che dentro i cilindri abbia tutta la fabbrica di Mandello con la commissione interna al completo.

Via, via!

Li passa tutti e Peppone se la vede sguisciare di fianco e non può seguirla perché non ha più niente da girare: lui non ha un Gesù come quello di don Camillo cui chiedere ancora del gas!

Corre la « Volante » nella notte, ed è una corsa infernale, ma don Camillo vola.

*   *   *

Don Camillo non seppe mai come arrivò. Gli dissero soltanto che egli arrivò con un bambino in braccio, prese per il collo un portiere d'ospedale, poi spaccò con una spallata una porta, poi minacciò di stritolare la testa a un dottore.

Il fatto è che la « Volante » ritornò senza il bambino, che ormai aveva bisogno soltanto di un po' di riposo nella sua bella camerina all'ospedale.

Ritornò la « Volante » la notte stessa, ed entrò in paese rombando, piena di glorioso fango.

LA BICICLETTA

Non si riesce a capire come, in quella fettaccia di terra che sta fra il grande fiume e la grande strada, ci sia stato un tempo in cui non si conosceva la bicicletta. Difatti, alla Bassa, dai vecchi di ottant'anni ai ragazzini di cinque, tutti marciano in bicicletta. E i ragazzini sono speciali perché lavorano con le gambe di sbieco in mezzo al triangolo del telaio e la bicicletta cammina tutta di traverso, ma va. I vecchi contadini viaggiano per lo più con biciclette da donna, mentre i vecchi agrari col pancione adoperano ancora le vecchie « Triumph » col telaio alto, e montano in sella servendosi del predellino avvitato come dado al perno della ruota posteriore.

C'è davvero da mettersi a ridere vedendo le biciclette dei cittadini, quegli scintillanti arnesi di metalli speciali, con impianto elettrico, cambio di velocità, portapacchi brevettati, copricatena, contachilometri e altre porcherie del genere. Quelle non sono biciclette, ma giocattoli per far divertire le gambe. La vera bicicletta deve pesare almeno trenta chili. Scrostata della vernice in modo da conservarne soltanto qualche traccia, la vera bicicletta, tanto per incominciare, deve avere un solo pedale. E dell'altro pedale deve essere rimasto soltanto il perno che, levigato dalla suola della scarpa, luccica meravigliosamente ed è l'unica cosa luccicante di tutto il complesso.

Il manubrio, privo di manopole, non deve essere stupidamente perpendicolare al piano della ruota, ma essere spostato a destra o a sinistra di almeno dodici gradi. La vera bicicletta non ha parafango posteriore; ha soltanto quello anteriore in fondo al quale deve penzolare un buon pezzo di pneumatico d'automobile, preferibilmente di gomma rossa, per evitare gli spruzzi.

Può avere anche il parafango posteriore qualora dia fastidio al ciclista la striscia di fango che si viene a formare sulla sua schiena quando piove. In questo caso, però, il parafango deve essere incrinato un bel pezzo in modo da permettere al ciclista la frenata all'americana che consiste appunto nel bloccare, con la pressione del fondo dei pantaloni, la ruota posteriore.

La vera bicicletta, quella che popola le strade della Bassa, non ha freno e i suoi copertoni devono essere debitamente sbudellati indi tamponati con trance di vecchie gomme, in modo da creare nel tubo pneumatico quei rigonfiamenti che poi permettono alla ruota di assumere uno spiritoso movimento sussultorio. Allora la bicicletta fa veramente parte del paesaggio e non dà neppur lontanamente l'idea che essa possa servire a dare spettacolo: come appunto succede con le biciclette da corsa che rispetto alle vere biciclette, sarebbero come le ballerinette da quattro soldi nei confronti delle brave e sostanziose donne di casa. D'altra parte un cittadino queste cose non riuscirà mai a capirle perché il cittadino, nelle questioni sentimentali, è come una vacca nella melica. Questi cittadini che sono pieni fino agli occhi di porcherie morali, e poi chiamano «mucche» le vacche perché, secondo loro, chiamare vacca una vacca non è una cosa pulita. E chiamano *toilette* o *water closet* il cesso, ma lo tengono in casa mentre, alla Bassa, lo chiamano cesso ma ce l'hanno tutti ben lontano da casa, in fondo al cortile. Quello del *water* nella stanza vicina alla stanza dove dormi o mangi sarebbe il *progresso*, e quella del cesso fuori da dove vivi sarebbe la *civiltà*. Cioè una cosa più scomoda, meno elegante, ma più pulita.

Nella Bassa la bicicletta è una cosa necessaria come le scarpe, anzi più delle scarpe perché mentre uno anche se non ha scarpe ma ha la bicicletta può andare tranquillamente in bicicletta, uno che ha le scarpe ma non ha la bicicletta deve andare a piedi. Qualcuno magari osserva che questo puo succedere anche in città: ma in città è un'altra cosa per via che c'è il tram elettrico, mentre, nelle strade della Bassa, non ci sono rotaie ma soltanto, segnate nella polvere, le righe diritte delle biciclette e dei barocci e delle moto, tagliate ogni tanto dal solco leggero e saettante che fanno le bisce quando passano da un fosso all'altro.

*   *   *

Don Camillo non aveva mai commerciato, in vita sua: a meno che non si voglia chiamare commercio il comperare un chilo di manzo o due sigari toscani e relativa scatola di *fulminanti*, come li chiamano alla Bassa, e sarebbero poi quei vigliacchi di zolfanelli che si accendono bene soltanto a sfregarli sul fondo dei pantaloni o sotto la suola delle scarpe.

Don Camillo non aveva mai commerciato, però il commercio gli piaceva come spettacolo e così, quando si apriva l'aria, il sabato montava sulla bicicletta e andava alla Villa a vedere il mercato.

Lo interessavano molto il bestiame, le macchine agricole, i fertilizzanti e gli anticrittogamici e, quando aveva l'occasione di comprare quella cartocciata di zolfo o di solfato di rame da dare alle quattro viti che aveva dietro la canonica, era tutto contento e si sentiva agricoltore almeno come Bidazzi che era padrone di seicento biolche di terra. E poi al mercato c'erano le bancarelle e i divertimenti e quell'aria di festa e di abbondanza che tira su il morale.

Anche quel sabato don Camillo approfittò della bella giornata e, montato sulla sua vecchia bicicletta, macinò allegramente i dodici chilometri per arrivare alla Villa. Il mercato era formidabile con tanta gente che non s'era mai vista e don Camillo se la sguazzava più che se fosse stato alla Fiera di Milano.

Poi, alle undici e mezzo, andò a ritirare la bicicletta dal deposito e, tirandosela dietro per il manubrio in mezzo alla confusione, si avviò verso la stradetta, dopo la quale si sarebbe trovato davanti la libera campagna.

Qui però il demonio ci mise la sua lurida coda perché don Camillo, passando davanti a una bottega, si ricordò di dover comprare non si sa quale cianfrusaglia e così, poggiata la bicicletta contro il muro, entrò e, quando uscì, la bicicletta non c'era più.

Don Camillo era una spropositata macchina di ossa e di muscoli e dalle piante dei piedi alla cima della testa era alto come un uomo normale su uno sgabello, mentre dalla testa ai piedi era alto almeno una spanna di più: il che significa che, mentre gli altri lo vedevano in un certo modo, lui si vedeva in un altro perché il coraggio di don Camillo era appunto alto una buona spanna di più della sua statura. E anche se gli spalancavano davanti uno schioppo non perdeva un filo di pressione. Ma quando inciampava in un sasso o gli facevano un tiro da birichino si smontava e gli venivano le lacrime agli occhi per l'umiliazione.

In quei momenti sentiva una specie di compassione per sé stesso e l'anima gli si riempiva di malinconia.

Non fece nessun can can.

Si limitò a domandare con indifferenza a un vecchietto che era fermo lì davanti se avesse visto uno con una bicicletta da donna con la reticella verde. E siccome quello rispose che non si ricordava di averlo visto, si toccò il cappello e se ne andò.

Passò davanti alla stazione dei carabinieri ma non pensò neppure di entrare: il fatto che a un povero prete con venticinque lire in tasca avessero rubata la bicicletta era di carattere morale, soprattutto, quindi roba che non doveva essere immischiata nei normali affari della vita. Sono i ricchi quelli che, appena derubati, vanno a denunciare il furto: perché per loro è un semplice affare di quattrini, mentre per il povero il patire un furto è un'offesa: come se, a uno che ha una gamba sola, un porco maledetto desse di proposito uno spintone, o gli spaccasse la stampella.

Don Camillo si tirò il cappello sugli occhi e si incamminò verso casa. Quando sentiva alle spalle sopraggiungere un biroccio, usciva dalla strada e si nascondeva per paura che gli offrissero di salire. Voleva camminare a piedi, non gli andava di parlare con nessuno. E soprattutto voleva macinare a piedi i dodici chilometri quasi per aggravare la colpa di chi gli aveva fatto quel torto infame, per il gusto di sentirsi più offeso ancora. Camminò per un'ora senza fermarsi, solo come un cane nella strada piena di sole e di polvere e aveva il cuore pieno di pena per quel disgraziato don Camillo al quale egli pensava come se si trattasse di un altro.

Camminò un'ora intera senza fermarsi e la strada era deserta. Arrivato all'imbocco di una stradetta secondaria, si fermò per sedersi sulla spalletta del piccolo ponte di mattoni e, contro la spalletta del ponte, era appoggiata la sua bicicletta.

Ed era proprio la sua, la conosceva pezzo per pezzo, non c'era da sbagliare.

Si guardò attorno e non vide nessuno.

Toccò la bicicletta; con la nocca del dito batté sul manubrio ed era proprio di ferro, non un'illusione.

Si guardò ancora attorno: non un'anima viva. La casa più vicina era almeno a un chilometro. Le siepi ancora nude, pelate.

Si affacciò alla spalletta del ponte e c'era un uomo seduto nel fosso asciutto.

L'uomo guardò in su e mosse la testa come per dire: «Ebbene?».

— Questa bicicletta è mia — balbettò don Camillo.

— Quale bicicletta?

— Questa qui appoggiata alla spalletta del ponte.

— Bene, — osservò l'uomo. — Se alla spalletta del ponte è appoggiata una bicicletta e se la bicicletta è vostra, cosa c'entro io?

Don Camillo rimase perplesso.

— Domandavo, — spiegò. — Non volevo sbagliare.

— Siete sicuro che è vostra?

— Altroché! Me l'hanno portata via un'ora fa alla Villa, mentre entravo in una bottega. Non capisco come si trovi qui.

L'uomo rise.

— Si vede che si è stufata di aspettarvi e allora è andata avanti.

Don Camillo allargò le braccia.

— Voi come prete siete capace di mantenere un segreto? — si informò l'uomo.

— Certamente.

— Be', allora vi dirò che la bicicletta è lì perché ce l'ho portata io.

Don Camillo spalancò gli occhi.

— L'avete trovata da qualche parte?

— Sì, l'ho trovata davanti alla bottega nella quale eravate entrato. E allora l'ho presa su.

Don Camillo rimase in forse un poco.

— È stato uno scherzo?

— Non diciamo stupidaggini! — protestò offeso l'uomo. — Figuratevi se, alla mia età, io vado in giro a fare degli scherzi! L'ho presa sul serio. Poi ci ho ripensato e vi sono corso dietro. Vi ho

77

seguito fino a due chilometri prima di qui: poi ho tagliato per la Strada Bassa e, arrivato qui, ve l'ho messa sotto il naso.

Don Camillo si sedette sulla spalletta e guardò l'uomo seduto nel fosso.

— Perché avete presa quella bicicletta se non era la vostra?

— Ognuno fa il suo mestiere: voi lavorate con le anime e io lavoro con le biciclette.

— Hai sempre fatto questo mestiere?

— No: sono due o tre mesi soltanto. Faccio le fiere e i mercati e lavoro tranquillo perché tutti questi contadini hanno a casa le damigiane piene di biglietti da mille. Stamattina non mi era riuscito di combinare niente e allora ho preso su la vostra bicicletta. Poi da lontano vi ho visto uscire e, senza dir niente, pigliar la strada. Allora, mi sono venuti degli scrupoli e vi ho seguito. Non riesco neanche a capire come sia stato: il fatto è che vi ho dovuto seguire. Perché tutte le volte che stava per arrivare un biroccio vi nascondevate? Lo sapevate che io ero dietro?

— No.

— E invece io c'ero! Se foste salito su un biroccio io sarei tornato indietro. Invece, visto che continuavate a camminare a piedi, ho dovuto fare quello che ho fatto.

Don Camillo tentennò il capo.

— E adesso dove vai?

— Torno alla Villa a vedere se mi riesce di trovare qualcosa.

— Un'altra bicicletta?

— Si capisce.

— E allora piglia questa.

L'uomo guardò su.

— Reverendo, neanche se fosse d'oro! Sento che l'avrei in coscienza per tutta la vita. Mi rovinerebbe la carriera. Alla larga dai preti!

Don Camillo gli domandò se avesse mangiato, e l'altro rispose di no.

— Allora vieni a mangiare a casa mia.

Si avvicinava un biroccio ed era quello del Brelli.

— Avanti, pelle grama! Piglia la bicicletta e seguimi. Io monto in biroccio.

Fece fermare e salì dicendo che gli faceva male una gamba.

L'uomo lasciò il fosso, tornò sulla strada. Era arrabbiatissimo: buttò il cappello per terra, disse un sacco di male parole all'indirizzo di molti santi poi montò sulla bicicletta.

*   *   *

Don Camillo già da dieci minuti aveva preparato la tavola quando arrivò in canonica l'uomo della bicicletta.

— Ti devi accontentare, — disse don Camillo. — C'è solo pane, salame, un pezzo di formaggio e un po' di vino.

— Non vi preoccupate, reverendo, — rispose l'uomo; — ci ho pensato io. — E mise sulla tavola un pollastrello.

— Stava attraversando la strada, — spiegò l'uomo. — Senza volere gli sono passato sul collo con la ruota della bicicletta. Mi ha fatto pena lasciarlo lì agonizzante in mezzo alla strada. Gli ho abbreviato le sofferenze. Reverendo non mi guardate con quegli occhi: se voi lo fate andare alla graticola come si deve, sono sicuro che Dio vi perdonerà.

Don Camillo fece andare il pollastro alla graticola e tirò su una bottiglia di quelle speciali.

Dopo qualche ora l'uomo si apprestò a tornare per i fatti suoi ed era molto preoccupato.

— Adesso, — sospirò, — è un guaio ritornare a rubare biciclette. Mi avete rovinato il morale.

— Hai famiglia?

— No, sono solo.

— Sta bene; ti assumo come campanaro. L'altro è andato via due giorni fa.

— Ma io non so suonare le campane.

— Un uomo che sa rubare una bicicletta impara subito.

L'uomo scosse il capo e allargò le braccia.

— Accidenti a voi e a quando vi ho incontrato! — borbottò.

E rimase a fare il campanaro.

LEGNATE MATRIMONIALI

Don Camillo, quando vedeva comparire in chiesa o in canonica il vecchio Rocchi, borbottava fra sé: « Ecco qui il commissario politico! ». Perché il vecchio Rocchi era il capo di quella squadra di sorveglianza che non manca in nessuna parrocchia e che ha il compito di vigilare sul contegno del prete in chiesa e fuori, e di scrivere le lettere di protesta al vescovo quando, secondo i vigilanti, il prete sgarra o, addirittura, dà scandalo.

Il vecchio Rocchi non mancava naturalmente a nessuna funzione, e siccome aveva il banco di famiglia in prima fila, poteva seguire don Camillo dall'a alla zeta e, così ogni tanto, durante la Messa si voltava verso la moglie e le diceva con un sorrisetto: « Ha tagliato ». Oppure: « Chi sa dove ha oggi la testa ». Oppure: « Non è più il don Camillo di una volta ».

E, alla fine, andava in canonica a fare le sue osservazioni sulla predica e a dare i suoi consigli.

Don Camillo non era certo il tipo da preoccuparsi di gente come il vecchio Rocchi; però gli seccava di sentirsi sempre quegli occhi addosso e se, durante la Messa, gli veniva il bisogno di soffiarsi il naso, levava gli occhi al Cristo Crocifisso e pregava mentalmente: «Gesù, assistetemi: fate che io riesca a soffiarmi il naso in modo tale da non dar scandalo».

Il Rocchi, infatti, era severissimo nelle questioni di forma: «L'arciprete di Treville, quando si soffia il naso durante la Messa, non te ne accorgi: questo qui, invece, pare una tromba del Giudizio Universale», aveva osservato più d'una volta.

Il Rocchi era insomma un tipo così e se Dio permette che esistano tipi così significa che ci vogliono anche loro: aveva tre figli e una figlia, la Paolina, che era la più bella e virtuosa ragazza del paese. E fu proprio Paolina che, una sera, fece sobbalzare don Camillo nel confessionale.

*   *   *

— Io non posso darti l'assoluzione se prima non fai quello che devi fare, — disse don Camillo.

— Me ne rendo conto, — rispose la ragazza.

Questa è una delle solite storie di paese e per capirla bene bisognerebbe abitare un po' nelle case basse della piana lungo il fiume, sentire sul cervello il sole di luglio, veder spuntare, qualche sera d'agosto, la luna enorme e rossa dietro l'argine. Tutto pare immobile, nella piana della Bassa, e uno ha l'idea che non succeda mai niente lungo quegli argini deserti, e che non possa succedere niente dentro quelle case rosse o blu dalle finestre piccole. Invece succedono più cose che al monte e nelle città perché quel sole dannato va dentro nel sangue della gente. E quella luna rossa e smisurata non è la solita luna gelida degli altri posti, ma scotta anch'essa e, la notte, scalda il cervello dei vivi e le ossa dei morti. E, d'inverno, quando il freddo e la nebbia premono sulla piana, il caldo immagazzinato durante l'estate è ancora tanto che la gente non ha il cervello sufficientemente fresco per ripensare alle cose fatte durante l'estate e così, ogni tanto, una doppietta sputa fuoco da dietro una siepe, o una ragazza fa quel che non dovrebbe fare.

Paolina tornò a casa e, quando la famiglia ebbe finito il rosario, si avvicinò al padre.

— Papà, — disse, — vi debbo parlare.

Gli altri andarono per conto loro e la ragazza e il vecchio Rocchi rimasero soli davanti al camino.

— Di che cosa si tratterebbe? — domandò sospettoso il padre.

— Si tratterebbe di pensare al mio matrimonio.

Il Rocchi scrollò le spalle:

— Non ci pensare. Non sono affari tuoi. Quando sarà ora troveremo il tipo adatto.

— È ora, — spiegò la ragazza. — E ho anche trovato il tipo adatto.

Il Rocchi fece due occhi grandi così.

— Fila a letto e che non ti senta mai più parlare di queste cose! — urlò.

— Va bene, — rispose la ragazza. — Il fatto è che ne sentirete parlare dagli altri.

— Hai dunque dato scandalo? — gridò atterrito il Rocchi.

— No, ma lo scandalo scoppierà. Sono faccende che non si possono nascondere.

Il Rocchi agguantò la prima cosa che gli capitò

sottomano: e disgraziatamente si trattava di un mezzo palo. La ragazza si accucciò in un angolo, cercando di ripararsi la testa, e rimase lì, immobile e silenziosa sotto il temporale di legnate.

Fu anche fortunata nella sua disgrazia perché il palo si ruppe e l'uomo allora si calmò.

— Se hai la disgrazia di essere ancora viva, alzati! — disse il padre.

La ragazza si levò.

— Nessuno sa niente? — domandò il Rocchi.

— Lui lo sa... — sussurrò la ragazza. E qui il vecchio perdette ancora l'indirizzo di casa e ricominciò a pestare con un bastone cavato fuori dalla fascina appoggiata al camino.

Quando anche la seconda ondata fu finita, la ragazza ritornò su.

— Lo sa anche don Camillo, — sussurrò la ragazza. — Mi ha negato l'assoluzione...

L'uomo si scagliò ancora sulla ragazza.

— Se mi ammazzate succederà uno scandalo peggiore, — disse la ragazza, e il vecchio si calmò.

— Chi è lui? — domandò il vecchio.

— È il Falchetto, — rispose la ragazza.

Se avesse detto: « È Satanasso in persona » la cosa avrebbe fatto meno colpo.

Il Falchetto era Gigi Bariga, uno dei più importanti soggetti dello stato maggiore di Peppone. Era l'intellettuale della faccenda, quello che preparava i discorsi di propaganda, organizzava i comizi e spiegava le direttive federali.

Era quindi ancora più scomunicato di tutti gli altri della banda perché capiva più di tutti gli altri. La cosa era orrenda.

La ragazza aveva ormai preso troppe botte: il

padre la spinse su un letto, poi le si sedette vicino.

— Adesso basta, picchiarmi, — disse la ragazza. — Se mi toccate mi metto a urlare e faccio uno scandalo. Io debbo difendere la vita di mio figlio.

Verso le undici di notte il vecchio Rocchi cedette alla stanchezza.

— Non posso ammazzarti, non posso metterti in un convento dato lo stato in cui ti trovi, — disse. — Sposatevi e andate sulla forca tutti.

*   *   *

Il Falchetto, quando si vide davanti la sua Paolina così conciata, rimase a bocca aperta.

— Dobbiamo sposarci o sarà la mia morte, — disse la ragazza.

— Certamente! — esclamò il Falchetto. — È quello che ti chiedo da tanto tempo. Anche subito, Paolina.

Era una sciocchezza pensare di sposarsi a mezzanotte e tre quarti: ad ogni modo una frase detta così, sotto il portichetto in fondo all'aia, con davanti i campi coperti di neve, aveva un valore.

— Hai già spiegato tutto a tuo padre? — domandò il Falchetto.

La ragazza non rispose e il Falchetto capì di aver detto una stupidaggine.

— Io piglio il mitra e li faccio fuori tutti! — esclamò. — Io...

— Non si tratta di prendere dei mitra: si tratta semplicemente di andare dal parroco a prendere il consenso.

Il Falchetto fece un passo indietro.

— Lo sai che io non posso. Conosci la mia posizione. Basta andare dal sindaco.

La ragazza si strinse nello scialle.

— No, — rispose. — Questo, mai. Non me ne importa niente di quello che può succedere. O si fa un matrimonio da cristiani o non ci si vede mai più.

— Paolina! — implorò il Falchetto. Ma la ragazza aveva già infilato l'usciolino famoso.

*   *   *

La ragazza rimase a letto per due giorni: il terzo giorno il vecchio Rocchi salì da lei.

— L'hai visto l'altra sera! — disse. — Lo so.

— Lo so anch'io.

— E allora?

— Niente da fare: non vuole sposarsi da cristiano. O si sposa da cristiano o niente.

Il vecchio si mise a urlare e a pestar calci da tutte le parti. Poi andò giù, si buttò sulle spalle il tabarro e uscì.

Così, poco dopo, don Camillo si trovò davanti a un grave problema.

— Reverendo, lei sa cosa è successo, — disse il Rocchi.

— Io non so niente.

Il Rocchi dovette raccontare per filo e per segno come stavano le cose. E don Camillo, alla fine, allargò le braccia:

— Bisogna vigilare i figli, caro signor Rocchi: bisogna dare ad essi una sana educazione morale. Questo è il primo dovere di un padre.

Era la disfatta per il Rocchi, e il vecchio, se avesse potuto, avrebbe strozzato don Camillo.

— Reverendo, ho dato il mio consenso al matrimonio, ma il mascalzone non vuole sposarsi in chiesa.

— Lo immaginavo.

— Io vengo perché lei mi illumini: è più scandaloso che una ragazza, nello stato in cui si trova mia figlia, non si sposi, o è più scandaloso che si sposi in modo non cristiano?

Don Camillo scrollò la testa.

— Qui non è questione di scandalo: è questione di bene e di male, — rispose. — Bisogna pensare a quello che nascerà.

— A me interessa che si sposino subito e vadano sulla forca! — esclamò il Rocchi.

— Se credete che questo sia l'essenziale perché venite a chiedermi consiglio? Se vi interessa soltanto che si sposino lasciate che si sposino come meglio credono.

— Il fatto è che la ragazza ha detto che o si sposa in chiesa oppure non si sposa!

Don Camillo sorrise.

— Dovreste essere contento di avere una figlia di così sani princìpi. Un male non lo si elimina con un altro male. È una ragazza col cervello a posto. Dovreste essere orgoglioso di lei.

— Va a finire che io l'ammazzo! — urlò il Rocchi uscendo dalla canonica.

— Beh, non pretenderete forse che io convinca vostra figlia a non sposarsi in chiesa! — gli gridò dietro don Camillo.

*   *   *

Durante la notte la ragazza sentì i sassetti contro la finestra, e la faccenda continuò tanto e poi tanto che si decise a scendere.

Il Falchetto l'aspettava e, quando lo poté guardare in faccia, la ragazza si mise a singhiozzare.

87

— Mi sono tolto, — spiegò il giovanotto. — Domani uscirà il comunicato di espulsione dal Partito. Prima di lasciarmi andare Peppone ha voluto che lo scrivessi io.

La ragazza gli si avvicinò.

— Ti ha picchiato molto?

— Non la smetteva più, — spiego il Falchetto. — Quando ci sposiamo?

— Anche subito, — rispose la ragazza. E pure lei disse una grossa stupidaggine perché era quasi l'una di notte e, per di più, il povero Falchetto, oltre a tutto il resto, aveva un occhio nero come il carbone.

— Domani sera andrò a parlare con l'arciprete, — disse il Falchetto. — Io però in municipio non ci voglio andare. Niente sindaco. Io non lo voglio più vedere Peppone.

Si toccò l'occhio ammaccato e la ragazza gli mise una mano sulla spalla.

— Andremo anche dal sindaco: non temere, ci sarò io a difenderti.

*   *   *

La Paolina andò la mattina presto a trovare don Camillo.

— Potete darmi l'assoluzione, — disse. — Guardate che io non ho fatto niente di quel che vi avevo confessato. Dovete semplicemente conteggiarmi in più la bugia che vi ho detto.

Don Camillo la guardò perplesso.

— Se non inventavo quella storia lo convincevate voi mio papà a lasciarmi sposare il Falchetto?

Don Camillo fece di no con la testa.

— Non gli dire niente a tuo padre, però, — la

consigliò don Camillo. — Neanche quando sarete sposati.

Era una cattiveria: ma anche la tracotanza del Rocchi meritava una punizione.

— No, non glielo dirò, — rispose la ragazza. — Le botte me le ha date come se fosse vero quello che gli avevo raccontato.

— Appunto, — affermò don Camillo. — Perché sciupare tante sante legnate?

Quando passò davanti all'altare, il Cristo lo guardò un po' corrucciato.

— Gesù, — spiegò don Camillo. — Chi si umilia sarà esaltato, chi si esalta sarà umiliato.

— Don Camillo, tu cammini su una strada pericolosa da un po' di tempo.

— Con l'aiuto di Dio si può camminare su qualsiasi strada, — rispose don Camillo. — Questo sarà un matrimonio che ne varrà quindici dei soliti.

E fu davvero così.

IL «KOLCHOZ»

Gli vennero a dire che il popolo aveva occupate le Ghiaie, e il Boschini stava facendo i conti del latte, roba seria, ma piantò lì tutto e, fatto attaccare il cavallo al biroccio, andò a vedere.

Lungo la strada incontrò il maresciallo dei carabinieri che in bicicletta stava pedalando come un maledetto verso il paese.

— Vado a telefonare che mi spediscano rinforzi, — spiegò il maresciallo. — Siamo soltanto in quattro gatti e non ce la faremmo a mandare via quegli scatenati.

Il Boschini si mise a ridere.

— E perchè li volete mandar via? Una volta che riesco a trovare dei disgraziati che prendono in considerazione le Ghiaie, voi me li volete far scappare. Lasciate perdere, maresciallo.

Un sito di cento biolche è una faccenda grossa, e le Ghiaie erano appunto un podere di cento e passa biolche ma era terra che, a seminar frumento, rendeva sassi, e così, dopo aver passato Dio sa quanti affittuari e mezzadri, il podere era rimasto abbandonato. Era abbandonato da almeno dieci anni ma il popolo se ne era accorto soltanto adesso e così lo aveva occupato, bandiere in testa alla colonna e gran cartelli con parole tremende.

Appena il Boschini comparve sullo stradone che portava alla casa, tutti gli corsero incontro minacciosi e lo bloccarono.

Peppone avanzò e disse con voce cupa : — Piantatevi bene nella zucca che ci siamo e ci resteremo. Se a voi la terra non interessa, interessa al popolo affamato.

— Bene, — rispose il Boschini. — Però qui i casi sono due perché la legge non l'ho mica inventata io : o voi sgombrate la mia proprietà, oppure vi mettete in regola prendendola in affitto.

— Voi dunque tentate di speculare sulla miseria del popolo affamato? — domandò Peppone.

— Non mi pare, dato il prezzo speciale che vi farei, — rispose il Boschini. — Si fa il suo bravo contrattino e io vi dò il fondo per una lira all'anno. Mi date cinque lire e siete a posto per cinque anni.

Peppone lo guardò sospettoso.

— Che accidente di porcheria c'è sotto? — si informò.

— Nessuna porcheria perché si mette tanto di nero sul bianco davanti al notaio, — lo rassicurò il Boschini. — Voglio semplicemente divertirmi senza rinunciare alla proprietà. Voglio proprio vedere cosa riuscirete a combinare in mezzo a questi maledetti sassi.

Il contratto regolare venne steso davanti a un notaio e Peppone prese in affitto le Ghiaie per cinque anni e versò le cinque lire di affitto anticipato, il tutto a nome della Cooperativa Agricola Popolare.

E, in un proclama solenne, lasciando perdere il particolare del contratto, annunciò al mondo che *« sulle rive del Volga italiano era nato il primo* kolchoz *della Repubblica conquistato dal sacrificio e dall'ardimento del popolo »*.

Organizzare un *kolchoz* non è uno scherzo perché bisogna informarsi come funzionano le fattorie collettive nei paesi democratici, bisogna buttare giù regolamenti, statuti, stabilire dei turni di lavoro, selezionare le domande degli aspiranti kolchoziani e via discorrendo.

Il Boschini stette tre mesi senza farsi vedere alle Ghiaie, poi un giorno arrivò e, visto che nessuno aveva smosso neppure un sasso e tutto era uguale a prima (salvo la bandiera rossa in cima a un gran palo piantato in mezzo all'aia), andò da Peppone e gli disse:

— Quando siete pentiti dell'affare, io vi restituisco le cinque lire e si manda a monte tutto.

Peppone sghignazzò divertito.

— Noi veniamo da molto lontano e andiamo molto lontano, — rispose. — Noi non abbiamo fretta: il primo piano quinquennale funziona già perfettamente. Chi vivrà vedrà.

Il *kolchoz* delle Ghiaie era diventato il divertimento di tutti i reazionari dei paraggi ed era un continuo via vai di gente che gironzolava attorno al podere per curiosare e malignare. Ma il podere pareva abbandonato.

Finalmente scoppiò la bomba e il popolo venne convocato in piazza per ascoltare comunicazioni di importanza straordinaria.

Prepararono le cose per bene e arrivò popolo da tutte le parti del comune e dei comuni vicini e, allorché la piazza fu zeppa come un uovo, sulla tribuna addobbata di rosso apparve Peppone.

— Compagni, — disse Peppone. — Il momento è solenne. La gloriosa nazione sovietica ci porge la mano fraterna e invia alla Cooperativa Agricola Popolare il suo tattile aiuto!

Peppone continuò su questo tono e parlò della differenza sostanziale fra chi vuole la pace e chi vuole la guerra e altre cose essenziali. Poi concluse che, siccome le parole vengono dall'Occidente e i fatti dall'Oriente, avrebbe presentato al popolo dei fatti concreti.

— Fate largo alla civiltà che avanza! — urlò alla fine Peppone. E il popolo fece largo e, tra due ali di popolo, avanzò solennemente, preceduto da una formidabile staffetta motociclistica, il maestoso trattore russo a cingoli assegnato al *kolchoz* di Peppone.

— Fate largo alla civiltà e alla pace! — urlò ancora Peppone: e la banda attaccò *Bandiera rossa*.

Era un momento solenne davvero e, proprio in quel momento, il trattore si bloccò e fu un vero peccato perché erano già pronti bambini e bambine vestiti di rosso, con gran mazzi di fiori da gettare sulla maestosa macchina.

Lo Smilzo, che stava al volante, saltò giù e cominciò a frugare dentro il cofano del motore; poi si rivolse verso il palco e allargò le braccia, desolato. Non ci capiva un accidente.

Allora Peppone abbandonò il palco e, con gli occhi pieni di sangue per la rabbia, si diresse verso il trattore.

— Maledetto sabotatore, — disse a bassa voce allo Smilzo. — Poi facciamo i conti, io e te!

Per Peppone non esisteva motore che potesse nascondere dei segreti malanni. Toltasi la giacca, Peppone cominciò a lavorare con la chiave inglese ma, dopo due minuti, il gambo di un bullone gli si sbriciolò tra le mani. Non c'era più niente da fare.

— La macchina è magnifica, — disse ad alta voce. — La macchina è perfetta, ma i sabotatori sono troppi in questo porco mondo!

Ad ogni modo non si poteva piantare lì, in mezzo alla piazza, il trattore: bisognava ad ogni costo farlo sfilare davanti al palco, sul quale palco, oltre al resto, c'era anche il rappresentante della Federazione provinciale.

Belletti prestò il suo «Fordson» americano e, trascinato dall'Occidente guerrafondaio, l'Oriente passò davanti al palco e fu coperto di fiori.

Intanto però, a parte il piccolo incidente, il trattore c'era e lo si sentiva perché faceva un baccano maledetto. E c'era anche un potente aratro, il che significava che Peppone aveva ragione quando affermava che il piano quinquennale era in pieno funzionamento.

Peppone era assetato di rivincita e lavorò tutta la notte attorno al trattore. Poi vi lavorò anche tutto il giorno dopo perché trovò una quantità di piccole cosette che non erano a punto.

Alla fine però poteva far affiggere uno storico comunicato:

Cooperativa Agricola Popolare kolchoz *le Ghiaie*

Comunicato n. 1

Sabato mattina, con l'intervento di tutte le autorità comunali avrà inizio, con breve e vibrante cerimonia, i lavori di dissodamento della terra conquistata dal popolo.
La terra ai contadini!
Viva la Pace! Viva il Lavoro!

E venne il sabato mattina e le Ghiaie furono invase da un sacco di gente. Peppone spiegò brevemente il significato del fatto, poi il più vecchio lavoratore del *kolchoz* agguantò la manovella per dare l'avviamento al motore. Al volante stava il più giovane kolchoziano e tutto questo aveva un fondo delicatamente allegorico.

La banda attaccò l'inno dei proletari: il vecchio girò la manovella, poi si abbatté gemendo per terra. Un contraccolpo gli aveva spaccato il braccio destro. Se ne accorsero soltanto i più vicini perché Peppone con un balzo lo aveva sostituito e aveva dato lui l'avviamento.

Il popolo urlò d'entusiasmo, e il trattore, scoppiettando allegramente, si mosse. Proseguì in modo veramente maestoso per sei metri, poi si bloccò. Peppone intervenne, e con mezz'ora soltanto di messa a punto rimise in perfetta efficienza il motore e il trattore ripartì.

Dopo trenta metri successe un curioso fatto: il trattore fece un brusco voltafaccia, spaccò i tiranti d'agganciamento dell'aratro e, continuando il suo maledetto giro, passò sopra l'aratro spezzando in due il timone.

Si era semplicemente spezzato **uno** dei cingoli della parte destra, il guidatore era stato sbalzato giù e ora il trattore faceva il girotondo.

Ci fu, nei ranghi della reazione, **gente** che quel giorno si ubriacò di gioia e a qualc**uno** vennero i crampi per il gran ridere.

Peppone aveva un fegato gonfio **come** un dirigibile e, siccome il danno era piut**tosto** grosso, lavorò quattro giorni per rimettere il **trattore** in grado di fare il trattore e l'aratro in **grado** di fare l'aratro.

Il dissodamento del *kolchoz* ricominciò quasi clandestinamente, questa volta. Nessuno lo annunciò, ma tutti lo sapevano e, quando **il trattore** si mosse per continuare il solco iniziato, le siepi e i cespugli attorno alle Ghiaie erano **pieni** di occhi curiosi.

L'attesa era forte, ma non fu delusa: a metà del solco, il trattore si impuntò e si vide **Peppone** mettersi a saltare urlando come un matto.

Oramai Peppone lavorava esclusivamente per il trattore, ma il dissodamento non **andava** avanti, semplicemente perché, una volta **messo a punto**, il trattore russo faceva venti metri e **poi** si piantava come un mulo.

E la solfa non accennava a finire.

*   *   *

Una sera don Camillo stava leggiucchiando in canonica quando apparve Peppone.

— Reverendo, — disse Peppone, — qui la politica non c'entra. Qui c'entra la **terra** da arare, la terra da risanare, il pane per la gente che ha fame!

— E allora? — domandò, calmo, don Camillo.

— Allora io non so cos'abbia quel trattore nella pancia. Non va! Appena finisco di accomodare a destra si guasta a sinistra. Appena ho finito di sistemarlo sotto, si svirgola sopra.

— Questa è una canonica, non un'officina meccanica, — spiegò don Camillo.

— Ho fuori la moto, — continuò Peppone, — e si fa in un minuto. Venite a benedire quel canchero di trattore perché deve avere nella pancia tutte le maledizioni del creato.

Don Camillo scosse il capo:

— Per un trattore bolscevico io non mi muovo neanche se fosse in punto di morte.

Peppone strinse i pugni e scappò via, ma poco dopo don Camillo pedalava verso il *kolchoz*.

Alle Ghiaie tutto era buio. Un po' di luce soltanto nell'aia: seduto in mezzo a un mucchio di ferraglia, Peppone, con una chiave inglese in mano, stava guardando desolato il trattore attorno al quale aveva lavorato per otto ore consecutive.

— E allora? — domandò don Camillo.

— Non ci capisco più niente, — gemette Peppone premendosi la testa fra le mani. — Ho ripassato tutto, ho verificato tutto, ho messo a punto tutto, ho provato tutto. Non va. Non va!

La desolazione di Peppone era immensa, come la malinconia della terra nuda, come il silenzio della notte. E, sull'acqua del grande fiume, correva il vento della primavera.

Don Camillo si appressò alla macchina e levò l'aspersorio sussurrando le parole di rito.

Quando ebbe finito, Peppone girò la manovella e la macchina si mise in moto tuonando e fumando come se stesse cacciando fuori il demonio dal tubo di scappamento.

Peppone salì, si mise al volante e innestò la marcia.

La macchina si avviò verso il solco incominciato.

E non si fermò.

GLI SPIRITI

La Cagnola era una casa in rovina, una casaccia abbandonata da trenta o quarant'anni.

La Cagnola era lontana dal paese, sepolta in mezzo alle gaggìe; e, siccome lì vicino era il traghetto, un sacco di gente passava nei paraggi, ma nessuno si spingeva mai fino alla casa. Adesso parecchi avevano notato che alla Cagnola stava succedendo qualcosa che non funzionava e avevano concluso che si poteva trattare soltanto di spiriti.

— Voi siete il sindaco, — disse l'opinione pubblica a Peppone, — e dovete andare a vedere di che cosa si tratta. Se avete paura è un'altra cosa. Però, quando uno ha paura, invece di fare il sindaco è meglio che faccia un altro mestiere.

Peppone allora si alzò, andò a casa a prendere la doppietta e, seguito dall'opinione pubblica, si avviò verso la Cagnola. Quando il gruppetto fu arrivato davanti al fitto boschetto di gaggìe in mezzo al quale si intravvedevano i muri scalcinati della casa maledetta, tutti si fermarono; e Peppone capì che, se non avesse continuato a camminare, il Partito avrebbe ricevuto un colpo tremendo in tutto il comune e comuni confinanti. Continuò a camminare, inoltrandosi nel boschetto.

Quando, entrato sotto la « porta morta », si trovò davanti allo sconquassato uscio che portava nella cucina, gli vennero tutti i sudori che possono venire a un uomo. Poi gli venne la disperazione e spalancò di colpo l'uscio. Vide soltanto due immensi occhi che lo fissavano, e imbracciò la doppietta puntandola verso quegli occhi; ma un grido di angoscia lo fermò a tempo.

Allora si accorse di aver davanti una povera ragazza piena di paura.

— Prego, signore, non mi fate del male.

La ragazza aveva una voce dolce, ma parlava con difficoltà, quasi non trovasse le parole.

— Chi siete? — ansimò Peppone.

Venne dall'esterno il mormorio della gente che aspettava ai margini del boschetto; e la ragazza corse alla finestra a guardare attraverso una fessura delle imposte sconnesse, poi si volse verso Peppone e lo implorò a mani giunte:

— Prego, signore: non dire niente, in nome di Dio.

Peppone sentì che dietro di lui stava succedendo qualcosa; e, voltatosi di scatto, si incontrò con altri due occhi: grandi come quelli della ragazza, ma più in basso, perché appartenevano a un bambinello che aveva per culla una cesta di vimini.

— Vecchio mondo, — gridò imbestialito Peppone, — si può sapere che storia è questa?

- Prego, signore; non dire niente, in nome di

Dio, — ripeté piangendo la ragazza, che si era chinata sulla cesta come a proteggere il bambino.

Quattro occhi così erano troppi per Peppone; si mise la doppietta a tracolla, ed uscì sbatacchiando l'uscio.

Quando lo vide apparire, la gente ammutolì.

— Ho guardato dappertutto, — spiegò, cupo, Peppone. — Di positivo non ho trovato niente. Però, effettivamente, ci deve essere qualcosa che non funziona. Effettivamente si sentono dei rumori che mi piacciono poco.

*　　*　　*

Don Camillo guardò, preoccupato, Giorgino, il figlio più giovane dei Morini; poi allargò le braccia.

— Mettiti calmo e parla.

Il giovanotto si asciugò il sudore che gli gocciolava dalla fronte e si sedette davanti a don Camillo.

— Quando ero prigioniero in Germania, — disse, — mi portavano fuori tutte le mattine a lavorare, a Brema, assieme agli altri del campo. Si sgombravano le strade dalle macerie; ma era un pasticcio, perché, anche di giorno, arrivavano gli aerei, a mille, millecinquecento la volta, e trovare un posto dove rifugiarsi era un pasticcio. Una mattina dei primi di aprile del '45, mentre scavavo, mi cascò un blocco di cemento su una gamba: roba da spaccarmela; ma io ho le ossa dure e non mi si spaccò niente: però non riuscivo più a camminare. In quel momento arrivarono gli aerei e io rimasi lì all'aperto, solo come un cane. Mi trascinai dentro una casa diroccata e, seduta su un mucchio di calcinacci e di rottami, c'era una ragazza. Io mi arrangio a parlare tedesco: «Cosa fai?», le domandai. «Sto qui», rispose la ragazza. Io avevo sentito delle risposte cretine, ma stupida come quella mai. «Vedo che stai qui», dissi io. «Perché non vai nel *Bunker*?». Intanto era cominciata la musica; e pareva un terremoto. «Tutto kaputt», rispose quella stupida, sorridendo. «Kaputt anche il tuo cervello?», le domandai. «No», disse la ragazza. «Kaputt mio padre, kaputt mia madre, kaputt mio fratellino, kaputt la mia casa. Tutto qui sotto», spiegò indicando il mucchio di calcinacci sul quale stava seduta...

Il giovanotto si interruppe.

— Reverendo, — sospirò, — la guerra è una porca cosa; ma quando ci si trova sotto un bombardamento a tappeto, seduti sulla rovina di una famiglia a fare dei discorsi come quello là, cosa volete che faccia un cristiano? Feci la pace separata con la Germania. «Tutto kaputt», sospirò la ragazza, guardandomi con quei suoi maledetti occhi. «No», risposi io, «tutto no. Dio non è kaputt!»...

— Bravo! — esclamò don Camillo.

— E allora lei mi guardò; poi venne giù dal mucchio e mi fasciò la gamba col fazzoletto che portava al collo. Poi ritornò sul suo mucchio di calcinacci e continuò a guardarmi. Il *Lager* era a cinque o sei chilometri dalla città; e la gamba mi faceva un male d'inferno; finito il bombardamento, mi fecero fare la strada a piedi; e Dio sa cosa avevo di dentro; ma quel maledetto fazzoletto che mi fasciava la gamba mi impediva di pensare quello che avrei voluto pensare. La mattina dopo stavo già meglio; e, arrivato a un certo punto della strada, c'era la ragazza che aspettava. E seguì la colonna fino sui lavori; e stette lì, seduta su un mucchio di rottami, fino a quando ci fecero tornare. Allora ci seguì fino al *Lager*. «Quella rivuole il suo fazzoletto», pensai. Allora, la sera, lo lavai, lo stirai col coperchio della gavetta pieno di brace, lo misi in un pezzo di carta con un sasso dentro; e, la mattina seguente, quando la ragazza tornò a ripetere la storia del giorno prima, io le buttai il fagottino. Il giorno dopo me la rivedo ancora, che mi aspetta fuori dal campo; poi mi accompagna fin sui lavori; poi si siede e mi sta a guardare lavorare; e poi mi segue al ritorno. Dico io: «Ma adesso che diavolo vuole da me quella crucca maledetta? Vuole il noleggio del fazzoletto?». Parlarle non potevo, perché era proibito; quando venne un altro allarme, finsi di essermi fatto male una gamba, e rimasi. Così la avvicinai. «Si può sapere che cosa vuoi da me?», le domandai, cattivo, mentre venivano giù bombe come se piovesse. «Non lo so», rispose. «Ti dispiace se ti guardo?». «Ma perché vuoi proprio guardare me!», dissi io. «E chi posso guardare?», domandò lei. In quel momento venne giù una bomba a poca distanza; e, per lo spostamento d'aria, ci trovammo... ci trovammo... sarebbe come a dire... abbracciati...

— Ho sentito dire che le bombe fanno degli scherzi molto strani, — approvò gravemente don Camillo. — Vennero poi giù altre bombe nelle vicinanze?

— Nossignore, — rispose il giovanotto. — Il bombardamento finì lì; e fu l'ultimo bombardamento. Poi vennero a liberarci gli alleati e ci tennero chiusi dentro il campo per via della confusione e dell'ordine pubblico. Poi ci trasferirono in un altro campo; e lì aspettammo qualche tempo; e poi io fui uno dei fortunati e mi imbarcarono fra i primi su un treno per il rimpatrio.

— E la ragazza? — domandò don Camillo. — L'hai più rivista?

— Sì, la ragazza era alla stazione a vedermi partire. Dio solo lo sa come abbia fatto a seguirmi e a raggiungermi; il fatto è che la ragazza era lì alla stazione.

— Bel caso davvero. E allora?

— E allora voi dovete pensare che c'era ancora una confusione d'inferno; e di casi così ne son successi a centinaia. Feci una colletta fra i miei più intimi e tirai su un paio di scarpe, un paio di pantaloni, una giubba e un cappello da alpino. E la ragazza salì sul mio vagone vestita da alpino. Arrivai di notte e la feci nascondere, — continuò il giovanotto. — Non potevo tornare a casa con una donna. Lo sapete come sono i miei: in queste cose sono tremendi. Tornai a casa solo e trovai quello che non avevo mai pensato di trovare.

Don Camillo si prese la testa fra le mani.

— Che pasticcio, ragazzo mio!

I Morini erano gente che stava bene e conduceva un grosso fondo con una stalla gonfia di bestiame. I Morini avevano sei figli, quattro maschi e due femmine. La guerra aveva portati via tre dei quattro maschi e ne aveva restituito uno solo, Giorgino. Gli altri due erano stati fucilati, per rappresaglia, dai tedeschi proprio nel cortile di casa, davanti agli occhi del padre, della madre e delle due sorelle. E adesso Giorgino ritornava con una ragazza tedesca.

— Reverendo, — disse con angoscia Giorgino, — se l'avessi portata in casa, me l'avrebbero fatta

a pezzi. E lei non ne ha nessuna colpa, capite? Non
potevo abbandonare i miei; e neanche potevo abbandonare lei.

— Dov'è? — domandò don Camillo.

— L'ho tenuta nascosta un po' in città; ma,
adesso che c'è il bambino...

— Anche il bambino! — urlò don Camillo. —
Anche questa complicazione!

— Adesso che, insomma, le cose stanno così, da
circa un anno è nascosta alla Cagnola... La vado a
trovare di notte, quando posso... È un anno che fa
una vita da talpa.

Don Camillo si alzò e cominciò a camminare in
su e in giù.

— Ma il pasticcio grosso succede adesso, — gemette il giovanotto. — Vengo di là; voi la sapete
la storia degli spiriti eccetera; Peppone è stato alla
Cagnola e ha visto tutto. Lei non ha detto chi è;
ma, se Peppone parla, in un momento salta fuori
la verità. Non è per me, reverendo; ma, se i vecchi
vengono a sapere la storia, muoiono di crepacuore.
Reverendo, cosa debbo fare?

— Tu vai alla Cagnola; io, intanto, vado da
Peppone, — rispose don Camillo.

*   *   *

Don Camillo entrò subito in argomento.

— Oltre a te, chi lo sa quello che hai visto alla
Cagnola, oggi? — domandò.

— Voi, — borbottò Peppone. — Cos'è che voi
non sapete?

— Bene, — disse don Camillo. — Resta inteso
che lo dovremo sapere soltanto noi due.

Peppone guardò don Camillo; e poi si mise a sghignazzare.

— Voi andate a dare ordini in sagristia. E, tanto per dimostrarvi la paura che mi fate, vi garantisco che domani lo sapranno anche i gatti.

— Sei un vigliacco! — disse don Camillo.

Peppone lo guardò stringendo i denti; poi cambiò, d'improvviso, espressione.

— Be', — disse accomodante, — se quella ragazza e il relativo ragazzino interessano voi personalmente, allora si può discutere... Siamo uomini, reverendo, e si capisce che la carne è debole...

Don Camillo aveva ricevuto da Dio due regali importanti: una immensa fede e un tipo di diretto al mento capace di abbattere un bue, ammesso che un bue abbia il mento. Un sindaco, anche della taglia di Peppone, oltre a possedere un mento, era meno robusto di un bue. Peppone assorbì il diretto e sprofondò.

— Ti faccio vedere io se la carne è debole, — borbottò don Camillo.

— Regoleremo il conto! — urlò Peppone rialzandosi.

— Peppone, — disse don Camillo, — non è questo il luogo per regolare il conto. Sono in casa tua e per me l'ospitalità è sacra e inviolabile. Ho levato la mano su di te e ne sono angosciato: non la leverò mai più. Se non ti metti calmo, ti rompo, quindi, la testa con questa spranga di ferro.

Peppone arretrò.

— Adesso ascolta, — disse don Camillo. — Dopo farai quello che vorrai. Prendi il tabarro e andiamo alla Cagnola.

*　　*　　*

Entrando nella squallida stanza, illuminata soltanto da un focherello striminzito del camino, Peppone vide dapprima soltanto sei occhi: i due della ragazza, i due del bambino e i due di Giorgino.

Si sedettero senza parlare, lui e don Camillo, davanti al camino; poi don Camillo disse al giovanotto:

— Ripeti a lui per filo e per segno quello che hai raccontato a me.

Il giovanotto cominciò a raccontare; e Peppone ascoltava in silenzio, cupo, a testa bassa.

Alla fine balzò in piedi, gettando lontano il ferro col quale, per tutto il tempo del racconto, aveva frugato nella cenere.

— Ma tu, porco maledetto, — urlò, — con tutte le donne che ci sono al mondo, proprio una della razza di quei maledetti che ti hanno ammazzato i fratelli dovevi andare a trovare?

— Peppone, non è lui che l'ha cercata. È stato lo spostamento d'aria della bomba...

— Voi state zitto altrimenti finisce a coltellate! — gridò Peppone. — Qui ci sono dei morti! Dei morti che gridano vendetta!

— C'erano dei morti anche sotto il mucchio di macerie sul quale, a Brema, stava seduta la ragazza, — disse sottovoce don Camillo.

— E allora? Li hanno forse ammazzati i fratelli di questo imbecille? — ribatté Peppone. — Tu, porco maledetto, facendo quello che hai fatto, hai sputato sui cadaveri dei tuoi due fratelli.

La ragazza seguiva attentamente il discorso di Peppone. Si vedeva che capiva tutto. Quando la voce tonante di Peppone tacque, si udì la voce sommessa e dolcissima della ragazza.

— Prego, signore, — sussurrò lasciando un lungo spazio fra una parola e l'altra. — Lei ha grandemente ragione. Io prima non sapevo. Dopo era troppo tardi. Neanche lui sapeva. Bisogna, per favore, avere un po' di pazienza.

La ragazza sorrideva; Peppone guardò sbalordito don Camillo.

— Bisogna avere, per favore, un po' di pazienza... È la guerra, signore...

La ragazza era seduta col bambino in braccio, vicino a Giorgino. Allungò una mano e cercò la sua mano; e gliela strinse.

Quanto durò quel silenzio?

Fu il pianto del bambino a rompere l'incubo. Perché fu il bambino ad accorgersi per primo, senza saperlo, che sua madre non era più lì, ma era tornata a sedersi sul suo mucchio di macerie tra i muri diroccati di Brema. Rimaneva lì una piccola, insignificante cosa fredda.

Appena era stata scoperta da Peppone, nel pomeriggio, aveva deciso di mandar giù il contenuto della bottiglietta nascosta nel buco che sapeva lei. E la morte l'aveva presa lentamente e dolcemente.

Giorgino non aveva neppure la forza di urlare; Peppone lo agguantò e lo andò a portare ai suoi.

— Tenetelo d'occhio e non abbandonatelo un momento, — disse semplicemente. — Se non volete perdere anche quello.

Poi tornò di corsa alla Cagnola; e trovò il bambino che dormiva nella cesta e don Camillo inginocchiato davanti alla ragazza morta.

Allora si inginocchiò anche lui; poi cominciò a singhiozzare.

— Fai piano, ché svegli il bambino, — borbottò don Camillo.

Cadde il silenzio nella cucina e passò del tempo; e il silenzio diventava sempre più cupo e pesante e freddo come se, adagio adagio, l'aria gelasse.

E ad un tratto si udì un gemito lungo e straziante che percorse le stanze vuote e deserte della casa maledetta.

Peppone sbiancò in viso e guardò, atterrito, don Camillo; ma don Camillo disse a voce alta:

— Pace a voi anime di tutti i morti assassinati dalla guerra.

— *Amen*, — ansimò Peppone.

E il gemito tacque.

*   *   *

Fu trovata una sconosciuta straniera morta alla Cagnola. Le autorità stabilirono che, perdutasi, si era rifugiata lì ed era morta di freddo.

Le trovarono un bambino vicino e l'arciprete tanto si dimenò che, con l'aiuto di Dio, riuscì a farlo adottare dai Morini.

Il sindaco, alle volte, mentre a letto guardava il buio a occhi spalancati, sentiva una voce che raccontava: «...— *Tutto kaputt,* — *sospirò la ragazza, guardandomi con quei suoi maledetti occhi.* — *No,* — *risposi io,* — *tutto no. Dio non è kaputt...* — ».

Giorgino era come se gli avessero girato il cervello per un altro verso: gli pareva, talvolta, che anche a lui qualcuno avesse raccontato una storia così. Una dannata storia di guerra.

L'ANGELO DEL 1200

Morì il vecchio Bassini e sul suo testamento c'era scritto: «Lascio tutto all'arciprete perché faccia indorare l'angelo del campanile, così luccica e di lassù posso capire dov'è il mio paese».

L'angelo stava in cima alla torre e, da giù, non pareva una gran cosa perché la torre era alta: ma quando, fatta l'impalcatura, salirono, si vide che era grosso quasi quanto un uomo. Ce ne voleva di oro zecchino per ricoprirlo.

Arrivò dalla città uno specialista e andò su a studiare il lavoro, ma non rimase molto: scese dopo pochi minuti ed era tutto agitato.

— È un arcangelo Gabriele in rame martellato, — spiegò a don Camillo. — Una bellezza straordinaria. Roba autentica del 1200!

Don Camillo guardò l'ometto poi scosse la testa.

— E come fa ad essere del 1200 se la chiesa e il campanile hanno sì e no trecento anni? — obiettò.

— Faccio questo mestiere da quarant'anni e di

statue ne ho dorate a migliaia. Se non è del 1200 io vi faccio la doratura gratis.

Don Camillo era un uomo che stava bene coi piedi poggiati per terra, ma la faccenda lo incuriosì tanto che salì assieme all'ometto fin sulla cima del campanile per andare a guardare in faccia l'angelo.

Rimase a bocca aperta perché l'angelo era davvero di una bellezza straordinaria.

Don Camillo ridiscese molto turbato: come aveva potuto finire in cima a quella torre di povera chiesa di campagna un angelo così bello?

Andò a scartabellare nell'archivio della parrocchia per trovare qualcosa che chiarisse la strana faccenda, ma non trovò niente di niente.

La mattina dopo, lo specialista tornò dalla città con due signori che salirono sulla torre e, quando tornarono giù, ripeterono a don Camillo quel che aveva già detto l'ometto: era un autentico capolavoro del 1200.

Erano due professori del ramo artistico: due nomi grossi e don Camillo li ringraziò commosso.

— È una gran bella cosa, — esclamò. — Un angelo del 1200 sul campanile di questa povera chiesa. È un onore per tutto il paese.

Nel pomeriggio arrivò un fotografo e salì su a fotografare l'angelo da tutte le parti. Il mattino seguente, il giornale della città portava un lungo articolo che parlava dell'angelo del 1200 e l'articolo, illustrato da tre fotografie, finiva spiegando che sarebbe stato un vero delitto lasciare lassù, a rovinarsi alle intemperie, quel prezioso capolavoro. Il patrimonio artistico appartiene alla cultura e alla civiltà, quindi deve essere tutelato e via discorrendo. Roba che scaldò le orecchie a don Camillo.

— Se questi maledetti di città tirano a fregarci
l'angelo, sbagliano, — disse don Camillo ai muratori che stavano rinforzando l'impalcatura attorno alla torre.

— Sbagliano sì, — risposero i muratori. — La
roba nostra non si tocca.

Poi arrivò altra gente, altri pezzi grossi, anche
del vescovado, e tutti salirono a vedere l'angelo, e
tutti, ritornati a terra, dissero a don Camillo che
era un delitto lasciare una cosa così bella esposta
all'acqua e al gelo.

— Gli comprerò un impermeabile, — urlò alla
fine don Camillo. E siccome gli altri gli obiettaro-
no che questo non si chiamava ragionare, don Camillo ragionò: — In tutte le città del mondo ci
sono dei capolavori di statue che, da secoli e secoli,
stanno esposti al gelo e alla pioggia in mezzo alle
piazze e nessuno pensa a metterli al coperto. Perché noi dobbiamo mettere al coperto il nostro angelo? Perché non andate a Milano a dire ai milanesi che la Madonnina del Duomo si rovina a rimanere lassù e che perciò la tirino giù e la mettano
al riparo? I milanesi vi prenderebbero o no a calci
se faceste una proposta del genere?

— La Madonnina di Milano è un'altra cosa, —
rispose uno dei pezzi grossi a don Camillo.

— Però i calci sono gli stessi sia a Milano che
qui! — replicò don Camillo.

Siccome la gente che si affollava sul sagrato attorno a don Camillo commentò con un « bene! »
le parole di don Camillo, gli altri non insistettero.

Qualche tempo dopo, il giornale della città ritornò all'attacco.

Lasciare un angelo del 1200, un angelo così bello in cima al campanile di uno sperduto paesino della Bassa, era un delitto. E questo non perché si volesse togliere l'angelo al paese: ma perché il paese stesso avrebbe potuto acquistare grazie all'angelo un'attrattiva turistica, qualora l'angelo fosse stato sistemato in luogo accessibile. Quale innamorato delle cose artistiche si sarebbe mosso per recarsi in un remoto paese della Bassa a guardarsi, dalla piazza, una statua ficcata in cima a un campanile? Si portasse l'angelo nell'interno della chiesa, si facesse un calco e, quindi, un'esattissima copia da collocare, convenientemente dorata, in cima al campanile.

La gente lesse l'articolo poi cominciò a borbottare che, a dir la verità, fin che l'angelo rimaneva in cima al campanile nessuno poteva vedere la sua bellezza.

In chiesa tutti avrebbero potuto vederlo, il campanile non ci avrebbe perso niente perché avrebbe avuto il suo angelo dorato, identico preciso a quello di prima.

I pezzi grossi della parrocchia ne discussero con don Camillo, e don Camillo, alla fine, stabilì che aveva torto a insistere. Quando tirarono giù l'angelo dal campanile, tutto il paese era in piazza e per parecchi giorni l'angelo rimase sul sagrato perché tutti volevano vederlo e toccarlo. Venne gente anche di paesi vicini perché si era sparsa la voce che si trattava di un angelo miracoloso.

Quando si trattò di fare il calco per la riproduzione, don Camillo non cedette.

— L'angelo non si muove da qui. Portate gli arnesi qui e fate lo stampo qui.

Il vecchio Bassini, fatti i conti generali e liqui-
date tutte le sue faccende, aveva lasciato soldi più
che sufficienti per dorare non uno ma dieci angeli
e così ci saltarono fuori comodamente anche i quattrini per la copia in bronzo da mettere sul campanile.

E la copia arrivò e già sfavillante di oro zecchino e la gente venne a vederla e concluse che era
un capolavoro.

La controllarono centimetro per centimetro con
l'originale e tutto era preciso nel modo più straordinario.

— Se fosse dorata anche l'altra statua, nessuno
riuscirebbe a distinguerle, — disse la gente. Allora
a don Camillo vennero degli scrupoli.

— Farò dorare anche l'angelo vero, — decise. —
I quattrini ci sono.

Qui intervennero i pezzi grossi della città: dissero che la statua originale non doveva essere toc-
cata, per un sacco di ragioni: ma don Camillo aveva le sue idee molto chiare.

— Qui l'arte non c'entra, — affermò. — Qui
c'è il vecchio Bassini che ha lasciato i suoi quattrini
a me perché faccia dorare l'angelo del campanile.
L'angelo del campanile è questo, e io debbo farlo
dorare altrimenti tradisco la volontà del defunto
Bassini.

L'angelo nuovo venne intanto issato sul campanile e subito gli specialisti incominciarono a dorare l'angelo vecchio e ben presto ebbero finito.

L'angelo vecchio fu collocato in chiesa, in una
nicchia vicino all'ingresso, e così, tutto d'oro zecchino, era una cosa da far rimanere a bocca aperta.

*   *   *

La notte dell'inaugurazione don Camillo non riusciva a dormire. Alle dieci si alzò e andò giù in chiesa a guardarsi il suo angelo d'oro.

« Milleduecento », disse don Camillo. « E questa chiesa è venuta su neppure trecent'anni fa. Tu esistevi quattrocento anni prima di questa chiesa: come hai fatto a venire in cima a questa torre? Chi ti ci ha portato? ».

Don Camillo guardò le grandi ali dell'Arcangelo Gabriele, poi si passò la grande mano sul viso pieno di sudore. Andiamo! Come poteva un angelo di rame volare sulla guglia di un campanile?

L'angelo era dentro la nicchia, protetto da un grande cristallo incorniciato che poteva essere aperto. Don Camillo trasse in fretta di tasca la chiavetta e aperse il cristallo.

Un angelo abituato a vivere lassù come poteva rimanere chiuso dentro quella scatola? Gli pareva che dovesse mancar l'aria all'angelo.

Gli venne in mente il vecchio Bassini: « Lascio tutto all'arciprete perché faccia indorare l'angelo del campanile, così luccica e di lassù posso capire dov'è il mio paese ».

« Di lassù il vecchio Bassini non vede luccicare il suo angelo », pensò don Camillo. « Vede luccicare un angelo falso. Egli voleva vedere luccicare questo qui... ».

Gli venne lo sgomento: perché ingannare il vecchio Bassini?

Don Camillo andò a inginocchiarsi davanti al Cristo dell'altar maggiore:

— Gesù, — disse, — perché ho truffato il vecchio Bassini? Perché ho dato retta a quegli imbecilli di città?

Il Cristo non rispose e don Camillo tornò ancora davanti all'angelo.

« Per trecento anni tu hai guardato questi campi e questa gente. Per trecento anni tu, silenzioso, hai vegliato su questa terra e su questi uomini. Forse per settecento anni perché, magari, questa chiesa è sorta sulle rovine di una vecchissima chiesa. Ci hai salvato dalle guerre, dalla fame, dalla peste. Quanti fulmini hai respinto lontano? Quante bufere hai fugato? Da trecento anni, forse da settecento, hai dato l'ultimo saluto del paese alle anime dei morti che salivano al cielo. Le tue ali hanno vibrato al suono di tutte le campane: campane tristi, campane liete. Secoli di gioie e di dolori sono chiusi nel tuo metallo. E adesso tu sei qui, senz'aria, in una gabbia dorata e non vedrai più il sole e non vedrai più il cielo azzurro. E al tuo posto c'è un angelo falso che viene da Sesto San Giovanni e porta chiusa nel suo metallo solo l'eco delle bestemmie dei fonditori avvelenati dalla politica.

« E quell'angelo falso ha usurpato il tuo posto. Un uomo illuminato dalla fede ha forgiato. A colpi di martello il tuo metallo, lo ha modellato millimetro per millimetro; macchine mostruose ed empie hanno creato l'altro che è identico a te, ma, mentre in ogni millimetro quadrato del tuo metallo c'è un po' della fede dell'ignoto artigiano del 1200, nel metallo dell'altro c'è solo la fredda empietà della macchina. Come potrà proteggerci quello spietato e indifferente angelo falso? Cosa gli può importare dei nostri campi e della nostra gente? ».

Erano ormai le undici di notte. Una notte piena di silenzio e di nebbia. Don Camillo uscì dalla chiesa e si inoltrò nel buio.

*   *   *

Peppone scese subito in strada e guardò male don Camillo.

— Ho bisogno di te, — disse don Camillo. — Mettiti il tabarro e seguimi.

Arrivati in chiesa, don Camillo mostrò a Peppone l'angelo scintillante d'oro zecchino.

— Ha protetto te, tuo padre, tua madre e il padre e la madre di tuo padre e di tua madre. Deve proteggere anche tuo figlio. Deve tornare al suo posto.

Peppone guardò don Camillo.

— Siete diventato matto?

— Sì, — rispose don Camillo. — Ma, per quanto pazzo, non riesco da solo a fare la pazzia che ho in mente. Mi occorre l'aiuto di un pazzo come te.

L'impalcatura era ancora intatta attorno alla torre: don Camillo si infilò la sottana nei pantaloni e salì. Poi arrivò Peppone con un paranco.

Erano in due soli ma erano pazzi e forti per sei: imbrigliarono l'angelo, sbullonarono il piedistallo. La statua fu calata.

La portarono a braccia in chiesa, tolsero l'angelo vero e misero l'angelo falso al suo posto.

L'agganciarono al paranco e lo issarono.

Per fissare l'altro angelo alla guglia c'erano voluti cinque uomini: lo fissarono da soli loro due.

Si ritrovarono a terra e corsero in canonica. Erano fradici di sudore e di nebbia, avevano le mani scorticate. Si accorsero che erano le cinque del mattino.

Allora pensarono a quello che avevano fatto e li prese una gran paura.

Albeggiava. Andarono a spiare dalla finestra, e l'angelo era lassù, in cima alla torre.

— È impossibile, — balbettò Peppone.

Poi una violenta ira lo prese ed egli si rivolse a don Camillo.

— Perché mi avete fatto fare questo? — gridò. — Cosa c'entravo io in questo maledetto affare?

— Non è un maledetto affare, — rispose don Camillo. — Già troppi angeli falsi sono in giro per il mondo e lavorano per il nostro male. Abbiamo bisogno di angeli veri che ci proteggano.

Peppone ebbe una smorfia di disgusto:

— Le solite stupidaggini della propaganda clericale! — disse. E se ne andò senza salutare.

Però, quando fu davanti alla porta di casa sua, qualcosa lo costrinse a voltarsi e a guardare in su, e vide l'angelo che, dalla cima del campanile, luccicava alla prima luce del giorno.

«Ciao, compagno», borbottò rasserenato Peppone, cavandosi il cappello.

Intanto don Camillo, inginocchiato davanti all'altar maggiore, stava dicendo al Cristo Crocifisso:

— Gesù, io non lo so come siamo riusciti a fare questo!

E il Cristo non rispose, ma sorrise perché Lui lo sapeva.

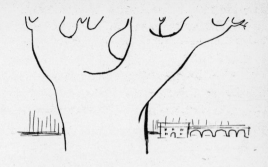

ABBONDANZA E CARESTIA

Carestia era uno di città, piovuto lì in un modo
straordinario: però, tanto per cominciare, non si
chiamava Carestia ma aveva anche lui il suo bravo
nome e cognome come tutti i cristiani ed era anche un bel ragazzo, a quei tempi, e svelto. Lo chiamavano così in paese, non tanto perché fosse magro lui, ma perché la Marina era un pezzo di ragazza piena di roba dappertutto e allora veniva
bene chiamarli Abbondanza e Carestia.

Carestia era arrivato in paese secondo: si parla
di quando avevano organizzato il giro ciclistico
della Bassa: una cosa importante con corridori in
gamba venuti anche da fuori provincia. Carestia
allora aveva una ventina d'anni, correva bene in
bicicletta e partecipava al giro della Bassa perché
c'erano dei buoni premi. Arrivò in paese al secondo posto, distaccato di venti metri dal primo ed era
ancora fresco come una rosa.

— Quello lì, fra due chilometri, passa in testa

e non lo piglia più nessuno! — disse la gente. E difatti, tagliato il traguardo, invece di rallentare, accelerò e passò in mezzo al paese tra urla e battimani.

A duecento metri dal paese bucò.

Mentre, buttata la bicicletta su un mucchio di ghiaia stava cambiando il *palmer*, si avvicinò una ragazza che era venuta fuori da una casetta isolata, lì vicino, e gli domandò se aveva bisogno di qualcosa.

Carestia vide per la prima volta quella che la gente doveva poi chiamare Abbondanza ma che si chiamava Marina.

Carestia dimenticò il *palmer*, la corsa e tutto il resto del mondo e cominciò a chiacchierare con la ragazza. Poi, verso sera, salutò la ragazza, andò in paese, vendette la bicicletta, si comprò un paio di calzoni, una camicia e un paio di scarpacce, e rimase lì.

Passava la giornata girando su e giù lungo l'argine e, verso sera, andava dalla Marina.

Una sera la Marina lo trovò piuttosto malcombinato e allora scoperse che i soldi della bicicletta erano finiti e da un bel pezzo Carestia non mangiava.

Gli diede da mangiare, poi quando lo vide su di giri, gli parlò con molta dolcezza.

— Voi siete un giovanotto svelto e con del cervello: questo è un paese piccolo ma lavoro ce n'è sempre, per la gente in gamba. Perché non provate a cercare di sistemarvi?

— Proverò, — rispose Carestia.

Effettivamente provò, ma dopo due o tre giorni di lavoro, gli veniva una gran malinconia e doveva abbandonare il posto.

— È questione di temperamento, — spiegava alla Marina. — Il mio è un temperamento passionale, quindi non sono fatto per la vita abitudinaria. Io sono fatto per l'avventura.

Carestia parlava bene perché era di città e aveva visto un sacco di cose: commedie, cinematografi, opere, gare sportive. Inoltre aveva letto dei libri pieni di roba meravigliosa.

La Marina lo stava ad ascoltare, e ogni tanto sospirava.

— Come deve essere bella, la vita! — diceva.

La Marina lavorava da sarta; lavorava bene, e tutto il santo giorno era seduta alla macchina da cucire: viveva con una specie di nonna vecchia come il cucco che le preparava il mangiare. Smetteva di lavorare la sera, quando arrivava Carestia.

Poi andò a finire che, siccome non riusciva a terminare il lavoro, doveva sgobbare anche di notte, e così, invece di trovarsi sul ponticello, incominciarono a trovarsi un po' dentro e un po' fuori, nel senso che la Marina lavorava in casa e Carestia stava in cortile, appoggiato all'inferriata della finestra.

Si capisce che, quando venne l'autunno e incominciò a piovere, Carestia venne fatto accomodare in casa e andò a finire che non ne uscì più perché sposò la Marina, e così, morta la vecchia nonna, e rimasti soli, i due diventarono la favola del paese.

Infatti Carestia non fu mai visto muovere un dito e Marina, invece, lavorava sempre, dalla mattina presto alla sera tardi, e non si lamentava mai.

Quando aveva qualche soldarello di più, lo dava a Carestia: lo mandava al cinema in città. Carestia andava al cinema al pomeriggio e, quando tornava - e faceva presto perché era sempre un gran diavolo in bicicletta - la Marina non ne poteva più di aspettarlo.

Allora Carestia le raccontava tutto il film, per filo e per segno e Marina si divertiva più che se stesse-vedendo il film coi suoi occhi.

Una volta lo mandò anche a teatro a vedere l'opera ma trovò poi che il fatto, senza la musica, non valeva niente.

— Mi diverto di più al cinema, — concluse.

Arrivò la faccenda della guerra e Carestia dovette partire, e la Marina rimase ad aspettarlo lavorando alla macchina da cucire. Ma ogni tanto si consolava: « Chi sa mai le cose che avrà da raccontarmi! ».

Effettivamente Carestia, al suo ritorno, aveva un sacco di cose da raccontare e le raccontò tutte, e Marina faceva due occhi grandi così.

Carestia non mosse un dito neppure nel dopoguerra: piuttosto, siccome aveva bisogno di dimenticare gli orrori che aveva visto e sofferto, si diede da fare appunto per dimenticare.

Una sera arrivò a Marina un ragazzetto con un'ambasciata urgente, e Marina, alzatasi dalla macchina da cucire, seguì il ragazzetto.

Trovò Carestia sdraiato su una panca dell'osteria del Molinetto, come morto. Era ubriaco fradicio.

Anche magro com'era, il suo peso l'aveva: così Marina andò di corsa a casa a prendere il carrettino sotto il portico e, caricato Carestia, se lo portò via.

Trascorsi due o tre giorni, Carestia tornò all'osteria del Molinetto. Verso sera arrivò da Marina il ragazzino dell'oste e, stavolta, la Marina lo seguì trascinandosi il carrettino.

Trovò Carestia nelle stesse condizioni della prima volta e, come la prima volta, lo portò a casa e lo mise a letto.

Passarono tre anni e, si può dire, tutti tentarono di aiutare Carestia, perché la Marina faceva pena, così bella ancora e così disgraziata, che si levava dalla macchina soltanto per prendere il carrettino e andare a ritirare Carestia che giaceva ubriaco marcio sotto qualche tavola di osteria.

Ma Carestia scuoteva la testa:

— Ammazzatemi, ma non fatemi lavorare, — rispondeva.

*   *   *

Ogni tanto, dopo lunghi periodi di bonaccia durante i quali tutto funzionava liscio come l'olio, il paese diventava una specie di inferno.

Sempre per la questione della politica, quella sporca faccenda che avvelena il sangue alla gente e mette il figlio contro il padre e il fratello contro il fratello. Carestia viveva fuori dal mondo anche quando non prendeva la sbornia: quindi non si era mai immischiato nella politica e se ne era sempre tenuto lontano: anche perché l'occuparsi di politica è un lavoro che spesso diventa addirittura un lavoraccio.

Una mattina Carestia, che aveva già dimenticato perfettamente la sbornia di cinque giorni prima, si avviò verso la porta ma la Marina lo bloccò.

— Non devi uscire: ci sono pasticci in giro.

— I pasticci ci sono per chi se li cerca, — rispose Carestia. — Io cerco soltanto qualche bicchiere di vino.

— Ci sono dei pasticci che, pure se non li cerchi, ti vengono a trovare, — ribatté la Marina, — C'è lo sciopero e girano le squadre. È tutta gente venuta di via e pesta legnate senza guardare in faccia nessuno.

La faccenda era brutta parecchio: i rossi avevano detto che lo sciopero doveva essere generale: i paesi si erano scambiate le squadre di sorveglianza per via di non essere riconosciuti, e tutti, stavolta, avevano una paura nera. E i campi erano deserti perché anche i padroni, dati i brutti musi forestieri che stavano in giro, avevano paura di essere scambiati per crumiri e legnati.

— Stai in casa, — disse la Marina a Carestia. — Se ti scambiano per uno di quelli che vogliono lavorare, ti massacrano.

Carestia si mise a ridere e uscì.

Venti minuti dopo il padrone della Pioppa si vide comparire davanti Carestia e lo guardò sospettoso.

— Cosa andate cercando, voi? — gli domandò cupo.

— Voglio lavorare, — rispose calmo Carestia. — Quando tutti gli altri lavorano è inutile che mi metta a lavorare anch'io. Il mio lavoro è importante quando gli altri non lavorano.

Il padrone della Pioppa lo guardò sbalordito, poi gli indicò la stalla dove le vacche, gonfie di latte, muggivano invocando qualcuno che le mungesse.

*   *   *

Verso sera arrivò da Marina un ragazzotto, come al solito, e Marina come al solito lo seguì trascinandosi dietro il carrettino.

Trovò Carestia abbandonato, senza vita, sul ciglio della strada, vicino a un mucchio di ghiaia. Lo avevano agguantato quando era uscito dalla stalla e lo avevano pestato. Era pieno di sangue.

Marina lo caricò sul carrettino. Si strappò di sotto la veste la camicia e gli fasciò le piaghe più grosse e subito il sangue tinse di rosso le bianche bende. Gli lavò la faccia con l'acqua del fosso.

Al bivio prese la strada che passava in mezzo al paese.

I rossi erano tutti in piazza e la gente stava spiando dalle fessure delle gelosie.

Marina apparve all'improvviso e avanzò lentamente, spingendo il carrettino col corpo esanime e insanguinato di Carestia.

Era fiera come una regina e non era mai stata così bella.

La mandria dei rossi si aprì e tutti diventarono muti, e guardarono sbalorditi passare la donna che spingeva il carrettino col corpo senza vita del libero lavoratore Carestia.

*   *   *

Ci volle un mese di letto perché Carestia potesse rimettersi in piedi. E, quando la Marina lo vide ristabilito, lo afferrò per le spalle.

— Giurami che non lavorerai mai più, — esclamò. — Giuramelo!

Carestia non voleva, ma poi giurò. E fu un uomo di parola.

L'ANELLO

Uno che non avesse saputo la storia si sarebbe
meravigliato che alla Gisa venisse il magone entrando in quella stanza a pianterreno, piena di polvere
e di disordine, una specie di magazzino, una confusione di mobili, bauli, casse, quadri e via discorrendo; ma, a saper la storia, tutto diventa chiaro.

La faccenda consisteva in un ritratto a colori
nel quale si vedeva la moglie del podestà tutta in
ghingheri, seduta col sussiego di una imperatrice su
una poltrona con lo schienale alto; aveva la mano
sinistra abbandonata sul bracciolo imbottito della
poltrona, così, come se niente fosse, ma invece era
tutto uno studio per far vedere il famoso anello.

Quando vedeva quel ritratto, alla Gisa veniva
il magone: e nessuno obbligava la Gisa a entrare in
quella stanza e a guardare quel ritratto. Ma la Gisa
invece, almeno una volta al giorno, entrava in quella stanza proprio per guardare quel ritratto, come
se ci trovasse gusto a farsi venire il magone.

Il fatto è che, ai Pilastri, i Torconi non c'erano più da un bel pezzo e pareva che non avessero nessuna intenzione di tornarci perché tirava brutta aria. E poi, anche se fossero tornati, i Biolchi piuttosto di mollare la villa avrebbero fatto le schioppettate, quindi praticamente la Gisa Biolchi era lei la padrona della villa: ma in realtà chi comandava ancora, là dentro, era sempre l'odiosa signora Mimì Torconi, la moglie del podestà.

E tutto questo dipendeva dal fatto dell'anello. Del famoso anello. Non era una questione di magìa o altre stupidate, era una questione di prestigio: l'anello famoso era come l'insegna del comando.

Uno capisce subito che queste sono le solite filosofaggini psicologiche dei romanzi e delle commedie, roba da gente di città, insomma: eppure anche la Gisa Biolchi che non sapeva fare una «O» col bicchiere e che era semplicemente la moglie di un mezzadro, ci arrivava benissimo a capirlo. Dove si vede che la filosofia, la psicologia e tutta l'altra merce del genere, guastano la testa anche a chi non sa che esistono. Una specie di bacillo di Koch del cervello.

Il podere Torconi si chiamava Pilastri per via appunto di due pilastri senza cancello, vecchi come il cucco, piantati a metà della Strada Quarta, sul lato destro camminando verso il fiume. Dai pilastri partiva una lunga carrareccia e, in fondo alla carrareccia, c'era la villa Torconi col giardino attorno, e la mura del giardino confinava col rustico: casa del mezzadro Biolchi, abitazione dei famigli da spesa, stalla, fienile e via discorrendo.

Oggi, quando si parla di ville, uno pensa subito alle vigliaccate che vengono su come i funghi nelle città e trasformano i quartieri in sezioni della Fiera Campionaria. Ma le ville che si vedono laggiù sono cose serie : grosse case quadrate col pianterreno, il primo piano e poi i solai coi finestrini a fetta d'anguria. Le finestre hanno la loro brava simmetria e sono messe tutte per il verso dei cristiani, col lato più corto in basso perché i cristiani sono tutti col lato più corto in giù e il lato più lungo in piedi.

La villa Torconi era fatta così : piena poi di un sacco di bella roba, con sala e salotto e anche salottino personale della signora Mimì : perché la signora Mimì, essendo la moglie del podestà, aveva bisogno, si capisce, di un salottino privato con le poltrone di raso e i tappeti e il campanello per chiamare la serva. «Maria, il tè... ». Il caffè non era abbastanza *chic* : ci voleva quella brodaglia gialla per la signora Mimì. E i relativi biscottini speciali fatti venire apposta dalla città.

La Gisa, quando parlava di queste cose coi famigli da spesa, diventava blu dalla rabbia : e, a dire la verità, non aveva neanche torto da un certo punto di vista perché, mentre i Torconi che erano in due soltanto più la serva avevano dieci o dodici stanze, i Biolchi che avevano un reggimento di ragazzi dovevano arrangiarsi in quattro camerette.

Ma quello che faceva più rabbia alla Gisa Biolchi erano le arie da imperatrice che si dava la signora Mimì. Era un bel pezzo di donna, sui quarantacinque, con un gran petto (e ci voleva poca fatica perché non aveva mai avuto figli), vestiva sempre di scuro perché era bionda e lo scuro le donava, e non portava né bracciali né spille né altri gioielli : aveva semplicemente un enorme anello tutto lavorato con oro e brillanti. Roba che faceva venire l'ispirazione di inginocchiarsi e di baciarlo.

Il segreto di tutto era nell'anello: la Gisa ricordava che, una volta, aveva visto la signora Mimì tutta in disordine e con uno straccio di vestito addosso e un fazzolettaccio in testa perché stava facendo delle pulizie. Vestita peggio ancora della serva e con la faccia sporca di polvere: però aveva al dito il famoso anello e incuteva la stessa soggezione di quando era in gran montura. Più ancora che prezioso (si trattava in fondo di oro e piccoli brillanti) era maestoso, aveva la dignità dell'insegna del comando.

Il podestà Torconi si dava anche lui le sue brave arie e stava sempre sul chi va là: però non c'era mai stato niente da dire su di lui: non aveva bisogno di combinar pasticci perché era ricco, e non aveva mai fatto del male a nessuno perché non voleva far carriera politica. Era tutt'al più un podestà antipatico come oggi si direbbe un sindaco antipatico. Ma nessuno se ne era accorto.

Quando avvenne il ribaltone, allora un sacco di gente si accorse che era un podestà antipatico e, in questi casi, basta incominciare. Rimase podestà anche durante la seconda ondata e non fece né più né meno di quanto avesse fatto prima, ma l'odio attorno a lui aumentava di giorno in giorno.

Nella storia è sempre stato così: a un bel momento una certa situazione comincia a cambiare, e la gente allora scopre di essere stata angariata e subito le viene l'affanno perché ha bisogno di trovare gente da bastonare o da far fuori a schioppettate il giorno del ribaltone definitivo. E l'odio che non era mai esistito prima, nasce e aumenta; e tutti guardano la vittima prescelta, mentre passa, e pensano: «La va a pochi, carogna!».

E così don Camillo un giorno andò a trovare a casa il podestà: si era ai primi del '45 e cominciava a scottare forte un po' dappertutto.

— Sarà meglio che tagliate la corda fin che siete in tempo, — disse don Camillo al podestà, — date retta.

— Reverendo, — rispose il Torconi, — voi lo sapete bene: io non ho mai fatto del male a nessuno.

— Questo non significa niente. Significa tutto davanti a Dio ma, davanti a una sventagliata di mitra, non significa niente. I mezzi non vi mancano. Se ve lo dico ho le mie ragioni.

Al Torconi questa fuga non andava a genio.

— Scappa chi ha la coscienza sporca, — ribatté.

— Se un toro infuriato rompe la catena e vi si butta addosso, voi non vi scansate? Anche se avete la coscienza a posto, se non vi scansate il toro vi sbudella.

— Qui è diverso: qui scappare è umiliante.

— È umiliante morire ammazzati quando non si è fatto niente di male. Bisogna proteggere i galantuomini: io proteggo voi e voi badate a proteggere voi stesso.

Al Torconi seccava maledettamente di abbandonare la sua bella casa. Ma riconobbe che bisognava abbandonarla: aspettò fino ai primi d'aprile, poi andò a salutare don Camillo.

— Vado, reverendo. Caso mai dovesse passare molto tempo prima che l'aria tornasse respirabile, vi lascio questa lettera per il mezzadro Biolchi: ci sono le istruzioni per quello che dovrà fare: vendita dei prodotti, versamento del ricavo eccetera.

Vedete un po' voi. Io tento di raggiungere la Svizzera con mia moglie. Ho ricevuto un sacco di lettere anonime con minacce. Avevate ragione voi.

— Fate le cose senza fracasso, — lo ammonì don Camillo.

— Ho già organizzato perfettamente la scomparsa: l'unico a sapere qualcosa siete voi. Io sto tranquillo.

Il Torconi fece le cose veramente per bene e si accorsero della sua fuga soltanto tre giorni dopo: « Abbiamo fatto male a lasciarcelo scappare!», disse allora con rabbia la gente. « Aveva l'animaccia nera, se no non sarebbe scappato! ».

Poi accadde quel che accadde e un bel giorno apparvero in giro per le strade del paese quelli col fazzoletto rosso al collo.

I Biolchi non si lasciarono scappare l'occasione: si misero tutt'e due, marito e moglie, un fazzoletto rosso al collo, caricarono sul biroccio due sacchi di bottiglie, andarono alla sede del comitato, consegnarono le bottiglie e domandarono:

— Noi e i nostri figli ci roviniamo l'esistenza in quattro stanze da pollaio dove piove dentro, mentre a venti metri da noi c'è una villa vuota perché un porco di podestà è scappato per sottrarsi alla giustizia del popolo. Va bene questo?

— Pigliatevi la villa e date le vostre stanze ai famigli, — rispose il comitato cominciando a stappare le bottiglie.

E i Biolchi spaccarono la serratura della porta e presero possesso della villa. Ma qui cominciò la tragedia.

Misero ritratti, bauli, mobili, biancheria personale e la roba di cucina dei Torconi nella stanza d'angolo a terreno perché a loro interessava lo spazio vitale, non la proprietà privata. Però, immediatamente, la Gisa si sentì la signora Gisa e volle tenersi il salottino privato intatto, e le tendine alle finestre, e i vasi di fiori e, in molte stanze, anche i tappeti, perché questo era stato il suo sogno per anni ed anni e poi tutto era messo così bene e con tanta eleganza che sarebbe stato un delitto guastare quell'armonia che essa non capiva ma che sentiva. E così, poco alla volta, eccettuate le cose secondarie e i ritratti e gli effetti personali e la biancheria da letto e la roba di cucina dei Torconi, tutto ritornò fuori e ritrovò il posto di prima. E la Gisa diventò una belva perché se qualcuno sporcava un tappeto o si sedeva su una poltrona di raso, scattava come una leonessa. Cominciò a chiudere a chiave tutte le stanze principali, e la famiglia si ridusse a vivere in cucina e nelle stanze di servizio.

Gli affari andavano benone perché, non dovendo più fare i conti col padrone, il mezzadro si teneva il novanta e più per cento e il resto lo versava in banca come c'era scritto sulla lettera che gli aveva dato don Camillo. E poi la borsa nera e via discorrendo, il fatto è che i Biolchi erano pieni di quattrini. La Gisa si fece fare degli abiti scuri sul tipo di quelli della signora Mimì e, ogni tanto, si metteva in ghingheri e, da sola, andava a chiudersi dentro le stanze vietate agli altri familiari e toccava questo e quest'altro, e si sedeva sulle poltrone di raso. Un pomeriggio provò a farsi anche il tè ma lo fece bollire e così ne uscì una cosa imbevibile ma lei lo bevve sorridendo.

Era la padrona, insomma; tutta roba sua, ormai, perché non riusciva neppure lontanamente a pensare che i Torconi potessero un giorno ritornare. E poi i Biolchi, se qualcuno avesse tentato di metterli fuori di lì, erano disposti a fare le schioppettate o peggio. La Gisa era la padrona, insomma: ma sentiva che, in realtà, a comandare era ancora la signora Mimì. Tanto è vero che, se tentava di spostare qualche cosa - un vaso, un ninnolo - subito si sentiva obbligata a rimetterlo dove era prima.

E allora la Gisa andava a farsi venire il magone nella stanza d'angolo: guardava il grande ritratto della signora Mimì e sempre più si convinceva che tutto il segreto era nell'anello famoso. Una volta che avesse avuto al dito un anello così, la Gisa si sarebbe sentita veramente la signora Gisa, la padrona.

Incominciò a torturare il marito per via dell'anello: l'anello, l'anello, sempre la storia dell'anello. Voleva l'anello: senza l'anello non poteva più vivere.

I soldi non mancavano e poi l'oro e i diamanti sono sempre un ottimo investimento.

— Ti compro un bracciale, — le rispondeva il marito. — Ti compro una spilla, ti compro gli orecchini.

Ma la Gisa voleva l'anello e soltanto l'anello.

Una notte il mezzadro non ne poté più con la storia dell'anello.

— Pur che tu chiuda una buona volta quella maledetta ciabatta, — disse, — avrai l'anello e che Dio ti strafulmini.

Scesero, andarono nella stanza delle cianfrusaglie, spostarono una cassa, tolsero due file di mattonelle, poi cominciarono a scavare piano piano. Prima il calcestruzzo, poi la ghiaia del sottofondo,

133

poi la terra. Qui presero a scavare con le unghie; trovarono il braccio sinistro della signora Mimì e lo sollevarono: apersero le dita scarnificate della signora Mimì e tolsero l'anello. Poi ricoprirono e rimisero a posto le piastrelle.

La Gisa si sentì finalmente padrona con l'anello al dito. Ma perdette il controllo e, due giorni dopo, qualcuno dei famigli le vide al dito l'anello della signora Mimì: era un anello che conoscevano tutti nel paese, e così la voce corse e arrivò lontano.

Un pomeriggio, i carabinieri apparvero sullo stradale, ma il mezzadro e la moglie li avvistarono e, saliti al primo piano, cominciarono a sparare schioppettate. Tutt'e due, il Biolchi e la Gisa.

Spararono anche i carabinieri e la cosa durò fino a quando una scarica inchiodò i due disgraziati.

Trovarono la Gisa stecchita, col fucile ancora in pugno accanto al cadavere del marito. Era in grande montura e aveva al dito l'anello della signora Mimì.

Trovarono la signora Mimì sepolta, insieme al marito, nella stanza delle carabattole e li avevano liquidati tutt'e due i Biolchi, a colpi di scure in testa, la notte in cui si apprestavano a tagliare la corda.

Fu don Camillo a rimettere al dito della signora Mimì l'anello, e la signora Mimì andò a dormire in terra benedetta col suo anello al dito e così ritornò ad essere la padrona.

IL BIANCO

Adesso, per venire in città, la gente della Bassa adopera la corriera: uno di quei maledetti carrozzoni moderni dove un cristiano è costretto a viaggiare come un baule nel vagone portabagagli e, se gli viene il voltastomaco o peggio, non può muoversi dal suo seggiolino.

E, quando d'inverno c'è la nebbia o il vetroghiaccio per terra, il meno che può capitare è quello di andare a finire tutti in un canale.

Il bello è che, prima, c'era il tram a vapore, con le sue brave rotaie, e il tram trovava sempre la strada giusta anche col ghiaccio, anche con la nebbia. Poi, un bel giorno, qualche autorevole zuccone di città scoperse che il vecchio tranvai a vapore era roba superata e sostituì un mezzo sicuro con un mezzo di fortuna.

Il tram a vapore, oltre a scarrozzare gente, continuava tutto il giorno a portar ghiaia, sabbia, mattoni, carbone, bietole, legnami e via discorrendo, ed era meraviglioso non soltanto perché faceva un servizio straordinario, ma perché era pieno di poesia.

Un giorno arrivarono dieci o quindici disgraziati col berretto del comune, e incominciarono a cavare le rotaie e nessuno protestò: tutti dissero: «Era ora!». Difatti anche le vecchie bacucche che vanno in città sì e no una volta l'anno e passano il loro tempo aspettando che il tempo passi, adesso hanno premura.

Il tram a vapore partiva dalla città e arrivava fino al grande fiume: poi tornava indietro. I paesi grossi sono tutti in fila lungo la provinciale, meno uno che è in dentro circa due o tre chilometri. E allora, siccome per toccare il paesone il tram avrebbe dovuto fare un gran giro complicato per via degli argini e dei canali, avevano messo giù un raccordo che portava dal borgo alla strada provinciale, e un carrozzone del tranvai caricava la gente dal borgo e la portava alla fermata del tram, poi l'andava a prendere alla fermata del tram e la riportava in paese.

Però il carrozzone era trascinato da un cavallo. L'ultimo dei cavalli che fecero servizio al carrozzone fu anche il più in gamba di tutti, il Bianco, una bella bestia che pareva venuta giù da un monumento. In mezzo alle rotaie del raccordo, le traversine eran state coperte con terra battuta, e il Bianco trottava su quel sentiero sei volte al giorno e, pochi istanti prima che la vettura si fermasse, appena sentiva cigolare il freno, usciva di mezzo alle rotaie e trottava di fianco, in modo che, quando il manovratore gli urlava: «Lééé...», il Bianco si fermava disciplinato ma senza correre il pericolo che il davanti della vettura gli desse una pacca sul sedere.

Il Bianco rimase in servizio parecchi anni e sapeva tutto del suo mestiere. Aveva un udito straordinario e sentiva il fischio del vapore quando gli altri non si sognavano neanche di immaginarlo.

Sentiva il fischio fin da quando il tranvai avvertiva che stava per arrivare a Trecastelli: allora il Bianco cominciava a raspare con gli zoccoli l'acciottolato della stalla. Questo significava che era ora di attaccarlo al vagone perché c'era il tempo giusto per caricare la gente, mettersi in viaggio e arrivare alla provinciale cinque minuti prima che il vapore comparisse.

Il giorno in cui, per la prima volta, non si udì il fischio perché il tranvai non arrivò, il Bianco pareva indiavolato e rimase a orecchie dritte e coi muscoli tesi fino a sera. E fu così per quasi una settimana: poi si mise tranquillo.

Il Bianco era una gran bella bestia e, quando l'amministrazione del tram lo fece mettere all'asta, successe un mezzo finimondo perché tutti volevano comprarlo. Riuscì ad averlo il Barchini che lo mise sotto al baroccio nuovo, quello rosso, con le sponde altissime: e anche fra le stanghe il Bianco funzionava che era uno spettacolo.

La prima volta che lo attaccarono al baroccio successe un fatto che per poco non mise nei guai il Barchini che guidava seduto in cima al gran carico di bietole.

Infatti, quando il Barchini disse: «Lééé!» e tirò le redini per fermare, il Bianco fece uno scarto a sinistra e il Barchini rimase su per un miracolo. Ma poi il Bianco non fece più nessuno scherzo del genere perché capì subito che il baroccio era una cosa tutta diversa dal carrozzone del tram.

Un po' di nostalgia gli veniva quando camminava per la strada che dal borgo portava alla provinciale. Nell'andata non succedeva niente, ma nel ritorno, se non si stava attenti, il Bianco si metteva sulla sinistra e camminava rasente al fosso, là dove prima c'erano le rotaie del tram.

Così passarono degli anni e il Bianco invecchiava ed era una bestia così brava e così buona che il Barchini gli si era affezionato come a uno di famiglia: e, anche quando il cavallo incominciò a diventare un brocco, nessuno pensò di liberarsene. Gli facevano fare dei lavoretti leggeri, e il Barchini, un giorno che vide un famiglio dare una legnata al Bianco, prese un tridente e se il disgraziato non scappava sul fienile, lo infilzava.

Con l'andar del tempo il Bianco diventava sempre più tardo e indifferente. Arrivò al punto che non muoveva neppure più la coda per scacciare le mosche e non occorreva legarlo quando si fermava in qualche posto perché non si sarebbe spostato da dove lo mettevano, neanche se fosse venuto giù l'universo.

Se ne stava lì, con la testa ciondoloni come se, invece che vero, fosse un cavallo impagliato.

Quel sabato pomeriggio il Bianco l'avevano attaccato al biroccio leggero per portare un sacco di farina a don Camillo e, mentre il famiglio stava entrando col sacco in spalla in canonica, il cavallo aspettava sul sagrato, con la testa ciondoloni.

Ed ecco che d'improvviso, il Bianco levò su la testa e drizzò le orecchie: fu una cosa così straordinaria e inaspettata che don Camillo, il quale stava accendendosi il toscano davanti alla porta della canonica, si lasciò cadere lo zolfanello di mano.

Il Bianco rimase a orecchie dritte qualche istante.

Poi successe il fatto : il Bianco partì di carriera.

Traversò la piazza come un fulmine e, se non tirò sotto qualcuno, fu un miracolo. Infilò deciso la strada che conduceva alla provinciale e scomparve in una nuvola di polverone.

— Il Bianco è diventato matto! — gridò la gente.

Peppone arrivò in motocicletta e don Camillo, rimboccatasi la sottana, saltò sulla sella posteriore.

— Fila! — urlò don Camillo, e Peppone diede gas e mollò la frizione.

Il Bianco volava, sulla strada che portava alla provinciale, e il biroccio sobbalzava come se navigasse nel mare in burrasca e non si sfasciava soltanto perché c'è un santo che protegge i birocci.

Peppone aveva mollato tutto il gas e, a metà strada, la moto raggiunse il cavallo.

— Accosta! — urlò don Camillo. — Cerco di acchiapparlo per il morso.

Peppone accostò e don Camillo riuscì ad afferrare il Bianco per la cavezza e già pareva che il Bianco, esaurito tutto il fiato, fosse disposto a ricordarsi di essere un vecchio brocco umile e paziente, quando d'improvviso ebbe una ripresa che costrinse don Camillo a mollare la presa.

— Bisogna lasciarlo andare, — gridò don Camillo nell'orecchio a Peppone. — Non lo ferma più nessuno! Accelera che lo andiamo ad aspettare.

Peppone mollò di nuovo tutto il gas e la moto saettò verso la provinciale.

All'imbocco della provinciale Peppone fermò.

Tentò di dire qualcosa, ma don Camillo gli ordinò di star zitto.

Ed ecco, dopo pochi istanti, comparire il Bianco: tra qualche secondo raggiungerà la strada maestra e Peppone si slancia per dare l'allarme, ma non fa a tempo. E poi non occorre.

Il Bianco, arrivato all'imbocco con la provinciale, si ferma e si butta a lato. Rovina in mezzo alla polvere mentre il biroccio, con le stanghe spezzate, si rovescia nel fosso.

Il Bianco adesso è lì, buttato in mezzo alla polvere della strada come un sacco di ossa: e sulla provinciale passa, sbuffando vapore, il rullo compressore dell'impresa che ha incominciato a rifare la strada.

La macchina quando passa, fischia. Un lungo fischio. E, dal sacco d'ossa del Bianco, si leva un nitrito.

Adesso il Bianco è davvero un sacco d'ossa. Peppone rimane lì a guardare la carcassa del Bianco per qualche istante poi si toglie il cappello e lo sbatte per terra.

— Lo Stato! — urla Peppone.

— Lo Stato che cosa? — domanda don Camillo.

Peppone si volge con la faccia brutta.

— Lo Stato! — urla. — Uno dice e dice e poi, quando sente il fischio dello Stato, eccolo là!

— Là dove? — domanda don Camillo.

— Là! Là, dappertutto, — grida Peppone. — Magari col '91 in mano, l'elmetto in testa e lo zaino affardellato in spalla... E poi, invece del tranvai è il vapore che schiaccia i sassi! Ma intanto lui è morto!

Peppone voleva dire un sacco di cose ma non

sapeva da che parte cominciare. Raccolse il cappello, se lo mise in testa, poi se lo tolse con gesto maestoso salutando la carcassa del Bianco:

— Salve, popolo! — disse Peppone.

Arrivò un sacco di gente dal paese: chi in bicicletta, chi in biroccio. Arrivò anche il Barchini.

— Ha sentito il fischio del compressore, — spiegò don Camillo, — e ha creduto che fosse il tram. È morto credendo che fosse il tram. Si è capito da come lo ha salutato.

Il vecchio Barchini tentennò la testa.

— L'importante è che sia morto credendo che fosse il tram, — disse il Barchini.

«CIVÌL E LA BANDA»

Lo chiamavano il Romagnolo per la semplice ragione che veniva di Romagna. Si era sistemato nel paese da anni e annorum, ma era rimasto romagnolo fin dentro il midollo delle ossa. E, per spiegare che cosa sia la Romagna dal punto di vista che intendo io, basta dire che in un borgo romagnolo c'è uno soprannominato «Civìl e la banda» per via che, una volta, durante una cerimonia politica, stava su un palco e, improvvisamente, il palco si sfasciò e il nostro tipo precipitò giù come un gatto di piombo.

E, appena si accorse che incominciava a precipitare, urlò: «Civìl e la banda!». Questo per significare che lui voleva il funerale civile e la banda che suona a tempo di marcia funebre l'inno di Garibaldi.

In Romagna, quando decidono di fare un nuovo paese, per prima cosa tirano su un monumento a Garibaldi, e per seconda tirano su la chiesa perché non c'è gusto a esser seppelliti con funerale civile se non c'è un prete cui fare dispetto.

Tutta la storia consiste nel far dispetto al prete.

Il Romagnolo era uno che parlava molto, diceva le parole difficili che si leggono sui giornaletti repubblicani: il fatto che il Re fosse andato via lo aveva danneggiato molto perché gli aveva tolto il più importante argomento di polemica: allora aveva puntato tutto sul prete e così tutti i suoi discorsi finivano sempre con le stesse parole:

— E quando crepo, funerale civile e la banda!

Un giorno, siccome don Camillo, pur sapendo dall'a alla zeta tutta la faccenda, non gli aveva dato mai nessun peso, il Romagnolo lo aveva fermato.

— Reverendo, tanto perché vi sappiate regolare, mettetevi in mente che come non mi avete mai fregato da vivo, non mi fregherete neppure da morto. Niente preti al mio funerale!

— Va bene, — gli rispose calmo don Camillo. — Ma avete sbagliato indirizzo. Voi dovete rivolgervi al veterinario: io mi interesso di cristiani, non di bestie.

Il Romagnolo allora incominciò:

— Quando il signor Papa...

Ma don Camillo lo interruppe:

— Lasciamo stare gli assenti, parliamo dei presenti. Vuol dire che io pregherò il Padreterno di tenervi in vita il più possibile in modo che abbiate tempo di ripensarci.

Quando il Romagnolo compì i novant'anni, in paese gli fecero festa e anche don Camillo, incontrandolo, gli fece la faccia sorridente e gli disse:
— Auguri!

Ma il Romagnolo lo guardò male e poi gridò:

— Pregatelo pure, il vostro Dio, reverendo! Un giorno o l'altro dovrà pur mollare e lasciarmi morire. E allora riderò io!

Il fatto dei cavalli successe l'anno dopo.

* * *

Il fatto dei cavalli era accaduto in un paese sull'altra sponda del fiume e tutti i giornali ne avevano parlato.

Era morto un rosso, un vecchio di settantaquattro anni, e gli avevano organizzato il funerale senza preti e con bandiere rosse, garofani rossi, fazzoletti rossi e altre porcherie rosse.

Una volta messa la cassa dentro il carro mortuario la banda aveva incominciato a suonare *Bandiera rossa* a tempo di marcia funebre, e i cavalli avevano incominciato a camminare a testa bassa come per tutti gli altri funerali.

E il corteo dietro, con tutti i suoi stracci rossi sventolanti.

Ma ecco che, arrivati davanti alla chiesa, i cavalli si fermano e nessuno riesce più a smuoverli.

Mentre gente agguanta i cavalli per la cavezza, altri si mette a spingere il carro funebre; ma i cavalli sono piantati lì come colonne.

Qualcuno prende un bastone e incomincia a spolverare la schiena delle due bestie: i cavalli si impennano, poi addirittura si inginocchiano.

Riescono finalmente a rimetterli in piedi e a farli camminare e i due cavalli tirano avanti per un po', ma, quando sono in vista del cimitero, si impennano, poi cominciano a rinculare.

« Il vecchio », spiegavano i giornali, « non aveva rifiutato il funerale religioso: erano stati i figli a volere il funerale civile».

In paese ci fu un gran dire per questa storia dei cavalli: non era una balla e il fatto lo si poteva controllare: bastava pigliare una barca e passare sull'altra sponda del fiume.

Ci furono delle grandi discussioni e, dovunque un gruppetto di gente discuteva, a un bel momento saltava fuori il Romagnolo che incominciava a urlare:

— Medioevo! Medioevo!

Poi spiegava che il fatto non aveva niente di straordinario: l'abitudine, semplicemente. Da anni e annorum i due cavalli erano abituati a fermarsi, arrivando davanti alla chiesa, e così anche questa volta si erano fermati.

La gente andò da don Camillo ed era molto impressionata.

— Cosa ne dite voi, reverendo?

E don Camillo allargò le braccia:

— La Provvidenza Divina è infinita e può scegliere anche la più umile delle creature, anche il fiore, o l'albero o il sassolino, per rivolgere il suo monito agli uomini. Il triste è che gli uomini, mentre non tengono in considerazione gli assennati ragionamenti di chi spiega loro la parola di Dio, sono sempre propensi a tenere in massima considerazione i ragionamenti di un cane o di un cavallo.

Questo modo di parlare di don Camillo non piacque a parecchia gente, e i pezzi grossi della parrocchia andarono in canonica a lagnarsi con don Camillo.

— Reverendo, il fatto è straordinario e ha impressionato in modo enorme il paese: voi non dovete sottovalutarlo, dovete anzi dargli una interpretazione che valga a mettere in luce l'insegnamento morale che salta fuori dal fatto.

— Io posso semplicemente dire quello che ho già detto, — rispose don Camillo. — Dio quando ha voluto dare agli uomini le tavole della Legge, ha chiamato un uomo, non ha chiamato un cavallo! Credete dunque che Iddio sia tanto a mal partito da aver bisogno di ricorrere all'aiuto dei cavalli? Il fatto è quello che è: ognuno ne tragga il monito che la sua coscienza gli suggerisce. Se la cosa non vi va, correte dal vescovo e ditegli di mandar via me e di mettere al mio posto uno di quei due cavalli.

Intanto il Romagnolo schiumava di rabbia perché, alle sue spiegazioni, la gente si stringeva nelle spalle e rispondeva:

— Sì, va bene, niente di straordinario o di miracoloso. Però...

Così, quando il Romagnolo incontrò don Camillo, lo bloccò.

— Capitate a proposito, reverendo. Si potrebbe avere la spiegazione ufficiale del fatto dei due cavalli?

— Voi sbagliate sempre indirizzo, — rispose sorridendo don Camillo. — Io non mi occupo né di cavalli né di altre bestie: dovete rivolgervi al veterinario.

Il Romagnolo fece un lungo discorso per spiegare il comportamento dei due cavalli e, alla fine, don Camillo allargò le braccia.

— Mi rendo conto come la faccenda abbia potuto impressionarvi tanto. Se essa vi ha suggerito oneste riflessioni bisogna ringraziare la Divina Provvidenza che ha permesso a due innocenti bestiole di ispirarvi saggi pensieri.

Il Romagnolo alzò minaccioso il dito scarno:

— I cavalli non si fermeranno quando io vi passerò davanti, dentro la cassa da morto!

Don Camillo allargò ancora le braccia e andò a dire due paroline al Cristo crocifisso.

— Gesù, — sussurrò don Camillo, — egli fa delle sciocchezze non per offendere voi ma per fare un dispetto a me. Ricordatevi che egli è romagnolo, quando vi comparirà davanti per rispondere degli atti della sua vita. Gesù, tutto il male della storia sta nel fatto che egli ha più di novant'anni e, a toccarlo con un dito, andrebbe a gambe all'aria. Se ne avesse trenta o quaranta e fosse saldo e robusto sarebbe tutt'un'altra cosa.

— Don Camillo, il sistema di insegnare la carità cristiana dando alla gente pugni sulla testa non mi piace, — disse il Cristo severo.

— Neppure a me, — replicò umile don Camillo, — ma bisogna purtroppo tener presente che, in molte zucche, le idee non sono cattive ma semplicemente mal sistemate e, spesso, basta sbatacchiarle un po' e vanno al loro posto giusto.

*   *   *

Il Romagnolo comparve davanti a Peppone, nel suo ufficio, e andò per le spicce:

— Prendi questo foglio di carta bollata, chiama due dei tuoi saltastrada per far da testimoni e scrivi quel che ti dico io.

Il Romagnolo buttò sul tavolo il foglio e si sedette.

— Avanti: metti la data e scrivi chiaro: «Io sottoscritto Libero Martelli fu Giuseppe, di anni 91, di professione libero pensatore, nel pieno delle mie facoltà mentali e di mia spontanea volontà, intendo che, alla mia morte, ogni mia proprietà in liquidi e immobili venga trasferita a questo comune purché esso comune sostituisca subito con un autofurgone il carro a cavalli usato fino ad ora per il trasporto dei morti nel cimitero comunale...».

Peppone smise di scrivere.

— E allora? Vuoi che, invece, lasci la mia roba al prete?

Peppone balbettò:

— Si capisce che accetto: però come si fa a procurarti subito il furgone? Costerà almeno un milione e mezzo e noi...

— Ho due milioni in banca: tu compralo e io te lo pago.

Il Romagnolo uscì dal comune gonfio di soddisfazione e, per la prima volta in vita sua, arrivò fino sul sagrato.

— Reverendo! — gridò il Romagnolo. — L'affare è fatto: quando passerò davanti a voi, dentro la cassa da morto, i cavalli non si fermeranno! Vi ho sistemati tutti: preti e cavalli!

*   *   *

Il Romagnolo si era agitato troppo, in quei giorni. E aveva anche bevuto troppo. Ora non è che il vino gli facesse male: il vino gli aveva fatto sempre bene. Gli fece male l'acqua perché una sera, tornando a casa pieno di vino fino agli occhi, si sentì un sonno urgente e allora si sdraiò dentro il fosso.

A novanta e più anni passare una notte dentro un fosso, con l'acqua fin sulla pancia, può procurare dei guai. Così gli venne una polmonite che in due giorni lo liquidò. Prima di chiudere gli occhi per sempre, fece venire Peppone:

— Allora siamo d'accordo?

— D'accordo: tutto sarà fatto secondo le vostre volontà.

L'autofurgone mortuario lo inaugurò lui, il Romagnolo, e c'era tutto il paese fuori perché, oltre al resto, l'entrata in funzione dell'autofurgone era un avvenimento.

L'autofurgone funebre si mosse al suono della banda e procedette lento, maestoso e sicuro.

Ed ecco che sta per passare davanti alla chiesa. Ma davanti alla chiesa, la macchina si ferma.

L'autista lavora col pomello della messa in moto: niente da fare.

Scende e apre il cofano. Tutto a posto: candele, spinterogeno, carburatore. Il serbatoio è pieno.

La porta della chiesa è chiusa: ma, attraverso una fessura, don Camillo vede tutto. Vede gente che si arrabatta attorno alla macchina e la macchina che non si muove.

La banda ha smesso di suonare, e tutto è silenzio e la gente sta lì come rimbambita a guardare e non si sente una voce, un rumore.

Così passano dei lunghi momenti, poi don Camillo si riprende, corre verso la sagrestia e arriva alle corde delle campane.

— Dio ti perdoni... — sussurra ansimando don Camillo quando afferra le corde. — Dio ti perdoni...

Risuonano nell'aria deserta i rintocchi funebri delle campane.

La gente si riscuote, l'autista tira il pomello della messa in moto. Il motore adesso si avvia e l'autofurgone va.

Ma, adesso, nessuno lo segue più e l'autista ingrana la seconda e poi la terza e la macchina scompare nella polvere della strada che porta al cimitero.

RADAMÈS

Il padre di Radamès era Badile, il magnano, che in realtà si chiamava Gniffa Ernani; e così si capisce subito che si trattava di una famiglia lirica.

Badile era un orecchiante in gamba e, quando aveva imbarcato qualche mezzo litro, tirava fuori una voce rotonda e massiccia che era un piacere sentirla.

Quando a don Camillo capitò tra i piedi il figlio di Badile, Radamès aveva sei anni, e non gli avresti dato un lirino.

Badile voleva che don Camillo lo mettesse con gli altri ragazzini del coro e don Camillo gli provò la voce.

— Al massimo te lo posso mettere a tirare il mantice dell'organo, — disse don Camillo.

Radamès aveva una di quelle voci da fessura, una voce dura e tagliente come una scheggia di sasso.

— È mio figlio, — rispose Badile, — e la voce

la deve avere. È ancora legata. Si tratta di tirargliela fuori.

Dire di no a Badile significava dargli il più gran dispiacere della sua vita.

— Proviamo.

E provò. Provò in tutte le maniere, ma dopo due anni Radamès era semplicemente peggiorato. Adesso la voce, oltre ad essere più stridula di prima, aveva dei colpi d'arresto.

Eppure Radamès aveva un torace che gli spaccava la camicia e, a sentire venir fuori da quel mantice uno scricchiolio di tal genere, veniva rabbia.

Alla fine don Camillo perdette l'indirizzo di casa e, una bella volta, levatosi su dall'organo, spedì a Radamès una pedata da mezza tonnellata che lo appiccicò contro il muro come una buccia di fico.

Quando si tratta di voce, alle volte una pedata significa molto di più che tre anni di solfeggio cantato. Radamès rientrò in coro ed ecco che, improvvisamente, gli venne fuori una voce che pareva arrivata dalla Scala di Milano. Anzi, addirittura dal Regio di Parma.

E, quando lo sentirono, tutti dissero che sarebbe stata una vigliaccata non farlo studiare.

I paesi sono così: uno crepa di fame e magari nessuno gli dà retta perché è antipatico. Un altro è simpatico e allora ecco che saltano fuori i soldi per farlo studiare canto.

Si trovò un gruppo che tirò fuori i soldi per mandarlo in città. Non da signorino perché questi sistemi non usano da quelle parti, ma tanto da pagargli le lezioni sì. Per il resto si arrangiava Radamès portando pacchi, segando legna e roba del genere.

Ogni tanto Badile andava a trovarlo in città e poi tornava e riferiva:

— Non va male, si sta formando.

Poi ci fu il pasticcio della guerra e Radamès si perdette chi sa dove anche lui.

Un giorno, finito tutto, ricomparve in paese.

Peppone era già sindaco e, quando don Camillo gli disse che bisognava arrivare fino in fondo, con Radamès, Peppone trovò quel che occorreva e lo rimandò subito in città.

Passò qualche anno e riecco Radamès.

— Mi fanno cantare nell'*Aida*, — disse.

Era un gran brutto momento, in paese, per via della politica e c'era aria bassa, aria da legnate: ma davanti a quella notizia tutto venne sospeso.

Peppone fece una riunione in comune e andò anche don Camillo.

La prima questione fu quella di trovare dei quattrini.

— Qui c'è di mezzo l'onore del paese, — spiegò Peppone. — Radamès non può presentarsi come uno strapelato davanti a quei macachi di città.

Il comitato disse che era giusto.

— Se ci sarebbe qualcuno che va a cavare soldi dagli sporcaccioni che li hanno, io per me mi impegno di mobilitare la solidarietà della classe proletaria, — affermò Peppone.

Don Camillo capì che la faccenda lo riguardava e rispose:

— Ci sarebbe.

Radamès fece una relazione dettagliata che fu trovata soddisfacente in tutti i particolari.

— Qui non ci sono protezioni o corruzioni, —

commentò fieramente Peppone. — Questa è un'autentica vittoria del popolo!

Don Camillo si rivolse a Radamès:

— E sotto che nome ti presenti?

— Con che nome? — urlò Peppone. — Col suo! Volete che si presenti col vostro?

Don Camillo non si scaldò:

— Radamès Gniffa non è un nome che si possa stampare su un cartellone. È il nome più disgraziato dell'universo perché fa ridere.

Intervenne Badile:

— Io mi chiamo Ernani Gniffa e, senza far ridere nessuno, ho portato per sessantacinque anni questo nome!

— D'accordo: ma tu fai il magnano, non il tenore! — rispose don Camillo. — Qui a queste cose non si bada, ma in arte è un'altra cosa. Il pubblico vuole dei nomi facili da pronunciare, che suonino bene, che possano diventare popolari.

— Balle! — esclamò Peppone. — Stupidaggini borghesi.

Don Camillo lo guardò:

— Se Giuseppe Verdi, invece che Giuseppe Verdi, si fosse chiamato Radamès Gniffa, sarebbe stata la stessa cosa?

Peppone rimase colpito dalla osservazione.

— E se il signor Giuseppe Stalin, — incalzò don Camillo, — invece che Giuseppe Stalin si fosse chiamato Evasio Bergnoclòni sarebbe stata la stessa cosa?

— Figurati! — borbottò Peppone. — Stalin chiamarsi Bergnoclòni! Neanche da pensarlo!

Fu una seduta laboriosa che durò fino a tarda notte.

Andò a finire che tutti si trovarono d'accordo su Franco Santalba.

Radamès si strinse nelle spalle.

— Quello che fate voi per me è ben fatto.

*   *   *

Venne la giornata famosa. La mattina la commissione si trovò radunata in piazza per leggere l'annuncio sul giornale appena arrivato dalla città.

C'era anche la fotografia di Radamès e, sotto, la dicitura: « Il tenore Franco Santalba ».

Decisero per la partenza.

— Si parte un po' presto per trovare i posti. Sul « Dodge » ci stiamo tutti, — disse Peppone. — L'appuntamento è alle quattro qui.

— Bisognerà avvertire l'arciprete, — disse qualcuno. — Non può venire, ma bisognerà avvertirlo.

— Il clero non mi interessa, — rispose Peppone.

Andarono in canonica e don Camillo era molto triste.

— Non posso venire, lo sapete. Un prete in un teatro così, a una prima, non si può. Mi dispiace. Ma poi mi racconterete.

Usciti quelli della commissione, don Camillo andò a confidarsi col Cristo crocifisso.

— Mi dispiace non poter andare, — sospirò don Camillo. — Radamès è un po' il figlio di tutti, in un certo senso. D'altra parte il dovere è il dovere. Il mio posto è qui, non fra le cose frivole e mondane dei teatri.

— Certamente, don Camillo, — rispose il Cristo. — Sono piccole rinunce che bisogna compiere a cuore sereno.

— Piccole in senso assoluto, — disse don Camillo. — Grandi rinunce in senso relativo e nel caso specifico. Caso del tutto particolare e unico e non ripetibile. Ad ogni modo, appunto perché è una rinuncia che costa qualche sacrificio bisogna saperla fare a cuore sereno. E senza rimpianti. Il rimpianto diminuisce il valore del sacrificio. Anzi, se una rinuncia genera rimpianto, si può dire che il sacrificio non ha più nessun valore.

— Naturalmente, — approvò il Cristo.

Don Camillo camminò in su e in giù per la chiesa deserta.

— La voce, — spiegò fermandosi davanti all'altar maggiore, — la voce gliel'ho cavata fuori io. Era un ragazzino alto così. Non cantava, cigolava come un catenaccio arrugginito. E oggi canta al Regio, nell'*Aida*. Radamès nell'*Aida*. E io non lo posso sentire. Sembrerebbe una rinuncia che mi costa grande sacrificio, invece io ho il cuore sereno.

— Certamente, — sussurrò sorridendo il Cristo.

*   *   *

Piazzati ai primissimi posti del loggione, Peppone e la squadraccia attendevano col temporale in testa.

Era un bel pezzo che aspettavano perché, in loggione, i posti bisogna conquistarseli, non basta pagare il biglietto.

Quando c'è l'*Aida* il loggione non è pieno, il loggione scoppia di gente. Eppure, poco prima che incominciasse, un uomo riuscì a fendere la marea e a portarsi in prima fila dietro Peppone. Era un omaccio con uno spolverino verde e pareva che Peppone lo conoscesse perché gli fece posto e l'omaccio sedette.

— Se Radamès ha paura è un guaio, — borbottò Peppone. — Questa qui è gente che non ha pietà.

— Speriamo, — fece l'omaccio.

Invece il povero Radamès uscì tremando dalla paura e continuò a fare il Radamès tremando di paura.

— Se lo fischiano ammazzo qualcuno, — disse Peppone all'omaccio. E l'omaccio gli fece cenno di star calmo.

Ma non lo fischiarono. Ebbero pietà e si limitarono a sghignazzare. Verso la fine dell'atto le cose peggiorarono. La paura diventò terrore e Radamès steccò come un maledetto.

Il loggione ululò. E fu un ululato che fece ondeggiare il sipario.

Peppone strinse i denti e la squadraccia era pronta a scattare e a combinare un macello. Ma l'omaccio agguantò Peppone per la collottola e lo trascinò fuori.

Passeggiarono al fresco, a fianco del teatro e, quando udirono un boato, capirono che Radamès aveva steccato ancora. Poi le trombe della marcia trionfale rimisero tranquilla la gente.

Poco prima che iniziasse il terzo atto l'omaccio disse a Peppone:

— Andiamo.

Non li volevano lasciare entrare in palcoscenico; ma, davanti a due satanassi che sviluppavano la forza d'urto di un *Panzer*, non c'è niente da fare.

Radamès affranto, sbigottito, si preparava ad essere buttato dentro un'altra volta e, quando si trovò davanti ai due, spalancò la bocca.

Allora l'omaccio dallo spolverino verde gli passò di dietro e gli spedì nel sedere una pedata degna non di Franco Santalba ma di Tamagno.

Radamès entrò in scena quasi volando, ma era un altro.

Al *Io son disonorato!* venne giù il teatro per gli applausi.

— Gli artisti di canto bisogna conoscerli a fondo, — disse l'omaccio trionfalmente a Peppone che ululava per la gioia.

— Sì, rev... — rispose Peppone. Ma un'occhiata dell'omaccio gli troncò la parola.

DUE MANI BENEDETTE

Peppone stava domando una grossa sbarra di ferro che doveva diventare qualche pezzo complicato di un cancello e, ogni tanto, provava il martello sull'incudine e l'incudine cantava.

A Peppone piaceva molto battere il ferro. Battere il ferro rende meno che trafficare attorno ai motori: però dà allegria.

Mettere a posto un motore di trattrice o d'automobile è come cercare l'errore che impedisce a un'operazione aritmetica di funzionare: l'uomo si mette al servizio della logica inflessibile della macchina ed è una faccenda umiliante.

Cavar fuori a martellate qualcosa da una spranga di ferro è imporre la propria volontà alla materia. Metallo è quello di un motore e metallo è quello di un cancello: ma nel primo caso chi comanda è il metallo, nel secondo chi comanda è l'uomo.

Peppone smise di smartellare, andò a infilare la

spranga tra i carboni della fucina e incominciò a girare la manetta: solo allora il ragazzino si fece avanti.

Il ragazzino era entrato in bottega quando Peppone, cavata fuori la spranga incandescente dalla fucina, si era messo a batterla sull'incudine sprizzando scintille, ma se ne era stato zitto e immobile a guardare perché gli piaceva veder lavorare il ferro, e perché Peppone era così intento nel suo lavoro che, a interromperlo, sarebbe stata una vigliaccata.

— Mi manda mia nonna, — disse il ragazzo.

Peppone volse la testa e cercò di capire a che nonna potesse corrispondere quel nipote. Non aveva mai visto il ragazzino, ma non aveva una faccia nuova. C'era in quella faccia qualcosa che Peppone aveva già visto.

— E chi sarebbe tua nonna? — domandò Peppone.

Il ragazzino - una robetta di dieci o undici anni con una faccina un po' pallida e due occhi un po' spaventati - rimase perplesso.

— Mia nonna, — spiegò, — è la mamma del mio babbo.

— E tuo babbo chi è?

— Mio babbo è morto, — sussurrò il ragazzino.

Peppone cavò la spranga dal fuoco, la portò sull'incudine e riprese a smartellare.

Gli dispiaceva aver fatto quella domanda al ragazzino e non insistette nella sua indagine.

— Ho capito, — disse. — Cos'è che vuole tua nonna?

— Mia nonna ha detto se le fate una croce con su la targhetta del nome. Questi sono i soldi e questo è il biglietto con scritto quello che va messo sulla targhetta.

Peppone lasciò sbarra e martello e prese il foglietto che il ragazzo gli porgeva. Poche parole scritte da una vecchia mano assai incerta : « *Antonio Lolli di anni* 30, *morto la notte del* 29 *giugno* 1945 - *Pregate per lui* ».

Peppone si asciugò il sudore col dorso della mano.

— È un po' che non faccio più croci, — rispose Peppone. — E poi ho molto lavoro. Vai da Vigiola che ha la bottega vicino al Molinetto. Quello te la fa di sicuro, anche meglio di me.

Il ragazzo scosse il capo :

— Mia nonna ha detto che la dovete fare voi perché voi sapete dove va messa, così, quando l'avete fatta, la piantate al suo posto voi.

La spranga di ferro si era annerita : Peppone andò a rimetterla nella fucina e incominciò a girare rapidamente la manetta della ventola.

— Guarda che devi esserti sbagliato, — esclamò Peppone. — Tua nonna ti avrà detto di andare da qualcun altro.

— Mia nonna ha detto di venire da Peppone, quello che è anche sindaco. Mia nonna ha detto che la dovete fare voi perché soltanto voi sapete dove va messa.

Peppone si strinse nelle spalle :

— Allora si è sbagliata tua nonna!

Il ragazzino rimase qualche istante muto poi sussurrò :

— Mia nonna non si sbaglia.

Peppone cavò la spranga di ferro dalla fucina e riprese a martellarla con rabbia.

— Va a dire a tua nonna che mi dispiace, ma non ho tempo. E poi non capisco che accidente voglia. Addio.

*   *   *

« *Antonio Lolli, di anni* 30, *morto la notte del* 29 *giugno* 1945 » : Peppone pestava col martello sulla sbarra di ferro, ma intanto pensava a quella maledetta notte.

Lo Smilzo l'era venuto a svegliare alle due:

— Capo, sta succedendo qualcosa che non funziona : una squadra è andata a prelevare Tonino Lolli. L'ha vista il Brusco che ha l'acqua stanotte e stava irrigando, quando la squadra è arrivata attorno al chiusino dietro la casa dei Lolli.

Peppone si era arrabbiato:

— Ho detto che il Lolli bisogna lasciarlo stare. Il Lolli non ha fatto niente di grave. Chi sono quelli della squadra? Non possono essere dei nostri.

— Il Brusco dice che hanno tutti un fazzoletto sulla faccia per non farsi conoscere. Però, secondo lui, dev'essere la squadraccia del Borghetto.

Peppone ormai era pronto per uscire:

— Gli faccio vedere io a quelli del Borghetto! Si impiccino dei fatti loro, quei maledetti. Qui comandiamo noi. Stiano al loro paese. È un pezzo che hanno prelevato il Lolli?

— Dieci o quindici minuti fa, — aveva risposto lo Smilzo. — E il brutto è che hanno prelevato anche la moglie del Lolli!

Peppone e lo Smilzo erano saltati sulle biciclette e si erano messi in giro per vedere di trovare quei dannati. Ma come si fa a trovare gente in mezzo ai campi alle due di notte?

Avevano perso poco tempo però: improvvisamente si era udita una scarica di mitra dalla parte delle Ghiaie: Peppone e lo Smilzo avevano pigiato sui pedali e si erano buttati verso le Ghiaie.

Il viottolo che porta alle Ghiaie era lì vicino, ma non avevano percorsi cento metri, che quattro figli di malafemmina erano schizzati fuori dalla siepe e Peppone e lo Smilzo si erano trovati con la bocca di un mitra contro la pancia e la bocca di un mitra contro la schiena.

La luce di una lampadina tascabile li aveva abbagliati, poi i mitra si erano abbassati.

— Ah, siete voi?

I quattro portavano un fazzoletto che copriva loro tutta la faccia meno gli occhi: se lo tirarono giù ed erano proprio quelli della squadra del Borghetto. Uno aveva fischiato e subito era arrivato uno stramaledetto alto e magro che portava anche lui un fazzoletto sulla faccia, ma che Peppone avrebbe riconosciuto anche se il fazzoletto l'avesse coperto da capo a piedi. Era il capo della squadraccia del Borghetto.

— Ciao, Bill, cosa accidente sta succedendo?

— Abbiamo sistemato una carogna, — rispose Bill. — Un certo Lolli. Tu lo devi conoscere bene.

— Lo conosco bene sì, — borbottò Peppone. — Anzi avevo detto di lasciarlo stare perché non risultava niente di grave a suo carico.

— Risultava a me, — rispose duro Bill. — Comunque è sistemato. È stata una cosettina organizzata bene: prima di liquidarlo gli abbiamo fatto scavare la buca. E adesso sua moglie la sta riceprendo.

Peppone aveva tirato una bestemmia.

— Questa è una mascalzonata! Roba da selvaggi!

Bill gli aveva messo una mano sulla spalla mentre i suoi quattro scagnozzi tiravano su le canne dei mitra.

— Compagno, se incominciamo a fare del sentimentalismo stiamo freschi! Ad ogni modo, patti chiari e amicizia lunga: ognuno si impicci dei fatti suoi. Il Lolli aveva un conto in sospeso e ha pagato. Anche sua moglie aveva un conto aperto e ha pagato pure lei. Non ci vuol pietà coi nemici del popolo.

Il fatto vero è che il maggior delitto commesso dal Lolli ai danni del popolo era stato quello di sposare Rosina della Pioppetta e il peggior delitto di Rosina, quello di aver sposato il Lolli invece di sposare quel Bigacci del Borghetto che fu poi chiamato Bill.

Con quattro mitra alle costole Peppone aveva poco da discutere. E poi c'era di mezzo il Partito e via discorrendo.

Aveva risposto semplicemente:

— Va bene: vedetevela voi.

In quel momento si erano sentiti dei passi: quelli della squadraccia si erano rimessi il fazzoletto facendo cenno allo Smilzo e a Peppone di riparasi dietro la siepe.

Erano sopraggiunti altri due della squadraccia e, in mezzo a loro, camminava una donna con gli occhi bendati da un fazzoletto.

— Caricatela in bicicletta e portatela fin davanti alla porta di casa sua, — aveva ordinato sottovoce Bill ai due. — E ditele che, se parla, facciamo fuori tutta la baracca: lei, suo figlio e la vecchia.

Peppone continuava a smartellare come un maledetto sul ferro che ormai era diventato nero, e pensava alla notte del 29 giugno 1945.

La moglie del Lolli era morta un paio di mesi dopo: la paura e il dolore l'avevano fatta diventar matta. Stava sempre nascosta in solaio e non parlava con nessuno, e non mangiava. La vecchia allora era andata ad abitare a Fiumetto assieme al bambino e nessuno aveva sentito parlare di lei.

Non si era mai trovato il corpo del Lolli e nessuno sapeva niente di lui. Lo Smilzo, il Brusco e Peppone non avevano mai parlato di quella notte neppure con se stessi. Qualcuno aveva fatto circolare una voce che la gente prese per vera: il Lolli era scappato con una ragazza che aveva conosciuto in città, e sua moglie era diventata matta dal dispiacere.

Don Camillo stesso ci era cascato e, una volta, durante la predica, aveva accennato alla faccenda del Lolli come un esempio delle sciagure che possono accadere quando gli uomini perdono la testa dietro una gonnella.

E così erano passati sei anni ed ecco che, improvvisamente, era venuto a galla il figlio del Lolli.

« *Mia nonna non si sbaglia mai* », aveva detto a Peppone il figlio del Lolli.

Peppone si accorse che stava maltrattando inutilmente una sbarra di ferro ormai fredda, e lasciò il martello per rimettere la spranga nella fucina. Allora si accorse che il ragazzino era ancora lì. Si era seduto su una cassetta vicino alla morsa e aspettava tranquillo.

— Non sei ancora andato? — gli domandò Peppone.

— Ha detto mia nonna che non devo muovermi se voi non fate la croce, — rispose calmo il ragazzo.

Peppone afferrò il martello e pestò una martellata sull'incudine:

— Io ho da fare! Togliti dai piedi!

Il ragazzo sussultò e gli occhi gli si riempirono di lacrime. Uscì e Peppone si rimise a lavorare e cercò di pensare a tutt'altro che al Lolli. Ma a mezzogiorno, uscendo dall'officina, trovò il ragazzino seduto sul sasso a fianco della porta.

— Ti ho detto di levarti dai piedi! — gridò Peppone.

— Mia nonna mi ha detto che non devo muovermi se non mi fate la croce.

— Vattene via! — urlò Peppone.

Ritornò in officina verso le due e il ragazzino non era più seduto sul sasso vicino alla porta: si era seduto sul ciglio del fosso, a lato del ponticello di mattoni, verso la strada.

Peppone fece finta di non averlo visto ed entrò in bottega e lavorò come un bruto fino alle sei di sera. Non uscì: gli venne in mente di occupare il tempo che gli restava libero prima di arrivare all'ora di cena, mettendo un po' d'ordine nell'officina. E, quando sua moglie lo chiamò dalla finestra del cortile, le rispose bestemmiando di non rompergli l'anima e di mandargli giù qualcosa da mangiare perché non poteva muoversi.

Quando uno dei ragazzi di Peppone portò il mangiare, Peppone fece tutti gli sforzi per mettersi in modo tale da non vederlo: ma andò a finire che, invece, un'occhiata gliela diede e così si accorse che

suo figlio aveva la stessa età dell'altro e cne, a urlargli bruscamente qualcosa, gli si riempivano gli
occhi di lacrime, come succedeva all'altro.

Peppone si avvicinò al banco e immerse il cuc-
chiaio nella scodella della minestra: ma il banco
era davanti alla finestra e Peppone levando gli occhi, vide che il ragazzino del Lolli era ancora lì,
seduto sul ciglio del fosso ad aspettare.

Allora un'ira bestiale lo prese. Corse fuori, agguantò il ragazzino per un braccio e lo portò di
peso nell'officina e incominciò a sbarrare porte e
finestre.

Il ragazzo non diceva niente, stava fermo lì in
mezzo a guardare. Quando tutto fu chiuso, Peppone agguantò un martello e sollevandolo minacciosamente urlò:

— Siediti e mangia o ti spacco la testa!

Il ragazzino si sedette e mangiò lentamente.

— Bevi anche il vino! — urlò Peppone alla fine.

Il ragazzino fece di no con la testa:

— Non mi piace perché mia nonna non vuole...

Peppone agguantò un pezzo di ferro e lo sbatté
con rabbia contro il muro:

— Tua nonna! Tua nonna! Sempre tua nonna! Cos'è che vuole da me questa tua maledetta
nonna?

Il ragazzo con calma prese a ricapitolare:

— Ha detto mia nonna di farmi...

— Basta! — urlò Peppone agguantando la bottiglia del vino.

Bevve fino all'ultimo goccio senza staccare la
bocca.

Poi sbatté la bottiglia in mezzo ai rottami di

ferro e, afferrato il ragazzino per il bavero. lo spinse davanti alla fucina.

— Tira e taci! — gridò.

Lavorò cinque ore filate: pestò martellate come
una mitragliatrice e, intanto, il ragazzino continuava imperterrito a far girare la manetta della
ventola della fucina.

A mezzanotte la croce era pronta: una grossa
e solida croce di ferro massiccio e pesante con tanti
riccioli in tondino e un cartiglio d'ottone con incise
le parole che la vecchia aveva scritto sul bigliettino.

Il ragazzino la guardò sbalordito.

— È meravigliosa, — sussurrò.

Poi passato lo stupore si riprese:

— Ha detto mia nonna che voi...

Peppone non lo lasciò finire: lo trascinò nel cor-
tiletto e lo ficcò sul carrozzino del *sidecar*.

Mise in moto e partì a tutta birra.

— Dov'è che abiti?

— A Fiumetto.

— A Fiumetto dove?

— La prima casa dopo il ponte.

La prima casa dopo il ponte di Fiumetto aveva
ancora la finestra della cucina illuminata. La vecchia, evidentemente, aspettava il ritorno del ragazzino. Magari stava pregando inginocchiata sul gradino del camino.

Peppone fermò:

— Scendi.

Il ragazzo gli porse un pacchettino.

— Che roba è?

— I soldi, — spiegò timidamente il ragazzino.

— Non voglio soldi!

— Ha detto mia nonna che ve li devo dare per

forza. Ha detto mia nonna che non accetta regali da voi...

Peppone ruggì:

— Vattene giù o ti strozzo!

Il ragazzo si alzò per scendere e Peppone stava sul chi vive pronto a difendersi come una tigre : ma quel ragazzino era d'una abilità diabolica e così, prima di togliersi via, riuscì a sfiorare con la sua piccola mano morbida e tiepida la mano destra di Peppone aggrappata al manubrio.

Peppone più che ripartire fuggì bestemmiando e il suo furore contro quel mascalzone di ragazzino aumentò tanto che non si accorse di essere fuori strada. Tanto è vero che, a un bel momento, si trovò fermo davanti a una casa isolata del Borghetto.

Ormai che c'era, ci rimase. Pestò due pedate sulla porta della casetta e, quando qualcuno socchiuse gli antoni di una finestra del primo piano, disse :

— Bill, sono io. Vestiti subito e vieni giù. Roba urgente.

Bill scese dopo pochi minuti e prese il posto sul furgoncino.

— Ti spiego quando siamo arrivati, — disse Peppone.

Alle due di notte Peppone e Bill erano nell'officina.

— Si può sapere cosa succede? — domandò Bill preoccupato.

Peppone gli mostrò la croce che stava appoggiata al muro e Bill si chinò a leggere il cartiglio. Si levò pallido.

— Cosa significa questo affare?

— Significa che tu adesso prendi su quella croce

e la vai a piantare là su quella buca che sai soltanto tu.

Bill lo guardò sbalordito: — Compagno, sei diventato matto?

— È una cosa lunga da spiegare, compagno. Te la spiegherò dopo. Qualcuno sa e non bisogna irritarlo se no qui si finisce dentro tutti.

Bill aveva le idee chiare:

— Nessuno sa dove il Lolli sia sepolto e, fin che non si trova il cadavere, non possono far niente. Se gli indichiamo dove è sepolto, gli diamo la prova più grave. Quella cioè che il Lolli non è scappato con una ragazza ma è stato fatto fuori. Mettere la croce sarebbe una stupidaggine bestiale.

Peppone non si lasciò impressionare da quella lucidità di ragionamento:

— Bill, in certi momenti particolari, bisogna fare anche le stupidaggini bestiali. Questo è un momento particolare...

— Un momento particolare? E perché?

— Perché è il momento in cui ho questo martello in mano e se non fai quello che ti dico, te lo picchio sulla testa. È un momento particolare come quello là quando i tuoi uomini mi hanno puntato il mitra contro la pancia e tu dicevi che io mi impicciassi dei fatti miei. Il Lolli era un fatto mio.

Peppone aveva la faccia dell'uomo che tenendo tra le mani un grosso martello è risoluto a picchiarlo sulla testa di qualcuno.

Bill abbassò gli occhi e Peppone gli palpò le tasche, e lo caricò assieme alla croce sul carrozzino della moto.

Viaggiarono nella notte. Trovarono il viottolo delle Ghiaie.

Qui scesero e si inoltrarono a piedi, Bill con la croce sulla spalla e faceva fatica a portarla tanto era pesante.

Arrivati vicino a una macchia di gaggia Bill disse : — È qui.

Peppone non dormiva da piedi e si era portato una vanga. Scavò fino a quando trovò roba. Allora ricoprì e piantò la croce.

Non parlarono, durante il ritorno. Peppone procedette a tutta manetta per la strada deserta e si fermò soltanto quando fu davanti alla casa di Bill.

Entrarono nell'andito assieme.

— Peppone, — disse Bill, — ti giuro che questo tradimento me lo paghi.

Allora Peppone risentì sulla sua mano destra il tepore della morbida carezza della mano del ragazzino e sparò un pugno che, colpito in piena faccia Bill, lo fece rinculare fin in fondo all'andito e stramazzare come un sacco di letame sui gradini della scala. Uno di quei pugni in faccia che costringono l'uomo che l'abbia incassato a far rifare le fotografie di tutti i suoi documenti d'identità e fanno dire ai conoscenti : « E pensare che era così un bell'uomo!...».

Peppone richiuse la porta e rimontò in motocicletta perdendosi nella notte.

Rimettendo la macchina in garage notò qualcosa di bianco in fondo al carrozzino, e si trattava dei soldi della vecchia. Il ragazzino aveva obbedito alla nonna e li aveva lasciati lì prima di scendere.

Peppone li mise in una busta e, prima di andare a letto, corse a infilare la busta sulla quale aveva scritto : « *Messe per l'anima del defunto Lolli Antonio* », nella buca della porta di don Camillo.

« Questa notte non si riesce ad andare a letto », pensava.

Ma poi a letto ci arrivò; e la mano che aveva colpito Bill gli faceva male. Ma, poco alla volta, il dolore scomparve e Peppone risentì il tepore della carezza del ragazzino.

Ed era un dolce tepore che, pian piano, si estendeva dalla mano al braccio, dal braccio al petto, e poi entrava dentro a rallegrare il cuore.

« *Mia nonna non si sbaglia mai* ». La vecchia Lolli si era ficcata in mente che suo figlio avrebbe dormito come tutti i cristiani in terra benedetta e non si era sbagliata.

In quanto alla faccenda della giustizia, non se ne curava.

Tra poco, quando sarebbe morta, perché era vecchia come il cucco, avrebbe raccontato tutto al buon Dio, e Dio avrebbe provveduto a sistemare definitivamente Bill.

Peppone si addormentò che il cielo incominciava a schiarire e non pensava neppur lontanamente che fra qualche ora la gente, ritrovando la croce, avrebbe detto: « Chi sa chi l'ha fatta! Deve essere stato un artista grosso di città perché qui anche Peppone che è Peppone e sa il mestiere suo, non sarebbe capace neppure di fare metà di questi riccioli ».

Perché, si capisce, nessuno poteva sapere che il figlio del Lolli aveva girato la ventola della fucina e i suoi occhi non si erano mai staccati un istante dalle mani del fabbro.

E quando un bambino così, guarda in quel modo lì due mani di fabbro, quelle sono mani benedette.

L'ALTOPARLANTE

Gesù, — disse don Camillo al Cristo crocifisso dell'altar maggiore, — perché continuare a parlare se nessuno mi ascolta?

Don Camillo era pieno di amarezza e il Cristo gli sussurrò parole di conforto.

— No, don Camillo: non è vero che nessuno ti ascolti. Quando tu, dall'altare o dal pulpito, parli, tutti sono attenti alle tue parole. Molti non le intendono ma non importa: l'importante è che il seme della parola di Dio si deponga nel loro cervello. Un giorno, improvvisamente, dopo un mese o un anno o dieci anni, chi ha ascoltato la parola di Dio senza intenderne il significato, ecco che riudrà risuonarsi all'orecchio quella parola e non sarà più una semplice parola ma un monito. Rappresenterà essa la soluzione di un angoscioso problema, rappresenterà un bagliore di luce nella tenebra, un sorso d'acqua fresca nella sete. L'importante è che essi ascoltino la parola di Dio: un giorno chi l'ha ascoltata senza intenderla si accorgerà che essa è diventata un concetto. Parla senza stancarti, don Camillo, metti nelle tue parole tutta la tua fede, tutta la tua disperata volontà di bene. Spargi con mano generosa quel seme che un giorno fruttificherà anche nel terreno più arido. Dovunque è un cervello c'è una possibilità di ragionamento. Parla e accontentati che tutti ti ascoltino.

Don Camillo scosse il capo.

— Io parlo e nessuno mi ascolta, — disse don Camillo. — Io parlo e vedo davanti a me sempre le solite facce. Le facce della solita gente che da me ascolta quello che sa già, mentre non vedo mai le facce degli unici che avrebbero necessità di ascoltare, dalla mia voce, la parola di Cristo. Gesù, quelli, mentre io parlo stanno a discutere all'osteria o a cospirare nella loro tana. Per questi dico che io parlo e nessuno mi ascolta. Io metto nelle mie parole tutta la mia fede e tutto il mio fiato e urlo, ma le mie parole non riescono ad arrivare nemmeno in mezzo al sagrato che già si sono sciolte nell'aria.

Don Camillo sospirò:

— Gesù, io ho bisogno di trovare il danaro per comprarmi un altoparlante da mettere sul campanile. Allora, quando io parlerò dal pulpito o dall'altare, la mia voce risuonerà come tuono e dovranno ascoltarmi anche coloro che non vengono qui. Gesù, fatemi vincere al Totocalcio!

Il Cristo parlò severamente a don Camillo:

— Se è stabilito che tu vinca, vincerai. Ma se vincerai non sarà certo perché tu abbia indotto Dio a mutare quanto prestabilito per farti un favore personale. E lo dovrai ringraziare solo perché ti avrà concesso la grazia di compiere un'azione in accordo con la divina armonia che regola ogni cosa dell'universo. Don Camillo, tu cammini sovrappensiero ed ecco che, nell'attraversare la ferrovia, finisci con un piede impigliato non si sa come in una rotaia e per quanti sforzi tu faccia, non riesci a toglierti di là e nessuno ti può aiutare. La linea ferroviaria è doppia e ha due binari affiancati e tu non sai su quale dei due binari passerà il treno. E tu domandi aiuto al tuo Dio. E, poco dopo, ecco un fischio: il treno passa sull'altro binario. Tu sei salvo e ringrazi Dio di aver predisposto le cose in modo tale che tu non finissi impigliato nell'altro binario. Non puoi ringraziare Iddio di aver fatto passare il treno dove volevi tu che passasse. Il treno era già in viaggio, quando tu sei finito col piede nella rotaia. E il treno camminava sull'altro binario. Tu non puoi pensare che Dio, per favorirti, lo abbia tolto da un binario per metterlo in quello vicino. Lo devi perciò ringraziare soltanto perché il treno camminava nell'altra rotaia.

Don Camillo si inchinò e si segnò:

— Se vincerò al Totocalcio vi ringrazierò non di avermi fatto vincere, ma perché ho vinto, — disse.

— E quindi non mi rimprovererai nel caso che tu non vinca, — concluse il Cristo sorridendo.

*　　*　　*

Don Camillo ebbe un grande altoparlante in cima al campanile e la parola di Dio arrivò anche dentro la Casa del Popolo perché si trattava dell'altoparlante più potente che si fosse trovato. E così arrivò anche il famoso giorno della partenza delle reclute.

Peppone aspettava quel giorno. Aveva le idee

straordinariamente chiare in proposito. Anzi le idee chiare in proposito le avevano gli altri, quelli che mandavano le direttive a Peppone: ma Peppone era convinto che fossero le sue idee e si preparò per tempo.

La partenza delle reclute della classe di leva doveva riuscire una cosa importante. Peppone mandò in giro lo Smilzo e la squadraccia con ordini perentori: roba buona e molta. E trovarla con le buone o con le cattive.

Ogni recluta doveva partire col suo bravo pacco di cibarie consegnato dal sindaco durante una solenne cerimonia in piazza. E, naturalmente, dopo un discorsetto fatto su misura.

Era il discorsetto ciò che interessava Peppone. I giovani dovevano piantarsi bene nel cervello che essi non sono carne da cannone, che il soldato non è al servizio del governo ma del popolo, e che il primo dovere del soldato è quello di pensare alla pace e di combattere i guerrafondai.

Venne il giorno, una buona giornata di sole, e la piazza era gremita.

Salendo sul palco, che era a poche decine di passi dal sagrato, Peppone guardò con occhio cupo la tromba dell'altoparlante.

— Speriamo che quel maledetto non faccia fesserie! — borbottò. Ed era preoccupato perché, con un arnese così a sua disposizione, don Camillo poteva diventare un flagello nazionale.

— L'importante è che tu non lo provochi, — osservò lo Smilzo. — Lascia perdere il Papa. Batti sul tasto dell'America e del governo venduto. Magari, in ultimo, puoi dare un colpetto anche al Vaticano.

Incominciò il discorso di Peppone ed incominciarono le sofferenze per don Camillo che stava ad ascoltare nascosto dietro le gelosie di una finestra della canonica.

« Gesù », pregò mentalmente don Camillo, « poiché mi avete procurato il microfono, datemi la forza di non prenderlo in mano se quel disgraziato dice delle bestialità troppo grosse! Gesù, ascoltatemi perché ho tanto bisogno del vostro aiuto. Pensate che il microfono l'ho già qui in mano e basterebbe che io schiacciassi questa levetta perché la mia voce rimbombasse come tuono nella piazza ».

Peppone incominciò a parlare e non aveva bisogno d'altoparlante perché la sua voce era potente e arrivava fin sull'argine del fiume grande.

— Io vi porto il saluto del popolo, — incominciò Peppone. — Di quel popolo che ha voluto significarvi il suo affetto con una generosa offerta di commestibili, nonché vino e generi di conforto. Assieme al saluto dei lavoratori io vi voglio portare la voce della coscienza democratica. Quella voce che ha una sola parola: Pace!...

« Gesù, ci siamo », ansimò don Camillo.

— Pace che vuol dire giustizia sociale, lavoro, libertà, — continuò Peppone, — rispetto alla vita umana, la quale sono passati i tempi barbari e medievali del popolo considerato come carne da macello per gli interessi sporchi degli speculatori e degli sfruttatori.

Il maresciallo dei carabinieri che ascoltava dietro un pilastro del porticato si asciugò il sudore e si toccò la tasca dove stavano il taccuino e la matita.

— Voi, figli del popolo, — urlò Peppone, —

non siete al servizio dei politicanti che siedono al governo, ma siete al servizio del popolo! E il popolo vuole la pace! Il popolo vuole soltanto quella pace che è insidiata dalle macchinazioni atlantiche, e quella pace dovete difendere! Non vogliamo cannoni! Vogliamo lavoro e case! Non vogliamo bombardieri e sottomarini: vogliamo strade, scuole, acqua e giustizia! Non vi lasciate ingannare da coloro che, quando arriverete nelle caserme, vi parleranno di patria e di altre balle! La patria siamo noi! La patria siamo il popolo! La patria siamo i lavoratori che soffrono!...

Don Camillo sudava come una fontana e il microfono gli scottava tra le mani. «Gesù», implorò, «date un po' di luce a questa mia povera testa piena di buio. O io, se quello continua, farò una fesseria!».

Dio lo illuminò e gli diede la forza di staccare il microfono e di innestare la spina dell'altoparlante nel radiogrammofono.

«Se continua farò della musica!», decise don Camillo.

Peppone aveva ripreso fiato e il maresciallo teneva già tra le mani la matita e il notes.

— Reclute! — urlò Peppone. — Ascoltate la voce del vostro popolo! Andate nelle caserme perché così vuole la barbara legge nemica dei lavoratori, ma dite chiaro e tondo a coloro che tentano di armarvi per combattere i fratelli proletari del grande paese della libertà, che voi non combatterete! Dite che voi...

In quel momento l'altoparlante della torre cominciò a crepitare. Don Camillo attaccava.

Peppone si interruppe e impallidì. E tutti stettero zitti.

Cosa avrebbe detto l'altoparlante?

Ma dalla tromba non uscirono parole.

Uscirono dall'altoparlante le note dell'inno del Piave.

Già, il Piave.

Peppone, rimasto a bocca aperta, non riusciva a innestare la marcia, ma lo Smilzo gli allungò una pedata in uno stinco, e allora si riprese. La sua voce potente si frammischiò alla musica che usciva dall'altoparlante.

— Dite a coloro che tentano di ingannare il popolo, a coloro che diffamano il popolo, che i nostri padri hanno difeso la patria dall'invasore allora e noi siamo pronti oggi a tornare sul Carso e sul monte Grappa dove abbiamo lasciato la meglio gioventù italiana. Dovunque è Italia, dappertutto è monte Grappa quando il nemico si affaccia ai confini sacri della patria! Dite ai diffamatori del popolo italiano che, se la patria chiamasse, i vostri padri, ai quali brillano sul petto le medaglie al valore conquistate nelle pietraie insanguinate, giovani e vecchi si ritroveranno fianco a fianco e combatteranno dovunque e contro qualunque nemico, per l'indipendenza d'Italia e al solo scopo del bene inseparabile del Re e della patria!

Ma sì, il Re. E il Re volò via assieme alla patria sulle ali del Piave salutato dalle urla deliranti di una piazza gremita. E il maresciallo dei carabinieri lo vide passare per il cielo della Repubblica ma non lo infilzò col lapis per appiccicarlo sulla carta del notes.

Anzi lo salutò portando la mano alla visiera.

LA «MADONNA BRUTTA»

La gente la chiamava la «Madonna brutta»: una cosa questa da far drizzare i capelli perché sa di bestemmia collettiva. In realtà la gente parlando di «Madonna brutta» non aveva la minima intenzione di mancare di rispetto alla Madre di Dio. Diceva il minimo che si potesse dire sulla famosa statua che costituiva la spina nel cuore di don Camillo.

Era una gran statua alta più di due metri: un arnese pesante come il piombo. Una gran statua di terracotta pitturata con dei colori così vigliacchi da far venire il mal d'occhi.

Chi l'aveva modellata doveva essere stato, pace all'anima sua, il più importante farabutto dell'universo. Se l'avesse modellata un poveraccio ignorante di ogni principio di scultura ma galantuomo, nessuno avrebbe potuto chiamare brutta quella Madonna. Anche nelle cose artistiche, l'ignoranza non significa mai cattiveria, perché l'ignorante ci mette tutta l'anima per fare la statua o il quadro il più bello che può, e nelle cose artistiche conta sempre più l'intenzione che l'abilità tecnica.

Ma qui, a modellare la Madonna era stato evidentemente uno che ci sapeva fare benissimo. Una canaglia che aveva impiegato tutta la sua abilità di scultore per fare una Madonna brutta. E c'era riuscito.

La prima volta che don Camillo era - *temporibus illis* - entrato nella chiesa, era rimasto profondamente turbato dalla bruttezza di quella immagine e subito aveva deciso di sostituirla con altra immagine più degna di rappresentare la Madre di Dio. E ne aveva subito parlato, ma gli avevano risposto che non ci pensasse neppure.

Si trattava di una terracotta del 1693, e gli avevano mostrato la data incisa sul basamento.

— Non importa quando l'abbiano fatta, — aveva obiettato don Camillo. — È brutta!

— Brutta, ma antica, — gli avevano risposto.

— Antica, ma brutta! — aveva ribattuto don Camillo.

— Roba storica, reverendo! — avevano concluso gli altri.

Don Camillo aveva lottato invano per alcuni anni. Se si trattava di roba storica, si sarebbe mandata la statua in museo e la si sarebbe sostituita con altra Madonna con una faccia più da cristiano.

Alla peggiore, avrebbe messo la « Madonna brutta » in un angolo della sagristia, sistemando al suo posto, nella cappelletta, la nuova Madonna.

Si trattava semplicemente di trovare i quattrini.

Ma quando don Camillo incominciò il suo giro e spiegò la cosa, tutti lo guardarono sbalorditi.

— Sostituire la Madonna brutta? La Madonna

brutta è una statua storica! — gli risposero. — Non si può. Come si fa a sostituire una cosa storica?

Don Camillo abbandonò la sua impresa : ma la spina gli rimase dentro il cuore e, ogni tanto, si sfogava col Cristo dell'altar maggiore.

— Gesù, perché non mi aiutate? Non vi sentite personalmente offeso vedendo raffigurata così la Madre di Dio? Come potete permettere che la gente chiami la Madre di Dio « Madonna brutta »?

— Don Camillo, — rispondeva il Cristo, — la vera bellezza non è quella del volto. Tanto è vero che esso poi scompare e diventa terra nella terra. E invece tutto ciò che veramente è bello è eterno e non muore con la carne. La bellezza della Madre di Dio è quella del suo animo, e questa bellezza è intatta e incorruttibile. Perché dovrei offendermi se qualcuno ha plasmato nella creta una statua di donna dal viso brutto e poi ha messo questa statua sull'altare della Madonna? Chi si inginocchia davanti a quell'altare non rivolge le sue preghiere alla statua di creta, ma alla Madre di Dio che sta nei Cieli.

— *Amen*, — rispondeva don Camillo.

E se ne andava, ma ci soffriva a sentir la gente parlare della « Madonna brutta ».

E la spina gli rimase dentro il cuore e si abituò a quella dolìa : ma il giorno della processione di agosto, quando tiravano fuori la « Madonna brutta » dalla cappelletta e la mettevano sulla portantina e, a spalle, la portavano lungo le strade del paese, il dolore diventava acuto.

Liberati dall'ombra della cappelletta, i tratti del viso della Madonna risaltavano con violenza sotto il sole battente.

Brutto, ma prima ancora che brutto, quello era un viso cattivo. Un viso dalle linee grossolane. Occhi imbambolati, più che estatici. E il Bambinello, in braccio alla Madonna, era un fagotto di stracci, un fagotto dal quale emergeva una faccia deserta da bambolotto.

Don Camillo si era arrabattato a mimetizzare quella bruttezza, addobbando la statua con veli, diademi, collane. Ma tutto questo, invece di migliorarla, aveva peggiorato la faccenda e, alla fine, don Camillo aveva tolto via ogni addobbo, e i colori orrendi coi quali era stata impiastricciata la terracotta, erano ritornati a galla più vigliacchi che mai.

La guerra passò anche per le strade dei remoti paesi in riva al grande fiume. Ci furono case distrutte e case saccheggiate. Mani ladre e sacrileghe si spinsero anche a profanare gli altari. Bombe piovvero dal cielo: campanili e chiese furono colpiti e don Camillo non voleva confessarselo, ma, in fondo al suo cuore, aveva la segreta speranza che qualcosa lo liberasse dalla « Madonna brutta ».

Quando la soldataglia straniera incominciò a girare nei paraggi, don Camillo andò a raccontare le sue preoccupazioni a chi di ragione:

— La « Madonna brutta » è un capolavoro artistico del 1693. Una cosa storica. Non sarebbe bene farla trasportare lontano, al sicuro?

Gli risposero di stare tranquillo: artistica, storica, ma brutta, gli spiegarono. La bruttezza era la sua difesa. Dal 1693 ad allora, se non fosse stata così brutta, qualcuno l'avrebbe di certo portata via.

E passò la guerra, e passarono altri anni e, alla

fine, arrivò il momento in cui don Camillo risentì, più acuta che mai, la puntura della spina. Aveva rimesso a posto la chiesa: pitturato i muri, rifatto le colonne di mattoni e delle balaustre di legno, dorate le lampade e i candelabri degli altari.

Adesso, in mezzo a tutta quella siccheria, in mezzo a tutto quello splendore, la statua della « Madonna brutta » proprio non ci stava più. Una macchia nera su un fondo bigio si vede e non si vede. Una macchia nera su un fondo bianco salta su come una sberla in un occhio.

— Gesù, — disse don Camillo inginocchiandosi davanti al Cristo crocifisso dell'altar maggiore. — Voi dovete aiutarmi, questa volta. Gesù: per rifare la chiesa io ho speso tutto il poco danaro che avevo, ho speso anche non poco danaro che non avevo e sono carico di debiti. Mi sono messo a razione nel mangiare, ho eliminato perfino il mio sigaro toscano. E la mia gioia oggi, non è tanto di vedere la chiesa così bella, quanto di aver avuto la forza di fare tanti sacrifici. Liberatemi dalla spina che ho nel cuore. Fate che più non si dica che la chiesa di don Camillo è la chiesa della « Madonna brutta ».

Il Cristo sorrise:

— Don Camillo, è dunque destino che io debba ripetere con te sempre lo stesso discorso? Perché vuoi che ancora ti dica quel che mille volte ti ho detto? Che la vera bellezza non è quella del viso? Che la vera bellezza è quella che gli occhi non possono vedere perché è dentro e sfida le ingiurie del tempo, e non diventa, come l'altra, terra nella terra?

Don Camillo chinò il capo senza rispondere. Ed era un gran brutto segno.

*   *   *

Si avvicinava il giorno della processione d'agosto, e una mattina don Camillo mandò a chiamare i portatori.

— Quest'anno, — spiegò don Camillo, — il percorso della processione è più lungo, perché, prima di entrare in paese, bisognerà arrivare fino alle Case Nuove della Strada Bassa.

Era un agosto infernale e il pensiero di dover camminare per due chilometri su una strada ghiaiata da pochi giorni con quel peso sulle spalle era tale da smontare il primo bullo dell'universo.

— Si possono fare due turni, — rispose il vecchio Giarola che era praticamente il capo dei portatori durante le processioni.

— È pericoloso, — rispose don Camillo. — Le mani sudano, il caldo picchia in testa: è un momento, durante il cambio degli uomini, mandare all'aria tutta la faccenda. Secondo me si potrebbe addobbare per bene il camion piccolo di Rebecci e caricare la Madonna lì sopra. Diventa anche una cosa più fastosa: non credo che abbiate niente in contrario.

Agli uomini dispiaceva, invece: d'altra parte pensando alla strada e al caldo, il dispiacere diminuiva. Risposero che per loro andava bene.

Il Rebecci consentì volentieri di dare il camion piccolo e, il giorno dopo, lo portò nella grande rimessa di don Camillo perché don Camillo non si fidava di nessuno e voleva sistemare e addobbare lui il camioncino.

E per tutta la settimana smartellò come un maledetto, ma il sabato sera tutto era perfettamente a

posto: una robusta piattaforma era stata inchio-
data sul pianale del camioncino. Con drappi e fiori
ogni cosa era stata mascherata e, a dir la verità, tutto l'insieme faceva un figurone maiuscolo.

Poi venne la domenica e, al momento giusto,
la « Madonna brutta » fu portata fuori dalla chiesa
e sistemata sulla piattaforma. Con solide corde il
piedistallo venne legato al castello di legno e le
corde mascherate con gran cuscini di fiori.

— Puoi guidare senza nessuna preoccupazione,
— disse don Camillo al Rebecci. — Non può venir giù neanche se ti metti a correre a novanta. Garantisco io.

— Così addobbata e con tutti quei fiori è quasi
bella, — disse la gente quando il camion si mise in
cammino.

La processione si avviò verso le Case Nuove
della Strada Bassa e il camioncino procedeva a passo d'uomo ma sobbalzava ugualmente per via del
ghiaione e anche perché quella maledetta frizione
proprio allora si era messa a funzionare a modo
suo e la macchina era squassata da strattoni che,
se don Camillo non avesse legato come aveva legato il piedistallo della statua alla piattoforma,
avrebbe combinato uno scherzo maledetto alla povera « Madonna brutta ».

Don Camillo, che si era accorto del guaio della
frizione e immaginava perciò il pasticcio nel quale
doveva trovarsi il Rebecci, arrivato alle Case Nuove portò una variante al programma.

— Il camion fatica a camminare adagio sul
ghiaione, — spiegò. — Adesso noi tagliamo per i
campi e in dieci minuti siamo sulla provinciale.
Rebecci torna indietro alla sveltina e ci aspetta al

ponte. Lì si ricompone la processione e marciamo magnificamente verso il paese perché è tutta strada bella.

Il Rebecci tornò indietro col suo camioncino e con la « Madonna brutta » che, poveretta, fece davvero il più scomodo viaggio della sua lunga vita.

Al ponte, il corteo si ricompose e incominciò la marcia verso il paese e qui la strada era liscia e tutto procedette bene anche se, per via di quella stramaledetta frizione, il camioncino ogni tanto faceva un saltello in avanti come se avesse preso una pedata nel sedere.

Il paese era tutto addobbato, ma dove le cose erano state fatte veramente in gamba era nella strada principale, quella che non finiva mai, quella con i portici da una parte e dall'altra. Qui ogni finestra era piena di fiori e di drappi, e la gente buttava fiori da tutte le finestre.

Disgraziatamente la strada era pavimentata a ciottoli e il camion, che oltre alla frizione scassata aveva le gomme dure come un ferro, pur andando adagio pareva avesse il ballo di San Vito.

Ma la « Madonna brutta » sembrava saldata al camion e questo era un merito personale di don Camillo.

A metà della strada dei portici incominciò il pezzo più infame perché qui l'acciottolato era stato rotto per la fognatura, e c'era una zona piena di buche.

— Passata quella non c'è più nessun pericolo, — disse la gente che, pur avendo la massima fiducia nelle corde di don Camillo, aveva lasciato attorno al camion un'ampia zona vuota.

Ma la « Madonna brutta » non passò la zona pericolosa.

Non cadde perché le corde di don Camillo funzionavano come fossero state legate da Sansone: avvenne un sobbalzo più forte degli altri ed ecco che la statua si sgretolò.

Non era terracotta: era qualcosa di crudo, invece, una diavoleria di impasto di polvere di mattone, gesso, calce o Dio sa cosa e, preso l'ultimo dei due o tremila colpi assassini, si sgretolò e i pezzi caddero per terra e si sbriciolarono.

Ma l'urlo che si levò da tutta la gente, non fu perché la « Madonna brutta » era andata in pezzi.

Fu per la « Madonna bella ».

La gente sbarrò gli occhi e lanciò un urlo perché, caduta in pezzi la « Madonna brutta », dal mozzicone di piedistallo che era rimasto legato alla piattaforma del camion, emergeva scintillante, come un frutto d'argento liberato dalla ruvida scorza, una meravigliosa Madonna, più piccola dell'altra, ma tutta d'argento.

Don Camillo stette a rimirarla sbalordito, e poi gli vennero alla mente le parole del Cristo: « La vera bellezza non è quella del viso... La vera bellezza è quella che gli occhi non possono vedere perché è dentro e sfida le ingiurie del tempo e non diventerà, come l'altra, terra nella terra... ».

Si volse perché una vecchia si era messa a gridare: — Miracolo! Miracolo!

La fece star zitta con un urlaccio, poi si chinò e raccolse uno dei frantumi della « Madonna brutta ».

Era un pezzetto di faccia, uno di quei due occhi cattivi e imbambolati che egli aveva guardato tante volte con odio.

— Ti rimetteremo a posto, pezzetto per pezzetto, — disse don Camillo ad alta voce. — A costo di impiegarci un anno o dieci anni, ti rimetterò a posto io, povera « Madonna brutta » che hai salvato la Madonna d'argento dalla cupidigia di tutti i barbari piovuti qui da quel giorno del 1600 a ieri. Chi ti plasmò in fretta ricoprendo con la tua crosta la Madonna d'argento, ti fece brutta e misera per salvarti dalle mani dei predoni che già forse erano in cammino verso questo paese, o verso l'altro paese o la città dove tu eri e da dove poi arrivasti qui. Ora ti ricomporremo, pezzo per pezzo, e starai sul tuo altare al fianco della Madonna d'argento. Io, involontariamente ho provocato la tua misera fine, o « Madonna brutta »...

Qui don Camillo disse la più sfacciata bugia della sua vita. Ma d'altra parte non poteva così, *coram populo*, spiegare che lui aveva scelto l'itinerario più lungo e sassoso, che lui aveva gonfiato fino a scoppiare le gomme del camion, che lui aveva sabotato la frizione, che lui, infine, per aiutare il ghiaione, l'acciottolato e le buche, con un martellino e un punteruolino aveva incominciato a fare nella terracotta della statua qualche buchetto e qualche piccola crepa, ma poi aveva smesso subito perché si era accorto che non si trattava di terracotta ma di una specie di stucco che si sarebbe sgretolato da solo.

L'avrebbe poi confidato al Cristo dell'altar maggiore. Il quale peraltro lo sapeva benissimo...

— Tu, povera « Madonna brutta », hai salvato la Madonna d'argento dalle rapaci unghie dei barbari che hanno infestato le nostre terre da quei tempi lontani a ieri. Chi salverà la Madonna d'argento dai barbari di oggi che si affacciano minacciosi alle frontiere della civiltà e guardano con occhio feroce la Cittadella di Cristo? Vuol forse essere un presagio? Vuol forse significare che questi barbari non caleranno nelle nostre valli o, se tenteranno di calarvi, basteranno la nostra fede e il nostro braccio a difenderti?...

Peppone, che stava lì in prima fila a « osservare attentamente il fenomeno », si rivolse allo Smilzo:

— Si può sapere con chi ce l'ha? — domandò a bassa voce.

— Mah! — rispose lo Smilzo stringendosi nelle spalle. — Le solite fantasie dei clericali!...

FANTASMA CON CAPPELLO VERDE

Era notte da un gran pezzo e don Camillo aveva ancora gli occhi spalancati e ancora stava cercando nel letto il punto giusto per fare il nido.

Sentì suonare le ore alla torre: ormai era già domenica e non si trattava di una delle solite domeniche, ma della domenica delle elezioni.

I rossi avevano le spalle solide, lì in paese, e l'idea di poterli cacciar fuori dal Comune metteva la frenesia addosso a don Camillo.

Quando suonarono le due, don Camillo saltò giù dal letto. Si vestì e uscì sul sagrato buio e deserto.

Entrò in chiesa dalla porticina del campanile e andò a inginocchiarsi davanti al Cristo dell'altar maggiore. Incominciò a pregare.

La chiesa era illuminata soltanto dalla lampada sospesa davanti all'altare, e il silenzio, in quella penombra, pareva ancora più profondo.

Suonarono le due e mezzo e i rintocchi caddero nel silenzio come bombe, poi si spensero, ma qualcosa fece ancora, poco dopo, sussultare don Camillo.

Qualcuno stava lavorando cautamente attorno alla serratura della porticina della torre. Non era possibile sbagliarsi: allora don Camillo si alzò e si infilò senza far rumore nel confessionale più vicino.

Sentì scattare il paletto. Sentì la porta aprirsi e poi richiudersi. Sentì che qualcuno entrava in chiesa.

Don Camillo non si mosse: aspettò trattenendo il fiato, poi con un dito spostò un pochino la tendina del confessionale.

Immobile come un pilastro, un uomo stava ritto davanti all'altar maggiore e guardava in su.

Passarono lunghi minuti, poi l'uomo sospirò profondamente.

Borbottava qualcosa, ma non si capiva cosa dicesse. Borbottò a lungo così, in piedi; poi si sedette e si prese la testa fra le mani.

Don Camillo non si mosse di un millimetro e aspettò, rannicchiato nel confessionale. E un dolce torpore lo prese.

Si svegliò di soprassalto.

La chiesa era deserta e piena di luce, e don Camillo si trovò insaccato dentro il confessionale e fece una fatica del diavolo a rimettere in moto la sua gran macchina d'ossa e di carne.

Guardò l'orologio:

— Quasi le sei! — disse. — Che strana faccenda, Gesù: ho sognato che uno era entrato in chiesa per pregare, verso le due e mezzo di questa notte. Ho sognato che era entrato dalla porticina della torre, aprendo con un grimaldello. Non ho mai fatto un sogno così strampalato! Strana cosa i sogni!

Il Cristo sospirò:

— Strana cosa davvero, i sogni: specialmente poi se, quando se ne vanno, dimenticano il cappello.

Don Camillo si volse e, sulla panca, proprio dove aveva visto sedersi il notturno visitatore clandestino, stava effettivamente un cappello verde.

Don Camillo prese il cappello verde e se lo rigirò tra le mani.

— E adesso cosa ne faccio?

Il Cristo sorrise:

— Rimettilo lì, sulla panca, don Camillo. Fai conto che lo abbia lasciato per tenere occupato il posto. Un giorno tornerà.

Don Camillo scosse il capo.

— Abbi fede, don Camillo, — disse il Cristo. — Non ha importanza se ciò succederà fra un mese o un anno o più anni. Un giorno egli tornerà, e senza passare per la porticina della torre, e senza dover usare grimaldelli. E allora non verrà a pregarmi di fargli vincere le elezioni.

— Sia fatta la vostra volontà, — sussurrò don Camillo rimettendo sulla panca il cappello verde di Peppone.

*   *   *

L'ultimo comizio per le elezioni comunali lo tenne Peppone il sabato pomeriggio. La mattina parlò in piazza un pezzo grosso del Partito avversario, quello dell'altra lista, insomma. Era uno venuto di città e sapeva quello che voleva.

— Libereremo anche questa cittadina dagli invasori rossi! — gridò, — dai servi dello straniero, dai nemici di Cristo! — e tutti gli batterono le mani.

Poi verso sera, dalla stessa tribuna, parlò Peppone.

La piazza era piena come un uovo perché tutti si aspettavano che Peppone avrebbe urlato cose da matti e chi sa dove sarebbe arrivato.

Peppone invece non urlò: parlò poco e con molta calma:

— Cittadini, — disse, — vi saluto. Il mio Partito può ordinarmi di dire quello che vuole, ma io vi dirò quello che voglio io. Io sono qui semplicemente per salutarvi. In questi anni io e i miei compagni abbiamo fatto un sacco di cose: io non so quante saranno state le cose buone e quante le bestialità. Comunque, se abbiamo sbagliato questo dipendeva non dalla nostra buona volontà, ma dalla nostra ignoranza e poca pratica. Io sarò stato il sindaco più bestia dell'universo, ma posso assicurarvi che l'intenzione era di fare il bene del paese.

Peppone si asciugò il sudore che gli colava dalla fronte.

— Cittadini: noi non abbiamo nessuna speranza di vincere e abbiamo presentato una lista semplicemente perché vogliamo vedere se proprio ci mandate via con una pedata nel sedere, oppure se ci mandate via con buona grazia. Insomma vogliamo vedere se abbiamo meritato il benservito oppure neanche quello. Siamo come scolari che hanno fatto il compito e lo presentano alla signora maestra: vediamo se abbiamo meritato zero oppure cinque oppure la sufficienza. La quale ognuno esprima liberamente il suo giudizio e quando non saremo più sindaco non toglietemi il saluto perché se vi abbiamo pestato i piedi non l'abbiamo fatto apposta. Errare umanorum.

Peppone si frugò in tasca e tirò fuori qualcosa.

— Cittadini, — disse, — quando cinque anni fa sono andato sindaco io avevo in tasca un sigaro toscano e cinquecento lire: adesso che per cinque anni ho fatto il sindaco ho in tasca duecentottanta lire e mezzo sigaro: questa è la mia storia.

Don Camillo, che ascoltava appostato dietro le imposte socchiuse della finestra della canonica, era rimasto a bocca aperta.

— Io, — continuò Peppone, — io se mi viene un accidente che resto lì secco come un chiodo, neanche posso farmi rinfrescare la faccia con l'acqua santa e devo andare al cimitero come un baule pieno di stracci: ecco quello che ho guadagnato. Non ho niente altro da dirvi, cittadini. Io vorrei adesso gridare « viva l'Italia » ma non lo posso fare perché altrimenti mi accusano che voglio sfruttare la patria per la politica del Partito...

Peppone si tolse con gesto ampio il cappello.

— Buona sera, signori, — concluse.

La gente era sbalordita: guardò Peppone scendere dal palco e allontanarsi, seguito dal suo stato maggiore.

Non ci fu un grido.

La piazza si vuotò lentamente e solo quando la piazza fu vuota, don Camillo ricominciò a pensare. Un fatto così non se lo aspettava davvero.

Peppone si arrendeva.

Venne la notte e poi spuntò l'alba della domenica famosa. Don Camillo andò a votare verso le dieci. Peppone e i suoi votarono alla spicciolata e tutto funzionò senza inciampo.

Votarono anche il lunedì, fino alle due del pomeriggio. Poi il paese si spopolò e venne la sera.

Il martedì a mezzogiorno arrivò in canonica il Barchini: aveva gli occhi fuori dalla testa:

— Reverendo, — ansimò, — hanno vinto loro!

Don Camillo balzò in piedi stringendo i pugni, poi tornò a sedersi.

Gli venne voglia di attaccarsi alle campane e incominciare a suonare a morto, gli venne voglia di mettersi a gridare, di pestare i pugni sulla tavola.

Non fece niente di tutto questo.

«Libereremo la cittadella dagli invasori rossi, dai servi dello straniero, dai nemici di Cristo...»: gli venne in mente il discorso pieno di tracotanza del famoso pezzo grosso venuto apposta dalla città per sbalordire il popolo.

— Cretino! — gridò. — Con tutte le sue lauree e la sua cultura si è fatto fregare da un disgraziato che non sa neanche fare una «O» col bicchiere!

*   *   *

Anche quella notte don Camillo non riusciva a fare il nido nel letto: aveva nello stomaco un gatto vivo e alle tre si tirò su, si vestì e andò a rifugiarsi in chiesa.

— Gesù, — disse inginocchiandosi davanti all'altar maggiore, — se non mi aiutate mi verrà un colpo apoplettico.

Pregò un poco poi andò a rifugiarsi dentro il confessionale, come l'altra volta, sperando di trovare un po' di pace nel sonno. Si assopì ma fu, poco dopo, svegliato di soprassalto.

Qualcuno, come la famosa notte del fantasma dal cappello verde, qualcuno lavorava con un grimaldello attorno alla serratura della porticina della torre.

Don Camillo attese immobile come un sasso ed ecco che un uomo entrò in chiesa e si appressò all'altar maggiore.

L'uomo aveva un tabarro nero: tolse qualcosa di sotto il tabarro e, passata la balaustra, si inoltrò. Si fermò davanti a un gran candelabro che stava alla sinistra dell'altare: infilò nel candelabro il grosso cero che aveva tolto di sotto il tabarro.

Poi accese uno zolfanello sfregandoselo sotto la suola di una scarpa e diede fuoco al cero.

Allora don Camillo non riuscì più a trattenersi e uscì dal confessionale. L'uomo si volse di scatto stringendo i pugni, poi si tranquillizzò.

— Posso sapere cosa fa qui il signor sindaco, alle tre e mezzo di notte, nella casa di Dio dove si è introdotto scassinando la porta?

Peppone non si turbò. Indicò il Cristo crocifisso dell'altare:

— Affari nostri, reverendo. Eravamo d'accordo così.

— D'accordo cosa?

— Se mi faceva vincere io gli avrei portato un cero.

Don Camillo perdette la calma.

— *Vade retro!* — gridò. — Come osi, stramaledetto, di venire a bestemmiare qui, dentro la casa di Dio?

— E chi bestemmia?

— Il fatto che tu creda che Cristo abbia fatto vincere la vostra lista sacrilega è una bestemmia! Se uno va in chiesa e chiede a Dio di aiutarlo ad ammazzare qualche galantuomo e poi riesce ad ammazzarlo è due volte delinquente, prima perché uccide, secondo perché osa pensare che Dio lo abbia aiutato a uccidere, lo abbia aiutato a violare la Sua sacra legge!

Peppone allargò le braccia:

— Io non ho ammazzato nessuno. Io ho domandato a Dio che mi facesse tornare ancora sindaco. E Dio mi ha aiutato. Non è mica un delitto diventare sindaco.

Don Camillo levò il dito minacciosamente:

— È un delitto lavorare per il nemico di Cristo! Tu sei al servizio del nemico di Dio e osi credere che Dio ti abbia aiutato a far vincere il Suo nemico!

Peppone si strinse nelle spalle:

— È inutile che tentiate di buttare la cosa in politica, — rispose. — Qui gli anticristi non c'entrano: qui c'è uno che viene ad accendere un cero a Dio perché lo ha aiutato a diventare ancora sindaco.

Don Camillo strinse i pugni e si avviò deciso verso il grande cero.

— Se lo spegnete vi spacco la testa! — gridò Peppone agguantando un grosso candelabro.

— Non permetterò certo una rissa sui gradini dell'altare di Cristo, — disse. — Arda pure quel fuoco empio. Esso non è che una fiammeggiante offesa a Dio e Dio ti punirà del sacrilegio!

Peppone si ritrasse e si avviò verso la sagristia e la porticina della torre.

— Reverendo, — borbottò, — è inutile che tiriate fuori le parole del *Trovatore* e della *Forza del Destino*. Il mio cero può stare acceso lì. Io sono a posto con la coscienza. E Dio lo sa. Perché, se non lo sapesse, non mi avrebbe fatto vincere le elezioni.

— Via di qui! — urlò don Camillo. E Peppone se ne andò.

Don Camillo camminò in su e in giù davanti all'altare, poi si fermò e, rivolti gli occhi al Cristo crocifisso, allargò le braccia:

— Gesù, — disse don Camillo. — Voi l'avete visto e udito: egli ha bestemmiato qui, al vostro cospetto.

Il Cristo sorrise.

— Don Camillo, — disse con dolcezza. — Don Camillo, l'importante è aver fede in Dio, credere in Dio. Credere in un Essere superiore che tutto ha creato e tutto amministra e che alla fine punirà i cattivi e premierà i buoni. Non essere troppo severo verso Peppone: peggio chi ha votato contro i rossi e non crede in Dio che chi ha votato per i rossi ma crede in Dio. La massima offesa che si può fare a Dio è non credere in Dio. La fede illumina, e un giorno, ogni ombra, anche la più fitta, scomparirà dall'animo di chi oggi ha la mente confusa. Don Camillo: non vede perché è senza occhi colui che non ha la fede. Non vede neppure chi ha gli occhi bendati, ma può vedere, e un giorno la benda cadrà dai suoi occhi e i suoi occhi conosceranno la luce. Non sente chi non ha orecchi né può sentire: e non sente neppure chi ha le orecchie chiuse dalla cera, ma può sentire, e quando la cera si scioglierà, egli udrà la voce di Dio.

Don Camillo allargò le braccia.

— Gesù, — implorò, — egli ha bestemmiato venendovi a ringraziare per avere aiutato la causa dei Vostri nemici! Di coloro che Vi negano.

— Don Camillo, egli è venuto a ringraziare Dio, non ha ringraziato il capo del suo Partito. E non ha pregato il capo del suo Partito di farlo vincere: ha pregato Dio. Egli non nega Dio: egli, anzi, riconosce la potenza di Dio. Un giorno comprenderà tutto quello che oggi non comprende perché non conosce la verità. Non per tutti è facile il cammino che conduce alla verità.

Don Camillo guardò cupo il cero di Peppone che ardeva a lato dell'altare.

— Spegnilo pure, don Camillo, se ti dà noia. Non potrai mai spegnere l'altra fiamma che egli ha acceso davanti al mio altare, l'altra mattina.

Don Camillo non capiva.

— Un'altra fiamma davanti al Vostro altare? E dove?

— Don Camillo, Peppone non ha votato per la sua lista: egli ha segnato la sua croce sulla croce che è nell'emblema della tua lista.

Don Camillo balzò in piedi:

— Gesù, — esclamò, — egli ha ingannato tutti! Il lupo ha indossato la pelle dell'agnello!

— Oppure è l'agnello che ha ancora indosso la pelle del lupo?

Don Camillo non riusciva a ritrovare la sua serenità.

— Gesù, io non lo so: io so soltanto che ha vinto ancora lui!

— Direi che invece ho vinto io, don Camillo.

Il cappello verde che Peppone aveva abbandonato sulla panca della chiesa qualche notte prima, era ancora là. Don Camillo lo guardò.

— Non aver fretta, don Camillo, — sussurrò sorridendo il Cristo. — Bisogna aver fede in Dio.

Ma don Camillo ancora non riusciva a ritrovare la pace dello spirito.

— Gesù, — esclamò con voce piena d'angoscia, — egli è un vile perché mi ha ingannato, ha ingannato tutti.

— Non me, don Camillo.

— Gesù, — gemette don Camillo, — egli, l'altro giorno, quando ha parlato in piazza mi ha riempito il cuore di pietà. Io l'ho visto triste ed abbandonato da tutti...

Don Camillo si passò la mano sulla fronte piena di sudore.

— Gesù, — gemette, — io... io ho votato per lui... Io ho commesso questo sacrilegio!... Ma io non so come questa orribile cosa sia successa!...

— Io sì, don Camillo, — rispose sorridendo il Cristo. — L'amore per il tuo prossimo ha fatto tacere il tuo ragionamento. Che Dio ti perdoni, don Camillo.

FULMINE DETTO FUL

Due giorni prima che aprissero la caccia, Lampo morì. Era vecchio come il cucco e aveva il pieno diritto di essere stufo di fare il cane da caccia, un mestiere che gli dava una fatica straordinaria per la semplice ragione che non era il suo.

Don Camillo non poté fare altro che scavare una profonda buca nell'orto, vicino alla siepe di gaggia, buttarvi dentro la carcassa di Lampo, ricoprirla di terra e sospirare.

Per una quindicina di giorni don Camillo ebbe il magone, poi gli passò e una mattina, Dio sa come, si trovò in mezzo ai campi con la doppietta tra le mani.

Una quaglia si levò da un prato d'erba medica e don Camillo fece partire un doppietto. La quaglia continuò a volare tranquilla e don Camillo stava per urlare: « Cane vigliacco! », ma si ricordò che Lampo non c'era più e il magone gli tornò.

Girò come un maledetto in mezzo ai campi.

lungo gli argini e sotto i filari di viti, sparò come una mitragliatrice ma non concluse un accidente. Come si fa a combinare qualcosa di buono senza cane?

Gli era rimasta una cartuccia: una quaglia si levò e don Camillo sparò quando l'uccello stava scavalcando una siepe. Non doveva averlo sbagliato: ma come fare per saperlo? Poteva essere caduto in mezzo alla siepe, o nell'erba del prato oltre la siepe. Come cercare un ago in un carro di fieno. Meglio lasciar perdere.

Don Camillo soffiò dentro le canne della doppietta e si guardava attorno per orizzontarsi e trovare la via di casa quando un fruscio gli fece volgere la testa.

Dalla siepe saltò fuori un cane che gli arrivò di corsa fin davanti e gli buttò ai piedi la grossa lepre che teneva tra i denti.

— Vecchio mondo! — esclamò don Camillo. — Questa è bella. Io sparo a una quaglia e questo qui mi porta una lepre.

Don Camillo raccolse la lepre e vide che era bagnata. Anche il cane era bagnato. Evidentemente veniva dall'altra riva e aveva traversato a nuoto il fiume. Mise la lepre dentro il carniere e si avviò verso casa. E il cane, dietro. Il cane lo seguì e, quando don Camillo entrò in canonica, si mise ad aspettarlo accucciato davanti alla porta.

Don Camillo non aveva mai visto un cane di quella razza. Era una gran bella bestia e doveva essere anche in gamba parecchio. Magari si trattava di uno di quei cani che hanno la carta con l'albero genealogico come i conti e i marchesi: comunque non aveva nessun documento di riconoscimento indosso. Portava un bel collare, ma sul collare non c'erano targhette con nomi o indirizzi.

« Se non viene dall'altro mondo e se qualcuno lo ha perso, questo qualcuno salterà fuori », pensò don Camillo. E fece entrare il cane.

Poi la sera, prima di addormentarsi, pensò parecchio al cane, ma si mise l'anima in pace concludendo:

« Domenica lo dirò in chiesa ».

La mattina presto, quando si alzò per dire la Messa, don Camillo aveva dimenticato il cane: se lo ritrovò tra i piedi mentre stava per entrare in chiesa.

— Fermati lì e aspetta! — gli gridò don Camillo. E il cane si accucciò davanti alla porticina della sagrestia e, quando don Camillo uscì, era ancora lì e gli fece festa.

Fecero colazione in compagnia e alla fine il cane, vedendo don Camillo prendere la doppietta che stava appoggiata in un angolo, per attaccarla al solito chiodo, incominciò ad abbaiare, e correva verso la porta, poi rientrava per vedere se don Camillo lo seguiva e continuò tanto questa commedia che don Camillo dovette imbracciare la doppietta e avviarsi verso i campi.

Era un cane straordinario, una di quelle bestie che impegnano moralmente il cacciatore: che lo inducono a pensare: « Qui se sbaglio il colpo faccio una figura da cane! ».

Don Camillo si impegnò a fondo perché gli pareva di dover dare l'esame e, francamente, fu un cacciatore degno del cane.

Ritornando col carniere pieno don Camillo prese una decisione:

«Lo chiamerò Fulmine».

Poi in un secondo tempo, pensando che Fulmine è un nome che non finisce più, perfezionò la cosa:

«Fulmine, detto Ful».

Ora che aveva finito il suo lavoro, il cane stava prendendosi un po' di vacanza rincorrendo le farfalle, lontano mezzo miglio, al margine di un enorme prato d'erba medica.

— Ful! — urlò don Camillo.

Successe come se qualcuno, dall'altra parte del prato, avesse lanciato contro don Camillo un siluro: il cane partì a pancia a terra e si vedeva soltanto la scia che, fendendo il mare d'erba, la bestia lasciava dietro di sé.

Ed ecco Ful con una spanna di lingua fuori, piantato davanti a don Camillo, in attesa di ordini.

— Bravo Ful! — gli disse don Camillo. E il cane gli combinò tutt'attorno una tale sarabanda di salti, di guaiti e di abbaiamenti da indurre don Camillo a pensare:

«Se questo non la smette, mi metto ad abbaiare anch'io!».

Passarono due giorni e un dannato piccolo Satana che si era messo alle calcagna di don Camillo e gli faceva lunghi discorsi tentatori, era quasi riuscito a convincerlo di dimenticarsi che, la domenica, doveva dire in chiesa del cane trovato, quando, nel pomeriggio del terzo, tornando a caccia col carniere pieno e con Ful che funzionava da battistrada, don Camillo incontrò Peppone.

Peppone era cupo: veniva anche lui dalla caccia, ma il suo carniere era vuoto.

Peppone guardò Ful, poi cavò di tasca un giornale e lo aperse.

— Curioso, — borbottò; — pare proprio il cane che cercano qui.

Don Camillo prese il giornale e trovò subito quello che non avrebbe mai voluto trovare. Un tizio di città offriva una ricca mancia a chi gli avesse fatto ritrovare un cane da caccia così e così, smarrito il giorno tale, nel tal posto lungo il fiume.

— Bene, — borbottò don Camillo. — Faccio a meno di dirlo in chiesa domenica. Lasciami il giornale. Poi te lo rendo.

— Capisco, però è un peccato, — replicò Peppone. — In paese si dice che sia un cane straordinario. D'altra parte pare che sia la verità perché dei carnieri così, quando avevate Lampo, non ne avete mai portati a casa. Peccato davvero. Io, se fossi in voi...

— Anche io, se fossi in te, — lo interruppe brusco don Camillo. — Siccome però io sono in me, faccio il mio dovere di galantuomo e restituisco il cane al padrone legittimo.

Arrivato in paese, don Camillo entrò di corsa all'ufficio postale e spedì un telegramma al tipo di città. E il piccolo dannatissimo Satana che stava studiando un bellissimo discorso da fare a don Camillo, perdette la partita. E ci rimase male perché aveva pensato che don Camillo avrebbe scritto una lettera al tipo di città: non aveva pensato al telegrafo.

Per scrivere una lettera ci vuole il suo tempo, quindici, venti minuti. E in quindici o venti minuti un Satanello in gamba riesce a capovolgere una situazione. Per buttar giù quattro parole di telegramma in un ufficio postale ci vogliono pochi secondi e anche un Satanasso grosso ha poco da fare.

Don Camillo tornò a casa con la coscienza a posto, ma con un magone grosso così. E sospirava ancora più forte di quando aveva seppellito Lampo.

Il tipo di città arrivò il giorno dopo su una « Aprilia ». Era tronfio e antipatico.

— È qui il mio cane? — domandò.

— Qui c'è un cane smarrito da qualcuno e trovato da me, — precisò don Camillo. — Che sia vostro dovete dimostrarlo.

Il tipo di città descrisse il cane dal principio alla fine:

— Può bastare o devo anche descrivervi come sono fatte le sue budella? — concluse.

— Può bastare, — rispose cupo don Camillo aprendo la porticina del sottoscala.

Il cane era accucciato per terra e non si mosse.

— Ful! — lo chiamò il tipo di città.

— Si chiama così? — domandò don Camillo.

— Sì.

— Strano, — osservò don Camillo.

Il cane non si era mosso e il tipo di città lo chiamò ancora:

— Ful.

Il cane ringhiò e i suoi occhi erano cattivi.

— Non pare sia il vostro, — disse don Camillo.

Il tipo di città si chinò e, agguantato il cane per il collare, lo trascinò fuori dal sottoscala. Poi rovesciò il collare e, sotto, c'era una targhettina d'ottone che portava incise alcune parole.

— Legga, reverendo. Qui c'è inciso il mio nome, il mio indirizzo e il mio numero di telefono. Anche se il cane non pare mio, lo è.

Il tipo di città indicò l'automobile a Ful:

— Su, monta! — ordinò.

E Ful lentamente, con la testa bassa e la coda tra le gambe, salì sulla macchina e si accucciò nel fondo.

Il tipo di città cavò di tasca un biglietto da cinquemila lire e lo porse a don Camillo:

— Per il suo disturbo, — disse.

— Per me non è un disturbo restituire la roba trovata al legittimo proprietario, — rispose don Camillo respingendo il danaro.

Il tipo di città ringraziò don Camillo:

— Le sono molto riconoscente, reverendo. È un cane che mi costa un sacco di quattrini. Razza purissima. Viene da uno dei migliori canili inglesi. Ha vinto tre premi internazionali. Io sono un po' impulsivo: l'altro giorno mi ha fatto sbagliare una lepre e allora gli ho mollato una pedata. È un cane permaloso.

— È un cane che ha una dignità professionale, — rispose don Camillo. — La lepre non l'avete sbagliata, tanto è vero che poi l'ha trovata e l'ha portata a me.

— Gli passerà, — ridacchiò il tipo di città risalendo in macchina.

Don Camillo passò una nottata perfida e, la mattina seguente, quando uscì dalla chiesa dopo aver celebrata la Messa, era cupo. Pioveva a scrosci e tirava un vento maledetto, ma Ful era lì.

Infangato fino agli occhi e bagnato come uno straccio da pavimenti, Ful era lì accucciato davanti alla porta della sagrestia e, quando vide don Camillo, combinò una cosa da finale dell'ultimo atto.

Don Camillo rientrò in canonica con Ful, e subito gli venne la malinconia.

— C'è poco da illudersi, — disse sospirando al cane. — Ormai sa la strada e verrà a riprenderti.

Il cane guaì come se avesse capito. E si lasciò lavare e ripulire da don Camillo e poi si accucciò davanti al camino dove don Camillo aveva acceso una fascina perché Ful si asciugasse.

Il tipo di città ritornò lo stesso pomeriggio. Era arrabbiatissimo perché aveva dovuto inzaccherare la sua « Aprilia ».

Non ci fu bisogno di spiegare niente: entrato in canonica, trovò Ful accucciato davanti al camino spento.

— Mi dispiace di darle altro disturbo, — disse il tipo di città. — Però vedrà che è l'ultima volta. Lo porterò in una mia villa che ho nel Varesotto. Di lì non scapperebbe neppure se fosse un piccione viaggiatore.

Quando il tipo di città lo chiamò, Ful ringhiò con cattiveria e stavolta non salì da solo sulla macchina, ma dovette cacciarvelo per forza il padrone. E quando fu su tentò di scappare. E quando fu chiusa la portiera incominciò a saltare sui sedili e ad abbaiare rabbiosamente.

* * *

La mattina seguente, don Camillo uscì dalla canonica col cuore che gli batteva forte: ma Ful non c'era. E Ful non venne neanche il giorno dopo e, a poco a poco, don Camillo si rassegnò. E così passarono quindici giorni, ma la notte del sedicesimo, verso l'una, don Camillo sentì che qualcuno lo chiamava da giù, ed era Ful.

Scese di corsa, e lì nel sagrato sotto le stelle si svolse la più patetica scena di ritrovamento che mai sia stata scritta. Tanto patetica da far dimenticare a don Camillo di essere in camicia.

Ful era in condizioni disastrose: sporco, affamato e tanto stanco da non poter neanche tener diritta la coda.

Ci vollero tre giorni per rimetterlo in fase, ma la mattina del quarto, quando don Camillo rientrò in canonica finita la Messa, Ful gli prese la sottana fra i denti e lo tirò verso l'angolo dove era appesa la doppietta, e combinò una tal scena-madre da costringere don Camillo a prendere schioppo, cartuccera e carniere e a darsi ai campi.

Passò una settimana straordinaria: Ful era sempre più fenomenale e i carnieri di don Camillo facevano diventare verdi tutti i cacciatori della zona.

Ogni tanto qualcuno veniva a vedere il cane e don Camillo spiegava:

— Non è mio: me l'ha lasciato qui uno di città perché glielo abitui alla lepre.

Arrivò, una mattina, anche Peppone e stette in silenzio a guardare Ful per un bel pezzo.

— Stamattina non esco, — disse don Camillo. — Lo vuoi provare?

Peppone lo guardò sbalordito.

— Dite che verrebbe?

— Credo di sì: non sa che sei comunista. Ti vede con me e crede che tu sia una persona per bene.

Peppone non rispose perché l'idea di provare quel cane fenomeno gli faceva dimenticare tutto il resto. Don Camillo staccò dal chiodo la doppietta, la cartuccera e il carniere e consegnò la mercanzia a Peppone.

Ful, che, visto don Camillo avvicinarsi allo schioppo, era entrato in agitazione, guardò stupito la manovra.

— Ful, vai col signor sindaco, — gli disse don Camillo. — Io oggi ho da fare.

Peppone, agganciata la cartuccera, messo a tracolla il carniere e passata sulla spalla la cinghia della doppietta, si avviò: Ful lo guardò, poi guardò don Camillo.

— Vai, vai, — lo incitò don Camillo. — È brutto ma non morde.

Ful si avviò seguendo Peppone. Ma era perplesso e, fatti pochi passi, si volse.

— Vai, vai, — gli ripeté don Camillo. — Però stai in guardia perché tenterà di iscriverti nel suo Partito.

Ful si avviò. Se don Camillo aveva dato schioppo, cartuccera e carniere a quello là significava che quello là era un suo amico.

Ful ritornò dopo due ore: entrò di corsa in canonica con una magnifica lepre in bocca e la depose ai piedi di don Camillo.

Di lì a poco arrivò, ansimando come una locomotiva, Peppone fuori dalla grazia di Dio.

— Al diavolo voi e il vostro cane straordinario! — urlò. — Bravo, bravissimo, un vero fenomeno, però mangia la selvaggina! Una lepre lunga così si è fregato! Le quaglie e le pernici me le ha portate: la lepre se l'è fregata!

Don Camillo tirò su la lepre e la porse a Peppone.

— È un cane che ragiona, — spiegò. — Ha pensato che se lo schioppo e le cartucce erano mie, era giusto che fosse mia anche la lepre ammazzata con quello schioppo e quelle cartucce.

E il fatto che Ful avesse agito in perfetta buona fede, era facile capirlo perché quando vide Peppone

non scappò, ma gli fece anzi un sacco di compli-
menti.

— È una bestia straordinaria, — disse Peppone.
— Io a quel tipo là non gliela ridarei più neanche
se venisse qui coi carabinieri.

Don Camillo sospirò.

*   *   *

Il tipo di città ritornò a galla una settimana
dopo. Era in tenuta da caccia con un gioiello di
doppietta belga leggera come una piuma.

— È scappato anche di là, — spiegò. — Sono
venuto a vedere se, alle volte, fosse tornato.

— È tornato proprio ieri, — rispose cupo don
Camillo. — Riprendetevelo pure.

Ful guardò il padrone e ringhiò.

— Stavolta ti sistemo io! — esclamò il tipo di
città avvicinandosi al cane.

Ma Ful ringhiò ancora più sordamente e il tipo
di città perdette la calma e gli allentò un calcio.

— Porco maledetto! Ti insegno io la creanza!
— gridò. — Fa' la cuccia!

Il cane si distese per terra sempre ringhiando e
allora don Camillo intervenne.

— È un cane di razza: non va preso con la
violenza. Lo lasci tranquillo un minuto che si calmi. Entri a bere un bicchiere.

L'uomo entrò nella saletta. Don Camillo scese
a prendere una bottiglia, ma prima di arrivare alla
cantina trovò il tempo di scrivere un bigliettino e
di darlo al ragazzino del campanaro:

— Portalo di corsa a Peppone, in officina.

Nel biglietto c'erano poche parole: « È tornato

il tipo. Prestami subito ventimila lire perché cerco di comprare il cane. Urgentissimo ».

Il tipo di città bevve qualche bicchiere di fontanina, chiacchierò del più e del meno con don Camillo, poi guardò l'orologio e si alzò:

— Mi dispiace, ma devo andare. Gli amici mi aspettano per le undici al Crocilone. Dobbiamo fare una battuta di caccia e ho appena il tempo di arrivare all'appuntamento.

Ful era ancora accovacciato nel suo angolino e, appena vide il tipo di città, ringhiò.

E ringhiò ancora più minaccioso quando il tipo gli si avvicinò.

In quel momento si sentì il fracasso di una motocicletta e don Camillo affacciandosi alla porta vide che Peppone era arrivato.

Don Camillo gli fece un cenno interrogativo e Peppone rispose facendo cenno di sì con la testa. Poi gli mostrò le due mani aperte, e poi ancora una mano intera e un dito dell'altra. Poi, con la palma della destra rivolta in basso tagliò l'aria in senso orizzontale.

Questo significava che aveva sedicimila e cinquecento lire.

Don Camillo trasse un respiro di sollievo.

— Signore, — disse al tipo di città, — come lei vede, il cane l'ha presa in odio. Sono cani di razza che non dimenticano e lei non riuscirà mai a spuntarla. Perché non me lo vende?

Don Camillo fece mentalmente i conti di tutte le sue risorse, poi concluse:

— Posso darle diciottomila e ottocento lire: è tutto quello di cui dispongo.

Il tipo di città sghignazzò:

— Reverendo, lei scherza : questa bestia mi costa ottantamila lire e non la venderei neanche per cento. Se mi ha preso in antipatia gliela farò passare.

Incurante del fatto che Ful ringhiasse minaccioso, il tipo di città agguantò il cane per il collare e lo trascinò verso la macchina. Poi tentò di cacciarlo dentro la macchina ma il cane urlando prese a divincolarsi e con le unghie rigò la vernice del parafango.

Il tipo di città perdette la calma e, con la mano libera, incominciò a tempestare di pugni la schiena della bestia. Il cane si agitò furiosamente e, riuscito ad agguantare la mano che lo teneva per il collare, la morsicò.

L'uomo lasciò urlando la presa e il cane andò ad accucciarsi contro il muro della canonica, e di lì stette a guardare ringhiando il suo nemico.

Don Camillo e Peppone, che avevano seguito a bocca aperta la scena, quando si accorsero di quello che stava succedendo non ebbero neppure il tempo di dire bai. Il tipo di città, pallido come un morto, aveva cavato dalla macchina la doppietta e l'aveva puntata contro il cane.

— Porco maledetto! — disse a denti stretti facendo partire un colpo.

Il muro della canonica si macchiò di sangue : Ful dopo un guaito straziante giacque immobile per terra.

Il tipo di città intanto era risalito sull'« Aprilia », partendo a tutta birra. Don Camillo non se ne accorse neppure e neppure si accorse che Peppone era saltato sulla motocicletta e se ne era andato anche lui.

Don Camillo, inginocchiato davanti a Ful, pensava soltanto a Ful.

Il cane lo guardò gemendo quando don Camillo lo accarezzò leggermente sulla testa. Poi gli lambì la mano.

Poi si levò in piedi e abbaiò allegramente.

*   *   *

Peppone ritornò dopo una ventina di minuti. Era in pressione e stringeva i pugni.

— L'ho raggiunto al casello di Fiumaccio: qui ha dovuto fermarsi perché c'erano le sbarre del passaggio a livello abbassate. L'ho cavato fuori dall'« Aprilia » e gli ho date tante di quelle sberle da fargli venire la faccia grossa come un'anguria. Lui ha tentato di prendere il fucile e allora io glie l'ho rotto sulla schiena.

Erano nell'andito: un guaito lo interruppe.

— Non è ancora morto? — domandò Peppone.

— Ha preso soltanto una sventagliata sul sedere, — spiegò don Camillo. — Roba superficiale: in una settimana sarà più in gamba di prima.

Peppone si passò, perplesso, la manaccia sul mento.

— Comunque, — spiegò don Camillo, — moralmente lui l'ha ammazzato. Quando ha sparato sul cane, la sua intenzione era quella di ammazzarlo. Se Sant'Antonio Abate gli ha fatto sbagliare la mira, questo non diminuisce di un millimetro la vigliaccheria del gesto. Tu hai fatto malissimo a prendere a sberle quel disgraziato perché la violenza è sempre da condannare. Comunque...

— Appunto: comunque! — disse Peppone. —

Quello là di sicuro non si farà più vedere da queste parti e così voi ci avete guadagnato un cane!

— Mezzo cane, — specificò calmo don Camillo. — Perché moralmente io ti sono debitore delle sedicimilacinquecento lire che non mi hai prestato, ma che eri disposto a prestarmi. Quindi mezzo cane è anche tuo.

Peppone si grattò la pera.

— Vecchio mondo, — borbottò, — per la prima volta trovo un prete che si comporta da galantuomo e non frega il popolo!

Don Camillo lo guardò minaccioso:

— Giovanotto, se la buttiamo in politica, io cambio registro e mi tengo tutto il cane.

— Come non detto, — esclamò Peppone, il quale era sì quello che era ma, alla fine, il cacciatore è uomo e perciò ci teneva molto di più a conservare la stima di Ful che quella di Marx, di Lenin e mercanzia del genere.

Ful, col sedere fasciato, arrivò nell'andito e, con un lieto abbaiare, mise il sigillo al patto di non aggressione.

TRISTE DOMENICA

Entrò in canonica Bia Grolini che cavò fuori di tasca una lettera e la porse a don Camillo.

Don Camillo che, sotto la sorveglianza di Fulmine (detto Ful), stava preparando la solita razione di cartucce per la doppietta, prese la lettera e, prima di leggerla, lanciò un'occhiata interrogativa a Bia Grolini.

— La solita storia, — spiegò Grolini. — Quel vigliacco non funziona!

Don Camillo lesse la lettera: quelli della direzione del collegio non erano per niente contenti del ragazzo di Bia Grolini. Chiedevano che qualcuno della famiglia si facesse vivo e usasse della sua autorità.

— È meglio che andiate voi, — disse Bia Grolini. — Se vado io, l'unico discorso che gli posso fare è quello di spaccargli la testa. Andate voi, reverendo, e ditegli chiaro e tondo che, se non riga diritto. io lo caccio fuori di casa a pedate.

Don Camillo scosse la testa:

— È un ragionamento più stupido di quell'altro di spaccargli la testa, — borbottò. — Come si fa a cacciar fuori di casa un ragazzo di undici anni?

— Se non lo posso cacciar di casa lo metto nei corrigendi! — gridò Bia Grolini. — Non voglio più avere davanti agli occhi quel mascalzone!

Bia Grolini era imbestialito e don Camillo gli disse allora di mettersi calmo:

— Domenica nel pomeriggio andrò a parlargli io, — concluse.

— Vi autorizzo a fargli fare il giro del collegio a calci! — urlò Bia. — Più gliene darete e più mi farete piacere.

Bia Grolini se ne andò e don Camillo rimase lì a rigirare tra le mani la lettera della direzione. La faccenda lo seccava parecchio perché era stato proprio lui, don Camillo, che aveva incoraggiato Bia a far studiare il ragazzo e a metterlo in collegio.

Bia era pieno di quattrini: lavorava la terra, ma si trattava di terra sua. E terra buona, con una stalla piena di bestie, e trattori e macchine di tutte le qualità.

Giacomino, l'ultimo della covata, era un ragazzino sveglio che aveva sempre fatto bene a scuola: e a Bia l'idea di un laureato in famiglia piaceva molto. Non parliamo poi della moglie di Bia che era piena di prosopopea fino agli occhi.

Così, quando Giacomino ebbe finita la quinta, lo impacchettarono e lo chiusero nel miglior collegio della città.

E fu proprio don Camillo a fare le pratiche e a portare il ragazzo a destinazione.

Giacomino era il più bravo e mite ragazzo che

mai don Camillo avesse conosciuto. L'aveva avuto sin da quando era piccino così tra i suoi chierichetti e mai gli aveva combinato guai: don Camillo non riusciva a capire come Giacomino fosse diventato un così cattivo arnese.

*   *   *

Venne la domenica famosa e don Camillo si presentò al collegio all'ora della visita ai ragazzi.

Quando il rettore sentì parlare di Grolini si prese la testa fra le mani. Don Camillo allargò le braccia:

— Sono sbalordito, — disse molto mortificato. — Io l'ho sempre conosciuto come un bambino buono e ubbidiente. Non riesco ancora a capacitarmi come sia diventato così discolo.

— Discolo non è la parola giusta, — precisò il rettore. — Come condotta, anzi, non dà il minimo fastidio: però, per noi, è più preoccupante dei più discoli.

Trasse dal cassetto della scrivania una cartella e ne tolse un foglio: — Guardi questo suo compito in classe di italiano.

Don Camillo si trovò tra le mani un foglio pulitissimo che recava scritto in eccellente calligrafia: «*Giacomo Grolini - Classe prima B - Tema: "Parlate del vostro libro preferito" - Svolgimento*».

Don Camillo voltò la pagina ma quelle erano le uniche parole scritte da Giacomino.

— Ecco, — esclamò il rettore porgendo a don Camillo l'intera cartella. — I suoi compiti in classe sono tutti così. Scrive in bella calligrafia il tema o il problema, poi si mette a braccia conserte e aspetta che passi il tempo. Quando lo interrogano non risponde una parola. In principio si pensava che fosse completamente cretino: ma l'abbiamo sorvegliato, abbiamo ascoltato i suoi discorsi coi compagni. Cretino non è. Anzi, tutt'altro che cretino.

— Gli parlerò io, — disse don Camillo. — Me lo porto fuori in qualche posto tranquillo e, se occorre, gli dò una ripassatina generale.

Il rettore guardò le mani enormi di don Camillo.

— Se lei non riesce a convincerlo con quegli argomenti lì, credo non ci sia più niente da fare, — borbottò. — Non avrebbe il diritto di andare in libera uscita, ma glielo lascio volentieri fino a stasera.

Quando, di lì a pochi minuti, Giacomino arrivò, sul momento don Camillo non lo riconobbe neppure. A parte la divisa di panno nero, a parte la zucca rapata a zero, Giacomino aveva addosso qualcosa di diverso.

— Lei non si preoccupi, — sussurrò don Camillo salutando il rettore. — Me lo lavoro io.

Camminarono in silenzio per le strade deserte della città oppressa dalla noia del pomeriggio domenicale e il ragazzino pareva ancora più piccolo e smilzo a fianco di quel pretone che non finiva mai.

Arrivarono alla periferia e don Camillo si guardava attorno per trovare un posto nel quale poter parlare liberamente.

Infilò deciso una stradetta che viaggiava verso la campagna. Dopo cinquanta metri svoltò per una carrareccia che costeggiava un canale.

C'era un po' di sole e anche con gli alberi spogli i campi erano abbastanza allegri.

Arrivati a un grosso ceppo, don Camillo si fermò e si sedette: aveva nella testa tutto il discorso da fare al ragazzino. Si trattava di un discorso che avrebbe fatto impallidire un elefante.

Giacomino era lì fermo davanti a don Camillo: ad un tratto disse con voce sommessa:

— Posso fare una corsa?

— Una corsa? — rispose don Camillo con voce dura. — Forse in collegio non si può correre durante la ricreazione?

— Sì, si può, — sussurrò il ragazzino. — Una corsa corta però. C'è subito il muro.

Don Camillo guardò la faccia smorta del ragazzino e la sua testa rapata:

— Fai la corsa poi vieni qui che dobbiamo parlare.

Giacomino partì come un fulmine: don Camillo lo vide attraversare il campo, infilarsi sotto un filare e percorrerlo curvo sotto le viti ormai spoglie.

Se lo ritrovò davanti che ansimava, con le gote accese e gli occhi che gli brillavano.

— Riposati e poi parliamo, — borbottò don Camillo.

Il ragazzo si sedette ma, d'un tratto, scattò in piedi e saettò verso un olmo che era lì a pochi passi. Pareva un gatto, mentre si arrampicava sull'olmo. Raggiunto un tralcio di vite che era arrivato fin sulla cima dell'albero, il ragazzino frugò un momentino fra le foglie rosse e ridiscese.

— Uva! — esclamò mostrando a don Camillo un grappolino di malvasia che l'autunno aveva dimenticato lassù.

Il ragazzino masticò gli acini adagio adagio, uno per uno.

Quando ebbe finito si mise a sedere ai piedi del ceppo.

— Posso tirare un sasso? — domandò.

Don Camillo aspettava al varco il suo uomo: « Divertiti pure e poi facciamo i conti! », pensò.

Il ragazzino si levò, raccolse un sasso, lo pulì dalla terra, gli diede il fiato poi lo lanciò. E don Camillo ebbe perfino l'impressione che il sasso non tornasse giù e continuasse sempre a viaggiare fra le nuvole.

Incominciò a fischiare un'arietta molesta e don Camillo pensò che, forse, sarebbe stato meglio trovare un tranquillo caffè della periferia e fare là il discorso. Non era poi necessario urlare perché il ragazzo capisse.

Si incamminarono: il ragazzino chiese se poteva fare un'altra corsa e la fece. Trovò un altro grappolino piccolo piccolo dimenticato dall'autunno.

— Chi sa quanta ce n'era là! — sospirò mentre piluccava. — Adesso ci sarà l'uva appesa ai travetti...

Don Camillo brontolò:

— Mi importa assai dell'uva!

La periferia era triste. Incontrarono un ometto che aveva una cesta piena di carrube, di castagne secche e di noccioline americane e Giacomino sbarrò gli occhi.

— Porcherie! — borbottò di malumore don Camillo. — Ti comprerò le paste!

— No, grazie, — rispose il ragazzino con una voce che subito fece andare in bestia don Camillo.

L'ometto della cesta si era fermato: era vecchio del mestiere e conosceva i suoi polli: non si sbagliò neanche quella volta perché don Camillo tornò indietro e, con malgarbo, gli buttò un biglietto da cento.

— Misto, reverendo?

— Misto.

Ebbe il cartoccio di porcherie e lo ficcò in mano al ragazzino. Ripresero a camminare nel solitario viale di circonvallazione e il ragazzino incominciò a macinare carrube, castagne secche e nocicoline.

Don Camillo resistette fin che poté, poi allungò la mano verso il cartoccio e pescò anche lui.

Le nocciline e le carrube gli fecero risentire il sapore delle tristi domeniche della sua fanciullezza e il cuore gli si riempì d'angoscia.

Suonarono delle ore a un campanile: don Camillo cavò il cipollone e mancavano venti minuti alle cinque.

— Presto, — disse al ragazzino. — Alle cinque devi essere dentro!

Camminarono in fretta e, intanto, il sole s'era nascosto dietro le case. Arrivarono giusti giusti: prima di svoltare nel giardinetto del collegio, il ragazzino porse a don Camillo il cartoccio delle porcherie:

— Quando si rientra fanno la fruga, — spiegò sottovoce. — Se trovano roba come questa la portano via.

Don Camillo mise il cartoccio in tasca.

— Io dormo lassù, — spiegò sottovoce il ragazzino indicando una finestra del primo piano con pesanti inferriate e, sotto, quella specie di cassetta che impedisce di guardare giù.

Esitò un poco poi indicò una finestra del pianterreno, con inferriata ma senza il baracchino di legno.

— È la finestra del corridoio del guardaroba, — spiegò. — Se posso, invece di prendere il corridoio grande, prendo quello lì così vi saluto.

Don Camillo accompagnò il ragazzo fino al portone grosso, poi tornò indietro e si mise ad aspettare sul marciapiedi, vicino alla finestra che guardava sulla stradetta laterale.

Per darsi un contegno accese un sigaro.

Gli parve che passasse un sacco di tempo poi sentì un bisbiglio: Giacomino aveva socchiuso le imposte a vetri della finestra e lo salutava di dietro l'inferriata.

Allora don Camillo si appressò e, cavato di tasca il cartoccio delle noccioline e delle carrube, lo allungò al ragazzo.

Fece per allontanarsi ma dovette voltarsi subito: Giacomino era ancora là e lo si vedeva soltanto dagli occhi in su, ma quegli occhi erano così disperatamente pieni di lacrime che don Camillo si sentì la fronte piena di sudor freddo.

Non si sa come fu: il fatto è che don Camillo si trovò a stringere con le sue mani micidiali due sbarre dell'inferriata e vide che le sbarre si piegavano lentamente. E quando l'apertura fu sufficiente, don Camillo allungò un braccio dentro la finestra, agguantò per la collottola il ragazzino e lo cavò fuori.

Oramai era buio, inoltre nessuno avrebbe trovato strano il vedere un collegiale a spasso con un prete.

— Vai avanti e aspettami alla barriera, — spiegò don Camillo al ragazzino. — Io vado a prendere la moto al deposito.

Alle otto di sera erano all'imbocco del paese e il

ragazzino, durante il viaggio, aveva mangiato tutte le carrube e le castagne secche.

Don Camillo lo mise giù :

— Vieni in canonica dalla parte dei campi e bada a non farti vedere, — gli spiegò.

Alle nove, Giacomino dormiva nell'ottomana del corridoio del primo piano, mentre don Camillo finiva di cenare in cucina.

Alle nove e un quarto arrivò Bia Grolini con gli occhi fuori dalla testa. Sventolava un telegramma :

— Quel mascalzone è scappato dal collegio! — urlò. — Se lo trovo lo ammazzo!

— Allora è meglio che non lo trovi, — borbottò don Camillo.

Bia Grolini non capiva più niente, tanto era imbestialito.

— Per fortuna che gli avevate appena fatta la paternale voi! — gridò.

Don Camillo scosse il capo :

— Niente da fare : quello è un ragazzo nato per fare il tuo mestiere. Non può stare lontano dai campi... Un così buon ragazzo... E forse adesso è morto!

— Morto? — urlò Bia Grolini.

Don Camillo sospirò :

— L'ho trovato in condizioni preoccupanti e mi ha fatto dei discorsi veramente da impressionare... D'altra parte tu ormai l'avevi buttato perso... Io gli ho riferito quello che mi avevi detto tu : che non lo volevi più vedere, che lo avresti messo nei corrigendi.

Bia Grolini si accasciò su una sedia e, quando poté parlare, gridò :

— Reverendo, se Gesù mi fa la grazia di riportarmelo a casa sano e salvo, faccio rimettere a posto a mie spese tutto il campanile!

— Non occorre, — rispose don Camillo. — Gesù terrà conto del tuo dolore. Vai a casa tranquillo e abbi fede in me. Vado io a cercare il tuo ragazzo.

Giacomino ritornò a casa il giorno dopo e lo accompagnò don Camillo. Erano tutti nell'aia ma nessuno aprì bocca.

Soltanto Flik, il vecchio cane da pagliaio, appena lo vide incominciò a far fracasso e spiccava salti da canguro, per la contentezza. Giacomino gli buttò il berretto da collegiale e Flik lo azzannò al volo e si mise a correre per i campi col berretto tra i denti. E Giacomino dietro.

— Il rettore mi ha telefonato i particolari stamattina, — spiegò Bia a don Camillo. — Dice che non riesce a capire come abbia fatto il ragazzo a piegare due sbarre di una grossa inferriata.

— È un ragazzino che sa il fatto suo, — rispose don Camillo. — Diventerà un agricoltore straordinario. È meglio un buon agricoltore per amore che un cattivo laureato per forza.

Poi don Camillo se ne andò subito perché, frugando in tasca, aveva sentito sotto le dita una nocciolina americana e moriva dalla voglia di mangiarsela.

STORIE DELL'ESILIO E DEL RITORNO

I / Via crucis

San Martino portò in paese gente nuova: tra gli altri, anche un certo Marasca e sarebbe stato meglio che non l'avesse portato.

Questo Marasca aveva un ragazzino e, quando lo accompagnò a scuola disse alla maestra:

— Mi risulta che qui, il mercoledì, viene il prete a far lezione di religione: questo significa che, quando arriva il prete, lei mi fa il piacere di rimandarmi a casa il ragazzo.

E siccome la maestra rispose che non si poteva, il Marasca ogni mercoledì teneva a casa da scuola il figliolo.

Don Camillo resistette fin che poté, poi, un mercoledì pomeriggio, andò all'Olmetto, dove il Marasca era mezzadro.

Don Camillo non aveva voglia di litigare: aveva soltanto voglia di scherzare, ma il Marasca, appena se lo vide comparire nell'aia, diede subito l'idea di non gradire lo scherzo.

— Qui abito io, — disse il Marasca avvicinandosi. — Dovete aver sbagliato ponte.

— Non ho sbagliato, — replicò calmo don Camillo. — Siccome vedo che il vostro ragazzo non può mai venire a scuola il mercoledì, allora sono venuto qua io per fargli un po' di scuola di religione.

Il Marasca sparò una bestemmia e questa davvero non era una risposta da dare a un tipo come don Camillo.

— Avreste bisogno anche voi di qualche lezione di religione, — osservò don Camillo. — Se volete, ve la posso dare.

Un fratello del Marasca si era avvicinato ed era lì che aspettava, con la faccia torva.

— Andatevene e non fatevi più vedere nella mia aia, cornacchione! — gridò il Marasca.

Don Camillo non aperse bocca: ritornò sui suoi passi e, quando ebbe varcato il ponticello e fu nella strada, si volse:

— Ecco, non sono più nella tua aia: adesso però dovresti venirmi a ripetere quello che mi hai detto perché non ho capito bene.

I due si guardarono un momentino e poi passarono anche loro il ponte e andarono a piantarsi davanti a don Camillo.

Uno dei Marasca aveva con sé un tridente e pensò di servirsene per rendere più spiccia la discussione.

Fu una brutta idea perché andò a finire che il manico del forcale servì a don Camillo per spazzolare le spalle dei due Marasca.

Ne scaturì un tal can can che il vecchio vescovo mandò a chiamare don Camillo e gli disse:

— Monterana è senza parroco: parti per Monterana e vieni giù quando torna il parroco vecchio.

Don Camillo balbettò:

— Ma il parroco di Monterana è morto...

— Appunto, — replicò il vescovo.

*　　*　　*

Monterana era il paese più disgraziato dell'universo. Quattro catapecchie di sasso e fango, e una delle quattro catapecchie era la chiesa e la si distingueva dalle normali case perché aveva di fianco il campanile.

Per arrivare a Monterana, bisognava, dopo un certo ponte, abbandonare la strada provinciale e prendere una specie di canalone sassoso che chiamavano mulattiera ma che un mulo non sarebbe mai riuscito a percorrere. Don Camillo arrivò su con l'anima tra i denti e si guardò attorno sgomento.

Entrò in canonica e parve che gli mancasse il respiro tanto le stanze erano piccole e basse.

Una vecchia striminzita saltò fuori da qualche buco della catapecchia e lo guardò attraverso le fessure degli occhi.

— Chi siete? — domandò don Camillo.

La vecchia allargò le braccia. Evidentemente non se lo ricordava più.

La trave centrale della cucina era puntellata nel bel mezzo con un tronco d'albero e a don Camillo venne voglia di fare il Sansone: così tutto sarebbe stato finito.

Poi pensò che un prete, come lui, aveva passato tutta la vita in quello squallore, e allora si calmò.

Entrò in chiesa e quasi gli veniva da piangere perché non aveva mai visto una faccenda così misera e sconsolante.

Si inginocchiò sul gradino dell'altar maggiore e levò gli occhi verso il Crocifisso:

— Gesù, — disse. Poi gli mancarono le parole: il Crocifisso dell'altar maggiore era una croce nera, di legno screpolato, nuda e cruda. Del Cristo di gesso rimanevano soltanto le mani e i piedi trafitti dai grossi chiodi.

Ne ebbe quasi paura.

— Gesù, — esclamò con angoscia. — Voi siete in cielo, in terra e in ogni luogo e io non avevo bisogno di un vostro simulacro di legno o di pietra per sentirvi vicino al mio animo: ma qui è come se voi mi aveste abbandonato... Gesù, cosa ne è della mia fede se io oggi mi sento solo?

Ritornò in canonica e trovò un tovagliolo sulla tavola e, sul tovagliolo, c'erano un pezzo di pane e un pezzettino di formaggio. La vecchia apparve portando una brocca d'acqua.

— Di dove viene questa roba? — domandò don Camillo.

La vecchia allargò le braccia e rivolse gli occhi al cielo. Non lo sapeva neanche lei: per anni e annorum era sempre stato così col prete vecchio. Adesso il miracolo continuava col prete nuovo. Ecco tutto.

Don Camillo si segnò e gli venne in mente la croce nera e muta. Sentì un brivido nella schiena ed ebbe paura di aver paura. Ma, invece, era la febbre che arrivava. E anche quella la mandava la

Divina Provvidenza, come il pane e il formaggio e la brocca d'acqua.

Passò tre giorni a letto: il quarto giorno arrivò una lettera del vescovo con le istruzioni dettagliate: «...*Non ti muovere per nessuna ragione... Non farti mai vedere giù al paese: la gente deve dimenticare di aver conosciuto un sacerdote così indegno della sua missione... Che Iddio ti perdoni e ti assista...*».

Si alzò con la testa piena di vento e andò ad affacciarsi alla finestra. L'aria era fredda e aveva sapore di nebbia.

«Presto verrà l'inverno», pensò con terrore don Camillo. «La neve mi bloccherà qui e io sarò come staccato dal mondo. Solo come su uno scoglio in mezzo all'oceano...».

Erano le cinque del pomeriggio: bisognava spicciarsi, non lasciarsi sorprendere dalla notte.

Più che scendere, don Camillo rotolò giù per la mulattiera e arrivò alla provinciale in tempo per ficcarsi nella corriera. Alle sette di sera era in città. Girò due o tre garages e trovò finalmente qualcuno che acconsentì a portarlo in macchina fino al bivio di Gaggiola.

Qui giunto, don Camillo prese la via dei campi e, alle dieci, era nell'orto della casa di Peppone.

*   *   *

Peppone guardò preoccupato don Camillo.

— Ho bisogno di portar della roba a Monterana, — disse don Camillo. — Va il camion?

Peppone si strinse nelle spalle:

— Era proprio il caso di svegliarmi per una cosa così! Se ne parla domattina.

— Se ne parla subito, — esclamò don Camillo. — Ho bisogno del camion subito.

Peppone lo guardò:

— Reverendo, siete diventato matto?

— Sì, — rispose don Camillo.

Davanti a una risposta così logica, Peppone si grattò la zucca.

— Spicciamoci, — incalzò don Camillo. — Quanto vuoi?

Peppone prese un mozzicone di lapis e fece dei conti.

— Sono settanta chilometri ad andare e settanta a tornare che fanno centoquaranta. Seimila e cinquecento lire fra benzina e olio. Poi c'è il servizio e poi c'è la faccenda della tariffa notturna. Ma dato che si tratta di aiutarvi a sloggiare da questo paese che proprio non ne poteva più di avervi tra i piedi...

— Concludi! — lo interruppe don Camillo. — Quanto vuoi?

— Ve la faccio per diecimila lire in tutto.

Don Camillo rispose che andava bene. Peppone allungò la mano:

— Pochi, maledetti e subito, — borbottò.

Diecimila lire era tutto quanto possedeva don Camillo, frutto di mesi e mesi di risparmio.

— Metti in moto il camion e aspettami a metà della carraia del Boschetto.

Peppone sbarrò ancora gli occhi:

— E cosa dovete caricare al Boschetto? Rami di gaggìa?

— Non te ne incaricare e tieni chiuso il becco.

Peppone borbottò che, a notte fonda e in mezzo a una carrareccia, avrebbe trovato difficilmente con chi chiacchierare.

La febbre, adesso, dava a don Camillo non stanchezza, ma una eccitazione che mai aveva avuto. Prese la via dei campi e arrivò alla chiesa dalla parte del frutteto. Più che altro si deve dire che andò a sbattere la testa contro la chiesa perché era calata la nebbia. Don Camillo aveva le sue chiavi in tasca ed entrò dalla porticina del campanile. Dovette invece uscire dalla porta grande, ma nessuno poteva vederlo.

Peppone aveva talvolta delle idee brillanti: vedendo calare la nebbia e pensando che don Camillo doveva camminare in mezzo ai campi e carico di roba, concluse che se, ogni tanto, avesse pestato qualche colpo di clacson, forse avrebbe agevolato il cliente.

Don Camillo arrivò, aiutato dal clacson e dalla febbre: ansimava, ma quando Peppone si apprestò a scendere dal camion per aiutarlo, rispose:

— Non ho bisogno di niente: tu metti in moto la baracca e pensa a partire quando te lo dirò io.

Quando il carico fu fatto, don Camillo si andò a sedere vicino a Peppone e diede il via.

La nebbia li accompagnò per trenta chilometri e furono trenta chilometri duri, ma poi gli altri quaranta li fecero volando.

Alle due di notte, passato il ponte famoso, il camion di Peppone si fermava davanti all'imbocco della mulattiera di Monterana.

Don Camillo rifiutò ogni aiuto anche per scaricare la roba. Peppone lo sentì arrabattarsi dietro

il camion e, quando lo vide apparire sotto la luce
dei fari, sbarrò gli occhi.

Il Cristo crocifisso!

Don Camillo si inoltrò faticosamente nella mulattiera e Peppone, vedendo quella pena, saltò giù
dal camion e lo raggiunse:

— Posso darvi una mano, reverendo?

— Non toccare! — gridò don Camillo. — Vattene, e prima di chiacchierare, pensaci su!

— Buon viaggio! — rispose Peppone.

E nella notte incominciò la Via Crucis di don
Camillo.

* * *

Il Crocifisso era enorme, tutto di rovere. Il Cristo scolpito in legno duro e massiccio. La mulattiera
era ripida e i grossi sassi bagnati e scivolosi.

Mai don Camillo aveva sentito sulle sue spalle
tanto peso. Le ossa gli scricchiolavano e, dopo mez-
z'ora, egli fu costretto a trascinare la croce, così come la trascinò Cristo verso il Calvario.

E la croce diventava sempre più pesante, e la strada sempre più dura, ma don Camillo non cedeva.

Scivolò e cadde contro un pietrone aguzzo. Sentì il sangue colargli dal ginocchio, e non si fermò.

Un ramo gli portò via il cappello e gli ferì la
fronte, e non si fermò. Le spine gli graffiavano la
faccia e gli strappavano la tonaca, ma don Camillo
continuava a salire. E il suo viso sfiorava il viso
del Cristo crocifisso.

Sentì lo zampillio di una fonte e non si fermò
a bere: continuò a salire. Un'ora, due ore, tre ore.

Ma ce ne vollero quattro prima che arrivasse al

paese. La chiesa era la costruzione più a monte e per arrivarci occorreva percorrere un sentiero senza sassi ma pieno di fango. Lo imboccò e nessuno lo vide, né poteva vederlo, perché la gente era ancora rintanata nei letti: ormai non aveva più forza ed era soltanto la sua disperazione a tenerlo su.

Quella disperazione che viene dalla speranza.

Si trovò nella chiesa deserta e squallida ma ancora non era finita perché don Camillo doveva ora sfilare la croce nera e nuda e infilare, nei ferri murati dietro l'altare, il piede della sua croce. E fu una lotta da gigante ma, alla fine, il Cristo Crocifisso era lassù.

Poi don Camillo si abbandonò per terra, senza forze e senza pensieri: ma squillò la campana ed egli fu in piedi e corse in sagrestia a ripulirsi il viso e le mani e a prepararsi per la prima Messa.

Accese egli stesso le candele dell'altare, ed erano due candeline, ma gli pareva che facessero tanta luce.

E in chiesa c'erano due persone soltanto, ma pareva a don Camillo di non aver mai visto tanta gente, perché una delle due persone era la solita vecchia, quella che non sapeva neppure chi si fosse e come si chiamasse. Ma l'altro era Peppone che non aveva avuto la forza di risalire sul camion e aveva seguito passo passo don Camillo. E, pur non avendo sulle spalle la croce, aveva partecipato a quell'immane fatica come se il peso fosse stato anche sulle sue spalle.

E poi, entrato in chiesa e trovandosi vicino alla cassettina delle offerte, aveva infilato nella fessura il biglietto da diecimila datogli da don Camillo.

— Gesù, — sussurrò don Camillo levando gli

occhi al Cristo crocifisso, — vi dispiace di essere qui?

— Dio è dovunque, — rispose il Cristo.

— Gesù, unica è la bandiera ma ogni reggimento ha la *sua* bandiera. Voi siete la mia bandiera, Signore.

II / Il popolo

La nuova parrocchia di don Camillo era uno sparuto borgo montano popolato, in quei giorni, soltanto da donne, da vecchi e da bambini, perché gli uomini validi stavano ancora là dove una tradizionale emigrazione stagionale li aveva trasferiti. E i rimasti dovevano badare non soltanto alle case ma anche alle bestie e a quel po' di terra dalla quale, a costo di fatiche durissime, si riusciva a cavare qualcosa che non fosse erba o sterpaglia.

La voce tonante di don Camillo era spropositata, lassù: egli se ne accorse subito, la prima domenica che pronunciò il suo sermone durante la Messa. Parlava come se fosse ancora là, alla Bassa, nella chiesa grande, piena di gente dal sangue caldo e dal cuore impregnato di passioni. La voce di don Camillo esplose sotto la volta breve e parve la dovesse squarciare, e i vecchi e le vecchie e le donnette e i ragazzini sbarrarono gli occhi spaventati: non riuscivano a capire perché quel prete così grosso ce l'avesse proprio con loro che non facevano né potevano fare - pur se l'avessero voluto - niente di male.

— Gesù, — disse don Camillo al Cristo, — qui, se non chiudo lo scappamento, va a finire che li spavento e non viene più nessuno.

— Lo credo anch'io, don Camillo, — rispose il Cristo sorridendo. — È inutile sparare cannonate a un passerotto. È tutta gente che ha bisogno di qualcuno che le parli con voce sommessa e la conforti nell'attesa. La politica non è arrivata fin quassù, oppure se n'è andata assieme agli uomini, e con essi tornerà se torneranno gli uomini e se il lavoro snervante avrà loro permesso di ricordarsi della politica. Riserba i tuoi tuoni e i tuoi fulmini per quando tornerai al piano.

Don Camillo abbassò da allora il tono della sua voce, ma gli pareva di essere un altro: perché don Camillo era nato per la lotta e, lassù, c'era da lottare soltanto con la malinconia.

Aveva portato con sé la sua doppietta e provò ad andare a caccia: ma, abituato alla pianura e al fiume, in montagna non riusciva a raccapezzarsi.

Ful, da parte sua, non provò neppure a fare il cane da caccia: fece subito capire che, per lui, la montagna era un controsenso e si comportò, durante le poche sortite di don Camillo, come un normale cane da passeggio.

Le giornate passavano lentamente: comunque passavano, perché don Camillo riusciva sempre a occupare non inutilmente il suo tempo: a costo di doversi ridurre ad aiutare qualche vecchio a spaccare legna, a costo di mettersi a rifare tutto il selciato davanti alla chiesa o a rabberciare il tetto della canonica.

Il guaio grosso veniva con la sera. La poca gente si rintanava nelle case, e il piccolo borgo, buio e silenzioso, pareva un cimitero. Ci si sentiva isolati completamente dal mondo: non esisteva neppure la possibilità di ascoltare una radio, perché lassù la luce elettrica non era ancora arrivata e la canonica era così misera e così triste che, anche a cercar di distrarsi leggendo al lume della lucerna, si sentiva pesare sulle spalle la malinconia dell'ambiente sordido.

Ogni tanto don Camillo scappava in chiesa a parlare col Cristo crocifisso dell'altar maggiore. E una sera disse al Cristo tutta la sua angoscia.

— Gesù, — disse don Camillo, — se io sono triste non è perché mi manchi la fede. Il fatto è che non riesco a dimenticare che quassù non posso fare nessuna delle tante cose che potrei e dovrei fare. Gesù: qui io mi sento come un transatlantico chiuso dentro uno stagno.

— Don Camillo, dovunque c'è acqua c'è il pericolo che qualcuno possa annegarvi. E dovunque c'è qualcuno che può correre il pericolo di annegare è necessario che vigili un guardiano. Se un fratello che abita lontano da qui cento miglia ha immediato bisogno d'un farmaco in tuo possesso, e se tu, per portargli questo farmaco che pesa un grammo, puoi usare soltanto un enorme autocarro a otto ruote capace di trasportare cinquecento quintali, ti rammarichi forse di dover usare quel mezzo spropositato o piuttosto non ringrazi Dio d'averti permesso di possedere quel mezzo? E poi, don Camillo, sei sicuro d'essere un transatlantico costretto tra le sponde di un esiguo lago alpestre? O non è, questo, un tuo brutto peccato di presunzione? Non sei forse, invece, una tra mille e mille piccole barche che, per aver navigato nel mare vasto e tempestoso ed essere scampata dalle onde con l'aiuto di Dio, si crede ora un transatlantico e disdegna la poca acqua del lago montano?

Don Camillo abbassò il capo con umiltà :

— Gesù, — sospirò, — sono un'umilissima barchetta che rimpiange il mare tempestoso. Il mio peccato è tutto qui. Peccato di rimpianto. Io penso a quelli che ho lasciati laggiù : da tre mesi non so più niente di loro e mi cruccia l'idea che essi mi abbiano già dimenticato.

Il Cristo sorrise :

— Difficile dimenticare un prete così grosso.

Don Camillo tornò in canonica. La stanza era quasi buia perché lo stoppino della lucerna s'era messo a fare i capricci e don Camillo cercò le forbici per rimetterlo in sesto, ma si udì qualcuno bussare alla finestra.

Don Camillo pensò istintivamente al vecchio che abitava vicino alla fontana : « Si vede che non ha voluto darmi retta », disse fra sé, « e invece di mettersi a letto è andato a raccogliere legna. E adesso ha bisogno dell'Olio Santo ».

Aprì le gelosie e si trovò davanti a una brutta faccia forestiera.

— Alle undici e mezzo di notte non si vengono a disturbare i galantuomini, — esclamò con voce dura don Camillo. — Cosa volete?

— Aprite, reverendo! — rispose l'altro. — Fatemi entrare.

— Non ricevo gente che non appartiene alla mia parrocchia, — replicò don Camillo, richiudendo la finestra.

Però andò ad aprire la porta e l'individuo entrò, e si lasciò cadere su una sedia.

Don Camillo trovò le forbici, accomodò lo stoppino e, rimesso a posto il tubo, ravvivò la fiamma della lucerna.

— E allora? — domandò senza degnare d'uno sguardo l'individuo. — Si può sapere che cosa è successo?

— Ho fatto una fesseria! — rispose Peppone con aria molto drammatica.

Don Camillo andò nell'angolo a ricaricare l'orologio.

— Niente di nuovo, allora, — borbottò don Camillo. — Comunque, se adesso hai deciso di avvertirmi ogni volta che fai una fesseria, ti conviene impiantare una linea telefonica diretta da casa tua a qui. Ti fermi molto?

Peppone si asciugò la fronte.

— Reverendo, sono nei pasticci, — esclamò.

— È naturale: chi fa fesserie si mette nei pasticci. Ad ogni modo hai sbagliato ufficio. Ti devi rivolgere alla sede centrale del Partito. E poi adesso si chiude il locale: non si viene a far visita ai galantuomini alle undici e mezzo di notte.

Peppone si alzò di scatto:

— Io sono venuto qui alle nove! — affermò con aria aggressiva.

— Mi dispiace che tu abbia dovuto aspettare tanto, — spiegò don Camillo. — Comunque ti assicuro che io ti ho visto soltanto adesso. E dove sei stato dalle nove fino alle undici e mezzo?

— Con voi, — rispose Peppone.

E don Camillo lo guardò molto preoccupato.

*   *   *

Al paese, dopo la partenza di don Camillo, le cose erano andate come dovevano andare. Perché don Camillo, con quel suo continuo voler mettere il naso dentro tutti i pasticci di natura politica e con le sue azioni personali, riusciva sempre a mutare i termini della faccenda figurando, alla fine, come diretto antagonista dei rossi.

Insomma, ogni pasticcio che sorgesse fra i rossi e i loro avversari naturali, diventava alla fine un fatto personale tra don Camillo e Peppone. E così don Camillo diventava il parafulmini sul quale si scaricavano le folgori dei rossi. E poiché don Camillo aveva due spalle formidabili, riusciva sempre ad arrangiare le cose senza guai grossi né per sé né per gli altri.

Adesso che il cuscinetto era stato tolto, i rossi e gli altri erano venuti a contatto diretto.

Anche fra gli altri, c'era gente dura e il più duro era il Dario Cagnola, un grosso proprietario di terre, che conduceva direttamente i suoi poderi, un uomo che s'era conquistato il patrimonio lavorando, ed era perciò disposto a difenderlo coi denti.

Il Cagnola non mollava davanti alle imposizioni e alle minacce. E se i suoi lavoratori, durante gli scioperi non avevano il coraggio di lavorare, il Cagnola faceva arrivare dall'altra sponda del fiume delle squadre di liberi lavoratori con certe facce di gente spiccia e decisa da togliere ogni voglia di gironzolare nei paraggi della corte del Cagnola.

Il Dario Cagnola era il numero uno dei nemici del popolo, come li chiamavano i rossi e, a dir la verità, il Cagnola, con molto buon senso, cercava di farsi vedere il meno possibile in paese. Però, le poche volte che doveva venirci non poteva spingere la sua prudenza fino a mettersi la barba finta e a travestirsi da frate cappuccino.

L'ultima volta accadde di sera e non poteva mandare un altro al suo posto perché il Dario Cagnola aveva un molare da farsi strappare. Comunque, appena il dentista gli ebbe rimesso a posto la bocca, il Cagnola si avviò direttamente verso il piazzaletto dove aveva lasciata la macchina e camminava svelto, ma ci fu chi l'avvistò.

Due o tre giorni prima era successo un pasticcio perché un paio di bulli della banda giovanile dei rossi s'erano spinti fino alla corte dei Cagnola e imbattutisi proprio nel Cagnola, gli avevano presentato da firmare la solita patacca della petizione della pace o roba del genere. E il Cagnola, tolto su da terra un palo, aveva risposto che lui era disposto a firmare ma con quella penna stilografica lì. E allora i due bulletti erano tornati alla base senza fare chiacchiere.

Poi avevano steso il loro rapporto e così, la sera famosa, quando uno dei rossi avvistò il Cagnola in paese, diede l'allarme alla Casa del Popolo. Vennero subito fuori il Bigio e altri due che raggiunsero il Cagnola nel piazzaletto, proprio mentre stava per salire sulla macchina.

Si trattava di tre uomini robusti; però il Cagnola era il Peppone della faccenda e, quando sparava una sventola, faceva fischiare l'aria.

La discussione fu molto spiccia: appena si trovò davanti il Bigio e gli altri due, il Cagnola si appoggiò con le spalle alla portiera della macchina e strinse i denti.

— Mi piacerebbe vedere quel tipo di penna stilografica che avete mostrato l'altro giorno ai nostri due giovanotti, — disse il Bigio minaccioso.

— Non ce l'ho ma ne ho un altro tipo, — rispose il Cagnola pescando col braccio dentro lo sportello della macchina e tirando fuori una grossa chiave inglese. — Questa ha il pennino Biro, — spiegò.

Uno dei due scagnozzi cavò di dietro le spalle un bastone, ma non fece a tempo a usarlo perché gli arrivò un pedatone del Cagnola che lo appiccicò lungo disteso per terra.

Il Bigio si scagliò contro il Cagnola ma fece poca strada: la chiave inglese della reazione gli sconquassò la zucca.

Vedendo cadere il Bigio, con la testa sanguinante, i due scagnozzi corsero via.

In quel momento preciso passò di lì in motocicletta Peppone che veniva dalla città e portava lo Smilzo sul portapacchi.

Peppone più che scendere dalla motocicletta, ne schizzò via: il Cagnola non fece neppure a tempo a mettersi in guardia perché il pugno di Peppone lo fulminò. Colpito alla mascella, il Cagnola cadde indietro e, nel cadere, sbatté la testa contro il paraurti della sua macchina.

*   *   *

— Quando l'ho visto cadere così, con la testa spaccata e rimanere immobile per terra, ho capito subito che avevo fatto una grossa fesseria, — disse Peppone concludendo il suo racconto.

— Sei sempre stato molto intelligente, — osservò don Camillo. — E allora?

— Allora, siccome il piazzale era deserto e sentivo che stava per arrivare gente, sono risalito in moto e sono scappato insieme allo Smilzo. Nessuno mi aveva visto perché erano già le nove e pioveva: arrivati all'imbocco della mulattiera, lo Smilzo se ne è andato con la moto e io sono venuto su.

— Bene, — disse don Camillo. — E adesso come fai a tornare a casa se lo Smilzo se n'è andato?

— Verrà a prendermi domani mattina. Dirò che sono venuto qui da voi perché volevo che faceste da mediatore nella nostra vertenza dei braccianti. Così nessuno potrà accusarmi di essere stato io a pestare il Cagnola. Se ero qui alle nove, come facevo a essere alle nove in paese?

Don Camillo scosse il capo:

— Tu alle nove non eri qui: e io non mentirò alla giustizia. Io non dirò niente di quello che tu mi hai detto, però non dirò mai che alle nove tu stavi qui. Non posso proteggere un assassino.

— Gli ho dato un pugno perché ho visto il Bigio a terra pieno di sangue, — precisò Peppone. — Peggio per lui se è cascato male. E poi il Cagnola ha la testa dura e non può essere morto. Il fatto è che io sono il sindaco e non posso difendere i miei amici aggrediti e così voi ne approfitterete per cavarne fuori uno scandalo maledetto e farmi cacciar via.

— E cosa c'entro io? — domandò don Camillo.

— Voi nel senso della reazione, degli agrari e compagnia bella. È lo scandalo che voglio evitare! Io non ho commesso nessun delitto!

Don Camillo accese il solito mezzo toscano:

— Compagno, e se il Cagnola fosse crepato?

— Meglio! Un porco di meno! — urlò Peppone.

— E un assassino di più, — precisò don Camillo calmo.

Peppone si prese la testa fra le mani:

— E allora cosa posso fare? — esclamò con improvvisa angoscia.

— Aspettiamo tranquillamente gli eventi, — rispose don Camillo. — Rimani qui fin che non ti vengono a cercare: ho bisogno di un sagrestano.

Peppone levò di scatto il viso e indicò la finestra. Attesero in silenzio qualche istante: qualcuno bussava.

— Dove mi nascondo? — domandò Peppone agitatissimo.

— Passa di là nell'altra stanza: c'è una branda. Sdraiati e fingi di dormire.

Peppone corse a buttarsi sulla branda, nella stanzetta vicina, e don Camillo andò ad aprire la porta.

Si trovò davanti un omaccio scarmigliato e agitatissimo ed era Dario Cagnola.

— Reverendo, sono nei pasticci, — ansimò l'omaccio. — Ho fatto una grossa fesseria.

— Fesseria in che senso?

— Credo di aver ammazzato il Brusco. Ero andato a farmi cavare un dente. Mentre tornavo alla macchina, mi hanno aggredito in tre. Io mi sono difeso con una chiave inglese e il Brusco l'ha presa sulla testa ed è cascato per terra in un lago di sangue. Gli altri due sono scappati. In quel momento è arrivato Peppone in motocicletta: mi ha preso di sorpresa e mi ha mollato un pugno. Nel cadere ho picchiato la testa contro il paraurti. Roba da niente. Sono rinvenuto subito. Sentivo che stava arrivando gente: sono saltato sulla macchina e sono scappato. Ho lasciato la macchina giù dentro una macchia, poco prima della mulattiera. È un pasticcio grosso, reverendo. Lei conosce la mia posizione in paese. Lei mi deve aiutare: i rossi, comunque vada, ne caveranno fuori una speculazione enorme.

Don Camillo allargò le braccia:

— Si calmi. Poi ne parleremo.

Don Camillo si alzò e andò nell'altra stanza dove Peppone con straordinario entusiasmo simulava di russare.

— Vieni pure, — gli disse don Camillo. — Non c'è nessun pericolo.

Peppone si alzò e seguì don Camillo e, quando entrò nella stanza illuminata e si trovò davanti il Cagnola, rimase per un istante sbalordito. Il Cagnola rimase anche lui un bel po' a bocca aperta a rimirare Peppone, poi si alzò e strinse i pugni, ma don Camillo intervenne.

— Favoriscano sedersi, signori, — disse con voce imperiosa don Camillo. — Qui è casa mia.

Don Camillo si sedette alla tavola, fra i due.

— L'estrema destra, — spiegò, — l'estrema sinistra e il centro. Il centro preso non in senso politico ma in senso cristiano.

Don Camillo riaccese il mezzo toscano e ne cavò qualche robusta boccata.

— È una favola profondamente istruttiva, — riprese don Camillo. — L'estrema sinistra e l'estrema destra, riconoscendo d'aver compiuto un grave errore, ricorrono alla eterna saggezza della Chiesa. E l'eterna saggezza della Chiesa risponde: fratelli, se invece di ricorrere a me dopo aver fatto una grossa fesseria aveste ricorso a me prima, uniformando il vostro modo di agire ai miei precetti, voi non avreste commesso grosse fesserie e non sareste entrambi degni di essere cacciati fuori a pedate. Perché voi pensate alla Chiesa soltando quando in essa vedete un sicuro asilo per la vostra paura.

Peppone masticò un'obiezione:

— Già: prima di fare qualcosa, bisogna domandare il nulla osta del prete!

— No, fratello sindaco, — replicò calmo don Camillo. — Quando dico Chiesa non dico prete, non dico clero: dico Cristo. Il quale Cristo ha stabilito: ognuno faccia il suo dovere. Se ogni uomo farà il suo dovere saranno tutelati i diritti degli altri. Non è con la violenza che si fanno le rivoluzioni, ha insegnato Cristo. Non è con la forza che si difende la ricchezza: la ricchezza la si difende giustificandola.

Don Camillo allargò le braccia e sospirò:

— Parole sagge, ma parole. E poi, adesso è troppo tardi. Troppa gente non ha fatto il suo dovere e l'odio ha avvelenato il sangue della gente. Il gioco è diventato quello che è, bisogna stare al gioco. Ecco: adesso io vi lascio soli. Lascio l'estrema sinistra di fronte all'estrema destra. Siete tutt'e due ugualmente forti e combattivi. Picchiatevi, picchiatevi fin che volete. E poi, quando vi sarete picchiati, mi direte che cosa di positivo avete costruito.

Don Camillo si alzò ma il Cagnola lo afferrò per una manica:

— Rimanete, — sussurrò.

Rimasero lì tutt'e tre, destra, sinistra e centro, a guardare la fiammella della lucerna. Poi la destra cadde a dormire con la testa appoggiata sulla tavola. Poi crollò la sinistra.

Poi crollò anche il centro. E così trascorsero la notte, e così li sorprese il sole dell'alba.

Allora l'estrema sinistra andò a fare il campanaro e l'estrema destra il chierichetto.

Mentre, finita la Messa, stavano prendendo il caffelatte, arrivò lo Smilzo.

— Il Cagnola è scomparso misteriosamente, — spiegò lo Smilzo che, entrando nella stanza, vedeva il Cagnola di spalle. — Pare che si sia rifugiato in Svizzera.

— Vedo, — rispose don Camillo. — E il Brusco?

— La chiave inglese lo ha colpito di striscio alla tempia: il sangue era quello dell'orecchia che si è strappata un po'.

Don Camillo scosse il capo:

— Cos'è questa storia della chiave inglese? — domandò. — A me risulta che il Brusco è stato investito dall'automobile del Cagnola e buttato a terra. Lui e gli altri due cosa ne dicono?

Don Camillo consultò con un'occhiata Peppone e il Cagnola poi si rivolse allo Smilzo:

— Va' pure, e avverti il Brusco che, mentre attraversava la strada, è stato investito dall'automobile del signor Cagnola.

Il Cagnola tirò su la testa:

— Da un'automobile non identificata! — precisò. — Se no, dico come stanno le cose in realtà.

L'estrema sinistra strinse i pugni e il centro disse:

— Più presto mi sgomberate la casa e più mi fate un piacere.

Se ne andarono a ondate successive, l'estrema sinistra e poi l'estrema destra. Don Camillo rimase solo a pensare tristemente al popolo che, intanto, con la testa fasciata, attendeva ordini per l'azione passata e l'azione futura.

Tristi, i giorni dell'esilio nel paesucolo in cima al monte. Giorni tutti uguali l'uno all'altro, tanto che non c'era neanche più gusto a strappar via, la mattina, il foglietto del calendario, perché era come voltar la pagina d'un libro fatto di fogli bianchi.

— Gesù, — diceva don Camillo al Cristo dell'altar maggiore, — è una malinconia da impazzire: quassù non succede niente!

— Non capisco, — rispondeva sorridendo il Cristo crocifisso: — ogni mattina il sole nasce e ogni sera tramonta, vedi miliardi di stelle ruotare sul tuo capo ogni notte, l'erba spunta nei prati, il tempo continua il suo giro, Dio è presente e si manifesta ad ogni istante e in ogni dove. Mi pare che succedano molte cose, don Camillo! Mi pare che succedano le cose più importanti.

— Perdonate la stoltezza di un povero prete di pianura, — diceva. Però, il giorno dopo, ripeteva le stesse cose perché aveva un magone grosso così, che cresceva ogni giorno. E questa era l'unica novità.

Intanto, giù al paese in riva al fiume grande, non succedeva niente di grosso, però succedevano tante piccole cose strampalate che avrebbero fatto dispiacere anche a don Camillo, se mai le avesse sapute.

Il pretino mandato a reggere la parrocchia durante la convalescenza politica di don Camillo, era una gran brava persona e, nonostante tutta la sua imbottitura di teoria e tutte le sue paroline da città, pulite e rotonde, s'era rapidamente adattato agli umori correnti e ce la metteva tutta per dimostrare di aver capito quale aria tirasse e da che verso occorresse prendere la gente. E la gente, rossi o bianchi, verdi o neri, contraccambiava la sua cortesia, affollando la chiesa durante tutte le funzioni, ma senza concedere niente altro.

Nessuno andava più a comunicarsi: «Non si offenda, reverendo», spiegavano al pretino costernato, «ma siamo abituati da anni e annorum a lui. Ci comunicheremo quando tornerà lui. Non tema, ci metteremo a posto anche con gli arretrati».

Nessuno si sposava più: tutti i matrimoni erano rimandati al giorno in cui sarebbe tornato lui.

Pareva che tutto fosse stato concertato anche per quanto riguardava il nascere e il morire perché, da quando don Camillo era partito, nessuno era venuto al mondo e nessuno aveva lasciato questo mondo per andare nell'altro. E la strana storia durò per mesi e mesi: ma, finalmente, un bel giorno arrivò in canonica una donnetta ad avvertire che il vecchio Tirelli stava per morire, e il pretino inforcò allora la bicicletta e corse al capezzale del vecchio Tirelli.

IV ⁄ Il vecchio Tirelli

Il vecchio Tirelli aveva tanti e poi tanti di quegli anni da stancare un ragioniere di banca a contarli. Non lo sapeva neanche lui, quanti ne portasse sul groppone: aveva sempre tirato avanti senza un raffreddore ma, adesso, a causa di quella maledetta bomba atomica che aveva buttato all'aria tutte le stagioni, s'era preso un accidente maiuscolo ai polmoni e stava preparandosi ad abbandonare l'amministrazione terrena.

Prima d'entrare nella stanza del vecchio, il pretino parlò col dottore che stava uscendone.

— È grave, dottore?

— È già morto, — rispose il dottore. — Scientificamente è morto e stramorto. Il fatto che continua a respirare è vero: però è un oltraggio alla scienza medica.

Il pretino passò nella stanza del vecchio Tirelli e si sedette al capezzale del cadavere bisbigliando una preghiera.

Il vecchio aprì gli occhi e lo guardò a lungo.

— Grazie, — disse alla fine con un soffio. — Aspetto.

Il pretino si sentì la fronte piena di sudore.

— Fin che Dio vi concede un po' di vita, dovete mettervi a posto la coscienza, — esclamò il pretino.

— Sì, lo so, — replicò il vecchio. — Però aspetto che torni lui.

Il pretino non poteva mettersi a discutere con un moribondo: andò a scongiurare i familiari che stavano nell'altra stanza: anche loro, meglio di lui, sapevano come stessero le cose e come fosse un miracolo se il vecchio tirava ancora il fiato. Cercassero di convincerlo a confessarsi.

I familiari andarono a parlare col vecchio: gli spiegarono con estrema chiarezza quel che aveva stabilito il dottore, e il vecchio, che aveva grande fiducia nel dottore e che, nonostante fosse già scientificamente morto, era in grado di ragionare con l'usato buonsenso, rispose:

— Già, me ne rendo conto: la cosa è gravissima. Non bisogna perdere un minuto. Andate subito a chiamare don Camillo perché voglio partire da questo mondo con la coscienza tranquilla.

Gli risposero che, prima di tutto, don Camillo non avrebbe potuto abbandonare la sua parrocchia per venire a confessare e benedire il vecchio Tirelli. Secondariamente, anche se avesse acconsentito a venir giù, bisognava andarlo a prendere lassù e poi portarlo al piano. Ore e ore e ore: e qui era questione di minuti.

Il vecchio capì l'assennatezza dell'obiezione:

— È giusto, — rispose, — bisogna accorciare i tempi. Caricatemi su una macchina e portatemi da lui.

Il dottore, che era ancora nell'altra stanza e aveva sentito tutto, si fece avanti:

— Tirelli, — disse, — datemi retta se avete ancora un po' di stima in me. Quello che dite è una pazzia. Non riuscirete a fare tre chilometri. Perché volete morire per la strada come un cane? Morite nel vostro letto e approfittate di questo fiato che il Padreterno ancora vi regala, per mettervi la coscienza a posto. Dio è lo stesso tanto qui al piano come lassù al monte e il reverendo è un sacerdote uguale preciso di don Camillo.

— Lo so, — sussurrò il vecchio. — Ma io a don Camillo non posso fargli torto. Il reverendo lo deve capire. Vuol dire che mi accompagnerà nel viaggio: se mi sentirò morire prima d'arrivare mi confesserò da lui. Presto, spicciatevi.

Il vecchio Tirelli era ancora vivo e perciò il padrone di se stesso e della sua casa era lui. Mandarono di gran corsa a chiamare l'autoambulanza e, caricato il vecchio e il pretino, diedero il via alla macchina. Il più giovane dei Tirelli e suo figlio saltarono sulla motocicletta e seguirono l'autoambulanza.

La macchina correva con tutto il fiato dei suoi quattro cilindri: ma il vecchio Tirelli ogni tanto esclamava: «Presto! Presto! Ho premura!».

Quando la macchina arrivò all'imbocco della famosa mulattiera che portava su al paese, il vecchio Tirelli era ancora vivo.

Il figlio e il nipote lo cavarono fuori dalla macchina con tutta la barella e cominciarono a inerpicarsi lungo la mulattiera. Il vecchio Tirelli era ormai ridotto a sole ossa tenute assieme da un po' di pelle, da un po' di nervi e da una quantità enorme di testardaggine, e il carico non era gravoso. Il pretino seguiva la barella e camminarono così circa due ore.

Alla fine apparve d'improvviso il villaggio, e la chiesetta stava lì a duecento metri. Il vecchio Tirelli aveva gli occhi chiusi ma la vide ugualmente:

— Grazie, reverendo, — sussurrò al pretino. — Vi sarà compensato il vostro disturbo.

Il pretino arrossì e tornò indietro saltabeccando sui sassi della mulattiera.

Don Camillo, seduto davanti alla porticina della bicocca che fungeva da canonica, stava fumando malinconicamente il suo solito mezzo toscano, e appena si vide comparire davanti la stranissima faccenda della barella portata dai due Tirelli, spalancò la bocca per lo stupore.

— Ha voluto per forza che lo portassimo qui, — spiegò il figlio di Tirelli. — Vuole che lo confessiate voi.

Don Camillo sollevò dalla barella il vecchio

con tutto il materassino e le coperte, e delicatamente lo portò in casa e lo adagiò nel suo letto.

— Cosa dobbiamo fare, noi? — domandò il figlio del Tirelli affacciandosi alla porta. E don Camillo fece cenno che si togliessero dai piedi alla sveltina. Poi si sedette al capezzale del vecchio Tirelli: il moribondo s'era assopito ma, sentendo il bisbigliare di don Camillo, aprì gli occhi.

— Sono venuto qui perché non vi potevo far torto, — spiegò con un filo di voce.

— State dicendo una bestialità e fate torto a Dio! — gli rispose don Camillo. — I sacerdoti non sono dei bottegai, sono dei ministri di Dio. Quando uno si confessa, quel che interessa è la confessione in sé. Per questo il prete sta dietro la grata che gli nasconde il volto. Quando vi confessate, voi non raccontate i fatti vostri al prete tale o al prete talaltro: voi vi confidate con Dio. E se morivate lungo il viaggio?

— M'ero preso su il pretino di scorta, — sussurrò il vecchio. — Mi sarei confessato con lui. I miei peccati li potevo dire benissimo anche a lui... Un disgraziato che ha passato tutta la vita lavorando onestamente dall'alba al tramonto non ha neanche il tempo di fare dei peccati... Volevo salutarvi, prima di partire. E volevo che foste voi ad accompagnarmi al cimitero. Quando ci si mette in viaggio in compagnia di don Camillo, si parte sicuri...

Il vecchio disse tutti i suoi peccati a don Camillo ed erano peccati da ragazzi. Don Camillo lo benedisse.

— Don Camillo, — sussurrò il vecchio alla fine, — se non muoio subito, vi arrabbiate?

Era inutile discutere perché il vecchio Tirelli non faceva dell'umorismo, parlava sul serio.

— Fate pure il vostro comodo, — rispose don Camillo. — Se anche campate ancora duemila anni, a me non date nessun disturbo.

— Grazie, — sospirò il vecchio.

Era una bella giornata con un cielo che pareva pitturato alla nitrocellulosa e il sole era caldo. Don Camillo spalancò la finestra e lasciò tranquillo il vecchio che si era addormentato e pareva sorridesse.

*   *   *

— Gesù, — disse don Camillo al Cristo, — oggi è successo qualche cosa. Ed è una cosa tanto grossa che ancora non ho capito bene di che cosa si tratti.

— Non ti affaticare il cervello, don Camillo, — rispose il Cristo. — Esistono delle cose che non occorre capire. Ora pensa al tuo vecchietto: può aver bisogno di te.

— Più che di me ha bisogno di voi, — esclamò don Camillo.

— Non ti basta il fatto che egli sia arrivato vivo fin quassù?

— A me basta sempre quello che Dio mi concede. Se Dio mi porge il dito non gli afferro la mano... Però qualche volta vorrei afferrargliela.

Don Camillo si ricordò dei due Tirelli che aspettavano fuori dalla porta, e corse da loro.

— Adesso è a posto con la coscienza e dorme, — spiegò don Camillo. — Voi fate come credete.

— Io mi fermerei, — disse il nipote del vecchio.

— Ormai il miracolo c'è stato, non si può sperare

che ne avvenga un altro. Vado giù un momento ad avvertire quelli dell'autombulanza che aspettino. Lo riporteremo giù e lo seppelliremo nel nostro cimitero.

Don Camillo non fece neppure a tempo a spiegare che il vecchio voleva essere seppellito qui: il figlio del vecchio si volse verso il giovanotto e gli disse con voce dura:

— Corri giù e dì a quelli dell'ambulanza che se ne vadano. E aspettami che ti raggiungo e torniamo a casa.

Il giovanotto partì di corsa e l'uomo si volse a don Camillo:

— Fate voi, — borbottò.

V / La Gina e Mariolino

La notte don Camillo la trascorse al capezzale del Tirelli. Chiamò la vecchia che gli faceva le faccende di casa a sostituirlo la mattina, quando egli dovette scendere nella chiesa per la Messa. Finita la Messa riposò per un paio d'ore e dopo essersi assicurato che il vecchio era ancora vivo, andò a fare una corsa perché doveva arrivare alla baita della fontana a portar qualcosa al ragazzo che si era spezzata una gamba.

Ritornando sentì che qualcuno lo salutava:

— Buondì, reverendo. — E, levando il capo, vide una ragazza che gli sorrideva da una finestrina del primo piano.

Per un istante si incupì a non voler capire: poi dovette capire e gridò:

— Cosa fai qui, tu?

A lato della testa della ragazza apparve il viso poco cordiale di un giovanotto:

— Siamo in villeggiatura, — disse il giovanotto. — Bisogna forse domandare il permesso al parroco, qui, per venire in villeggiatura?

Don Camillo scosse il capo:

— Giovanotto: bada a te. Se caso mai sei venuto qui per fare l'agit-prop, hai sbagliato indirizzo. Qui non è aria per te e per i disgraziati come te.

Il giovanotto si ritrasse imprecando, ma la ragazza rimase tranquilla alla finestra e continuò a sorridere.

— Vi verremo a trovare, reverendo, — disse la ragazza.

— Bravi: però venite a trovarmi quando vi chiamo io, — esclamò don Camillo volgendole le spalle.

Poi lungo la strada continuò a borbottare: «Cosa accidenti sono venuti a fare, quassù, quei due mammalucchi? Che guaio nuovo avranno combinato?».

*   *   *

Il guaio nuovo che Mariolino della Bruciata e la Gina Filotti avevano combinato era un guaio grosso.

Un guaio che era poi la conseguenza diretta del primo grosso guaio nel quale, a suo tempo, avevano trovato modo di immischiare don Camillo per ben due volte: quando erano scappati allo stagno della cappella sommersa per morire assieme, e quando si erano presentati in chiesa perché volevano vivere assieme.

Ormai, dal giorno in cui Mariolino della Bruciata e la Gina Filotti s'erano sposati, era trascorso parecchio tempo e, una sera, i due disgraziatissimi giovani avevano impostato seriamente la questione:

— Per conto mio sarà un maschietto e questo mi fa piacere perché so che tu vorresti una femminuccia, — disse la Gina.

— Per conto mio sarà una bambina e ne ho molto piacere perché so che tu e quella gentaccia dei tuoi vorreste che fosse un maschio, — replicò il giovanotto.

— Si capisce: le femmine padreggiano e i maschi madreggiano, — esclamò la ragazza. — Bell'affare avere una figlia che ha il carattere del padre e dei nonni paterni.

L'altro rispose nel senso opposto e la discussione si scaldò:

— Se io non fossi in questo stato e non avessi paura di agitarmi troppo ti avrei già preso a schiaffi! — urlò la Gina.

— Se tu non fossi in quello stato e se io non avessi paura di nuocere alla bambina ti avrei già spaccata la testa! — urlò Mariolino.

— Delinquente, bolscevico, — strillò la Gina. — Non mi vedrai più: torno da mia madre!

— Questa è l'ultima volta che mi vedi! — strillò Mariolino. — Torno da mio padre. Non ne posso più di mangiarmi il fegato con la figlia di un agrario!

Qui nacque la logica considerazione che se tutt'e due se ne andavano, il figlio, per quanto non ancora nato, sarebbe rimasto lì solo, senza padre né madre. E allora si accordarono.

— Maschio o femmina l'importante è che sia

il più bello di tutto il paese, — concluse la Gina. — Anche se poi fosse il più brutto per noi sarà sempre il più bello di tutti i bambini del mondo.

Per arrivare a una conclusione di questo genere non occorreva davvero litigare così aspramente.

Passarono altri giorni e altre settimane, ed ecco che, diventando sempre più grave il guaio, un altro importantissimo problema venne posto sul tappeto:

— Bisogna pensare al nome che daremo, — disse la Gina. — Maschio o femmina, appena nato deve avere già pronto il suo bravo nome.

I nomi suggeriti da Mariolino furono perversi perché partivano da Lenina per arrivare a Comunarda. La Gina controbatté con una serie di nomi che partivano da Pio per arrivare ad Alcide.

Si accordarono per Alberto e per Albertina. Ma qui sorse il terzo e più grave problema.

— E come si fa a battezzarlo? — gemette ad un tratto la Gina.

— Non la si battezza, — rispose Mariolino. — Comunque, se uno la vuol proprio battezzare, si va in chiesa e la si fa battezzare.

— In chiesa! Ma in chiesa non c'è più don Camillo! — esclamò la ragazza.

— Non ha importanza, — replicò Mariolino. — L'uno o l'altro i preti sono tutti una fregatura.

La Gina partì al contrattacco in difesa del clero ma subito impallidì e si abbandonò ansimando sulla sedia.

— Non ti agitare, Gina, — le disse con molta dolcezza il marito. — Ti può far male. Parla con calma, sarò calmo anch'io.

Continuarono a litigare con garbo fino a sera tarda. Poi la Gina concluse:

— A parte tutto il resto, quello che don Camillo ha fatto per noi ci impedisce di far battezzare il bambino da un altro prete. D'altra parte i bambini debbono essere battezzati subito. Mica possiamo aspettare sei mesi o sette a battezzarlo.

— Semplice, — disse Mariolino, — appena la bambina è nata la si registra in comune perché Peppone ha fatto per noi quello che ha fatto don Camillo e poi la si porta su a far battezzare dal tuo prete.

— Non si può, — disse la ragazza. — I bambini vanno battezzati dove nascono. E ormai bisogna spicciarsi. Io domani faccio la valigia.

*　　*　　*

Passarono sei giorni senza che niente di nuovo accadesse: il vecchio Tirelli continuava a sembrare morto rimanendo però sempre vivo. Don Camillo, per non incontrare quei due disgraziati che aveva visto alla finestra, non uscì mai di casa: prima di tutto perché doveva far da infermiere al vecchio, secondariamente perché lei gli aveva detto: « Verremo a trovarvi ».

Ed ecco che, nel primo pomeriggio del settimo giorno, la vecchia entrò molto agitata nella stanza:

— Reverendo, subito giù! Una cosa straordinaria! Presto!

Don Camillo scese e, uscito sul sagrato, si trovò davanti la più strana faccenda dell'universo: vale a dire Mariolino e la Gina che adesso però erano in tre in quanto, in mezzo ai due, stava la vecchia levatrice del paese, tutta vestita a festa e con un marmocchietto in braccio.

Don Camillo rimase perplesso poi si avvicinò:

— Ebbene? — domandò brusco alla comare.

— La signora era qui in villeggiatura da qualche giorno e il bambino è nato.

Don Camillo fece una smorfia:

— Per fare questa roba siete venuti fin qui su? — domandò.

— Io non sarei venuto di sicuro! — esclamò aggressivo Mariolino. — Ma lei voleva per forza che lo battezzaste voi! Come se tutti i preti non fossero la stessa merce. Comunque, se non lo volete battezzare tanto meglio.

Don Camillo meditò lungamente perché la situazione era molto complicata, poi stabilì:

— Mah!

I due non accennavano a entrare: evidentemente aspettavano qualcuno: tanto è vero che Mariolino cacciava continuamente di tasca l'orologio. Don Camillo spalancò la porta della chiesa e andò ad apprestare il fonte battesimale. E intanto due schiere di stranieri entravano in paese.

L'una proveniva dalla mulattiera solita ed era composta di tutta la banda dei Filotti, gli agrari. L'altra proveniva dalla mulattiera di Valfonda ed era composta da tutta la banda dei rossi della Bruciata.

Le due schiere entrarono contemporaneamente nella piazzetta provenendo da due parti opposte e convergendo verso la porta della chiesa.

I due sposini entrarono e, seguiti dalle rispettive bande, si appressarono al fonte battesimale presso il quale don Camillo attendeva.

— Chi è il padrino? — domandò don Camillo.

Si fecero avanti contemporaneamente il vecchio Filotti e il vecchio della Bruciata. Avevano i denti stretti, tutt'e due, e tutt'e due assieme posero le mani sulle trine nelle quali guaiva il prodotto della reazione borghese e della rivoluzione proletaria.

— Giù le zampe! — disse cupo e minaccioso un tizio che era apparso allora sulla porta della chiesa. Era Peppone che, approssimatosi al fonte battesimale, agguantò il bambino e affermò: — Anche se è nato quassù, il suo sindaco effettivo sono io. Il padrino lo faccio me!

*   *   *

Quand'ebbe terminato il rito, don Camillo si allontanò perché la vecchia servente gli faceva dei cenni disperati.

— Vi vuole subito, — ansimò la vecchia.

Don Camillo salì ed entrò con impeto nella stanza del moribondo. Incontrando lo sguardo del Tirelli, don Camillo perdette il senso della carità cristiana ed esclamò:

— No, Tirelli, adesso proprio no! Voi non potete rattristarci questa festa della vita, morendo!

Il vecchio scosse il capo:

— Volevo appunto dirvi che ho deciso di campare, reverendo: quest'aria fina mi ha rimesso a posto i polmoni. Sento che non ho più niente. Avvertite mia figlia di venir su a curarmi e trovatemi una buona casa d'alloggio.

Don Camillo aveva la testa un po' confusa perché troppe cose stavano succedendo in una volta sola.

Scese e si trovò davanti il pretino giovane e Peppone.

— Manca soltanto il maresciallo dei carabinieri e poi c'è tutto il paese! — borbottò don Camillo.

— Sono qui semplicemente come autista di servizio pubblico, — spiegò Peppone. — Il reverendo mi ha chiesto il portarlo su e, già che c'ero, ho lasciato la macchina all'imbocco della mulattiera e sono venuto a vedere come andavano le cose. Vedo che vanno male perché voi crepate di salute.

Il pretino porse a don Camillo una busta:

— È di Sua Eccellenza il vescovo, — spiegò. — Vengo a darvi il cambio. Voi potete tornare giù subito approfittando della macchina mia.

— Io avevo combinato per un viaggio di andata — intervenne rude Peppone. — Io non ho nessuna intenzione di riportare in paese certa gente.

— Pagheremo la differenza, — disse don Camillo.

— Non è una questione di quattrini, è una questione di principio, — replicò Peppone. — E poi più tardi tornate meglio è. Non dovete illudervi perché un vecchio matto è venuto su per morire e se due ragazzi scriteriati hanno fatto quel che hanno fatto: in paese stiamo benissimo senza di voi.

— Per questo torno subito! — borbottò don Camillo.

In realtà, al paese, la gente non stava bene proprio per niente. Il cielo aveva aperto le sue cateratte e i giornali parlavano di sempre più grossi guai combinati dai fiumi in piena, un po' dappertutto.

Ma per la gente del paese, la questione era esclusivamente locale e le vecchie avevano già incominciato a dire:

— Ecco: da quando don Camillo se n'è andato portandosi il Cristo dell'altare, son cominciati i guai...

Il Cristo crocifisso dell'altar maggiore era legato al grande fiume per via che, tutti gli anni, c'era la processione che arrivava fin sull'argine dove avveniva la benedizione delle acque. Le vecchie scuotevano il capo:

— Fin che c'è stato Lui, ci ha protetto. E adesso non c'è più.

E, mano a mano che le acque del fiume salivano, si parlava sempre di più del Crocifisso e anche i cervelli più giusti presero a sragionare. Così il vescovo si trovò davanti, una mattina, un gruppo di uomini venuti dal paese a dir le loro ragioni e quelle degli altri fedeli.

— Eccellenza, — implorarono. — Ridateci il nostro Crocifisso. Bisogna fare subito una grande processione fin sull'argine. Bisogna benedire le acque. Oppure tutto il paese sarà travolto dalla piena.

Il vecchio vescovo respirò dolorosamente.

— Fratelli, — disse. — È questa dunque la vostra fede? Dio, dunque, non è in voi, ma fuori di voi, perché voi avete fede in un simulacro di legno e senza di esso vi sentite disperati.

C'erano, nel gruppo, uomini che avevano la testa sulle spalle. Si avanzò il vecchio Bonesti:

— Eccellenza, — esclamò, — non è che manchi la fede in Dio. Manca la fede in noi stessi. Il senso della patria esiste in noi dovunque siamo, ma quando in guerra si va all'assalto è necessario vedere sventolare la bandiera del reggimento. La bandiera mantiene viva la fede nelle nostre forze, e ce n'è bisogno anche se la fede nella patria è dentro di noi, Eccellenza: quel Cristo crocifisso è la nostra bandiera e don Camillo il suo alfiere. Se rivedremo la nostra bandiera ritroveremo la fede nelle nostre forze e lotteremo con maggior coraggio contro la disgrazia.

Il vecchio vescovo aveva allargato le braccia:
— Sia fatta la volontà di Dio.

E la spedizione di recupero era partita per Monterana, e adesso era lì.

VI ⁄ Don Camillo ritorna

Quando don Camillo uscì dalla chiesuola aveva il grande Crocifisso sulle spalle. Si avviò verso la solita mulattiera, e incominciò la discesa, e la Croce, stavolta, era leggera come una piuma.

Giù c'era la vecchia *jeep* di Peppone, quella che egli chiamava tassì e che serviva per trasportare gente e roba: don Camillo salì col Crocifisso diritto come una bandiera.

L'autocarro con quelli della Bruciata era lì ad aspettare e, come Peppone si mosse, seguì la *jeep*.

All'imbocco dell'altra mulattiera c'erano le due grosse luccicanti macchine dei Filotti e, sulla prima, stava la Gina col bambino in braccio, a fianco di Mariolino che pilotava. Mariolino infilò la macchina fra la *jeep* e il camion della banda rossa. La seconda ondata dei Filotti si accodò al camion dei rossi.

Poi, si capisce, apparve lo Smilzo: arrivava

sparato, in motocicletta, perché il ritardo del capo lo preoccupava. Quando vide come stavano le cose, girò la moto e si mise davanti a tutti a fare il battistrada.

All'ingresso del paese c'era tutta la gente ad aspettare e don Camillo levò diritto il Crocifisso, come una bandiera.

VII / Come pioveva

Don Camillo tornò dopo la prima Messa. La gente si strinse attorno a don Camillo. Tutti dicevano: «Processione, processione!».

— Il Cristo è tornato su quell'altare e di là non si muove, — rispose don Camillo. — Si muoverà l'anno venturo, il giorno della benedizione delle acque. Per quest'anno le acque sono già state benedette.

Una donna saltò su:

— Sì, ma intanto le acque salgono sempre di più!

— Gesù lo sa benissimo, — replicò duro don Camillo. — Non ha bisogno che nessuno gli rinfreschi la memoria. Io posso semplicemente pregare Gesù perché ci dia la forza di sopportare con animo sereno tutte le nostre sofferenze.

Ma la gente era ossessionata dalla paura che l'acqua rompesse l'argine e insisteva per la processione e allora don Camillo si fece ancor più duro:

— Sì, la processione: ma non portando una croce di legno a spasso per le strade bensì portando Cristo dentro il cuore! Ognuno faccia la sua processione così. Abbiate fede in Dio, non nel simulacro di legno. Allora Dio vi aiuterà.

Continuò a piovere. E pioveva dappertutto; al piano e al monte. E le saette spaccavano le vecchie querce, e il mare era sconvolto dalla tempesta. E i fiumi incominciarono a gonfiarsi e, siccome continuava a piovere, presto sfondarono gli argini e allagarono le città e copersero di fango intere borgate.

Il grande fiume si fece sempre più minaccioso, e sempre più le acque premevano contro gli argini, e sempre più salivano.

La guerra, quando era passata di là, aveva spaccato un pezzo d'argine, nel punto che era chiamato la Pioppaccia e soltanto da due anni l'avevano riaccomodato.

Adesso tutto il paese guardava con paura alla Pioppaccia perché tutti erano sicuri che, se l'acqua del grande fiume avesse aumentato la sua pressione, la falla si sarebbe spalancata alla Pioppaccia.

La terra non poteva essersi compressa a sufficienza; l'acqua si sarebbe infiltrata e avrebbe segato l'argine. Il resto avrebbe potuto resistere benissimo, come tante e tante volte aveva resistito: ma alla Pioppaccia no.

La paura aumentò assieme all'acqua. Vennero i tecnici e spiegarono che l'argine della Pioppaccia avrebbe resistito. Il pericolo c'era e sempre maggiore: la gente provvedesse in tempo a sgomberare, non aspettasse l'ultimo minuto. I tecnici se ne andarono via alle dieci del mattino. Alle undici l'acqua era ancora cresciuta e improvvisamente alla paura seguì il terrore.

— Non si fa più a tempo a salvar niente! — disse qualcuno. — L'argine della Pioppaccia si spaccherà e tutto sarà perduto. Non c'è che un modo per salvarsi: passare il fiume e andare a spaccare l'argine dall'altra sponda.

Nessuno seppe chi disse questa bestemmia: il fatto è che tutti, dopo pochi istanti, sapevano soltanto una cosa: che l'unico modo per salvarsi era quello di passare dall'altra sponda e spaccare l'argine. Ottanta persone su cento pensavano affannosamente quale sarebbe stato il sistema più sbrigativo per passare di là e tagliare l'argine.

E ormai era ineluttabile: qualcuno sarebbe riuscito a passare di là e avrebbe tagliato l'argine.

Ma, ad un tratto, la pioggia cessò. E per qualche istante la speranza che le acque discendessero rischiarò i cuori. Allora si udirono suonare le campane a martello e tutto il paese si precipitò nel sagrato.

— Fratelli, — disse don Camillo quando vide la piazza gremita. — Una sola cosa ci resta da fare: non perdere tempo e, con serenità, incominciare a mettere in salvo la roba più importante.

Riprese a piovere.

— Non faremo più a tempo! L'argine della Pioppaccia non resisterà, — urlarono.

— Resisterà, — rispose don Camillo. — E ne sono tanto sicuro che io, adesso, mi vado a piantare sull'argine, alla Pioppaccia, e non mi muovo. Se sbaglio pago!

Don Camillo spalancò il suo enorme ombrello e si incamminò verso l'argine e la gente lo seguì. E lo seguì quando salì sull'argine e prese a camminare verso la Pioppaccia: ma, a un tratto, la folla si fermò perché era incominciato il pezzo d'argine nuovo.

Don Camillo si volse.

— Ognuno sgomberi con calma le case, — gridò.
— Io, intanto, arrivo fino alla Pioppaccia e lì
aspetto che abbiate finito.

Riprese a camminare e, dopo cinquanta metri,
proprio là dove l'argine doveva spaccarsi, si fermò.

La gente era perplessa e guardava ora l'acqua
ora il prete.

— Vengo a tenervi compagnia, reverendo! —
gridò una voce. Peppone uscì dalla folla e tutti
adesso guardarono lui.

— L'argine resisterà, non c'è nessun pericolo, —
gridò Peppone. — Quindi nessuno faccia fesserie e
tutti con calma procedano allo sgombero agli ordini del vice sindaco. Io intanto aspetto là per dimostrarvi che sono sicuro di quello che dico.

Quando li vide tutt'e due, prete e sindaco, sul-
l'argine, all'altezza della Pioppaccia, la gente fu
presa dalla frenesia e tutti corsero alle loro case e
incominciarono a tirar fuori le bestie dalle stalle e
a caricare i carri.

Lo sgombero iniziò: intanto pioveva, e l'acqua non aveva nessuna voglia di smettere di salire.

Peppone e don Camillo, seduti su due grossi
sassi, se ne stavano ad aspettare sotto l'ombrello.

— Reverendo, — disse ad un tratto Peppone. —
Certo che, se adesso voi vi trovaste in cima a quel
monte dove eravate fino a ieri, probabilmente vi
sentireste meglio.

— Non credo. Altrimenti il vescovo non mi
avrebbe permesso di tornare giù!

Peppone stette un po' zitto poi si pestò una
manata su una coscia:

— Se, per esempio, l'argine crollasse adesso che

la gente ha appena incominciato lo sgombero, pensate che magnifico risultato: tutto perduto, noi e gli altri.

— Se invece ci fossimo salvati tagliando l'argine di là e procurando morte e rovina a un sacco d'altra gente, sarebbe peggio. Se non erro, signor sindaco, c'è una certa differenza tra disgrazia e delitto.

Verso sera l'acqua incominciò a calare e don Camillo e Peppone lasciarono l'argine e tornarono nel paese ormai deserto perché la gente se n'era andata tutta.

Giunti sul sagrato si fermarono.

— Potresti anche ringraziare Dio di averti salvato la pelle, — disse don Camillo a Peppone. — Il piacere te l'ha fatto!

— Già, — replicò Peppone. — Però mi ha fatto poi il dispiacere di salvare la pelle a voi, e allora siamo pari.

VIII / La campana

L'argine maestro non si mosse di un millimetro e così, una mattina, parecchi di quelli che erano scappati per paura dell'acqua ritornarono in paese per fare qualche altro carico di roba.

Ma verso le nove accadde quello che nessuno si aspettava.

L'acqua si scavò un passaggio sotto l'argine e, ad un tratto, sbucò dalla terra.

C'è ben poco da fare contro un fontanone: e quelli che erano tornati si misero in salvo con birocci e camion.

Don Camillo aveva lavorato fino alle tre di notte a portare al primo piano e in solaio tutta la roba del pianterreno. Era solo e aveva faticato come un maledetto. Alla fine si era buttato sul letto, cadendo in un sonno di ghisa.

Si svegliò alle nove e mezzo quando sentì urlare quelli che scappavano. Ben presto non sentì più nessun rumore e si affacciò alla finestra, ma vide soltanto il sagrato deserto.

Allora salì sul campanile: lassù si vedeva tutto benissimo: l'acqua aveva già invaso la parte bassa del paese e lentamente avanzava.

Don Camillo cambiò finestrone e scorse sull'argine maestro gente che guardava verso il paese.

*   *   *

Quelli che erano scappati coi birocci e coi camion, avevano raggiunto gli altri disgraziati accampati con le bestie e la roba salvata, nei paesi vicini, e tutti, lasciati i ragazzi a guardare i carri, s'erano buttati verso il paese con birocci, moto e biciclette e si erano ritrovati sulla strada dell'argine davanti al loro paese ormai allagato.

Guardavano muti il paese che era lì sotto, a mezzo miglio, e ognuno vedeva la sua casa anche se non la vedeva.

Nessuno parlava: le vecchie piangevano senza strepito.

Stavano lì a veder morire il loro paese, e lo vedevano già morto.

— Non c'è un Dio! — disse con voce cupa un vecchio.

In quel momento suonarono le campane.

Suonarono le loro campane, non c'era da sbagliarsi anche se i rintocchi avevano qualcosa di diverso.

Tutti gli occhi adesso guardavano soltanto il campanile.

* * *

Don Camillo, vista la gente sull'argine maestro, era sceso. L'acqua aveva già coperto due dei tre gradini del portale.

— Gesù, perdonatemi se mi ero dimenticato che oggi è domenica, — disse don Camillo inginocchiandosi davanti all'altar maggiore.

Prima di andare in sagrestia a prepararsi, passò nello stambugio del campanile e si attaccò a una corda sperando che fosse quella giusta. Era la giusta e la gente sull'argine sentì il richiamo della campana e disse : — La Messa delle undici!

Le donne giunsero le mani e gli uomini si tolsero il cappello.

* * *

Don Camillo incominciò la Messa. E quando venne il momento di parlare ai fedeli, a don Camillo non interessò il fatto che la chiesa fosse deserta : egli parlava per quelli là sull'argine.

L'acqua aveva già coperto il terzo gradino e incominciava a distendere un sottile, gelido e luccicante velo sul pavimento della chiesa.

La porta era spalancata e si vedeva la piazza con le case annegate e il cielo grigio e minaccioso.

— Fratelli, — disse don Camillo. — Le acque escono tumultuose dal letto dei fiumi e tutto travolgono : ma un giorno esse ritorneranno, placate.

nel loro alveo e ritornerà a risplendere il sole. E se, alla fine, voi avrete perso ogni cosa, sarete ancora ricchi se non avrete persa la fede in Dio. Ma chi avrà dubitato della bontà e della giustizia di Dio sarà povero e miserabile anche se avrà salvato ogni sua cosa. *Amen*.

Don Camillo parlò nella chiesa devastata e deserta e intanto la gente, immobile sull'argine, guardava il campanile.

E continuò a guardarlo e, quando dal campanile vennero i rintocchi dell'Elevazione, le donne si inginocchiarono sulla terra bagnata e gli uomini abbassarono il capo.

La campana suonò ancora per la Benedizione. Adesso che in chiesa tutto era finito, la gente si muoveva e chiacchierava a bassa voce: ma era una scusa per sentire ancora le campane.

Poi, dopo un po', le campane ripresero a suonare lietamente e gli uomini cavarono l'orologio:

— Eh, sì, è già mezzogiorno, — dissero. — È ora di andare a casa.

E risalirono sulle biciclette e sui birocci e sulle moto e andarono a raggiungere i loro ragazzi e la loro roba negli stranieri ricoveri squallidi e inospitali.

E partendo guardavano le loro povere case che parevano navigare nell'acqua fangosa. Ma forse pensavano:

«Fin che c'è in paese don Camillo tutto va bene».

Quando don Camillo, terminata la Messa, era salito sul campanile per vedere cosa facesse la gente sull'argine, c'erano quattro dita d'acqua sul pavimento della chiesa.

Quando ridiscese trovò una gamba d'acqua. E allora prima di lasciare la chiesa per andare in canonica, guardò in su, verso il Cristo crocifisso dell'altar maggiore:

— Gesù, perdonatemi se non m'inginocchio come dovrei, — sussurrò. — Ma se mi inginocchio vado a finire nell'acqua fino al collo.

Don Camillo aveva chinato il capo e così non poté vedere se il Cristo avesse sorriso. Però ne era sicuro perché sentì dentro il cuore una dolcezza che gli fece dimenticare d'aver l'acqua fino alla cintola.

Navigò fieramente fino alla canonica e qui trovò una scala a piuoli che incrociava nei paraggi e, rizzatala, entrò in casa attraverso la finestra del primo piano.

Si mutò d'abito, mangiò qualcosa e si mise a letto. Verso le tre del pomeriggio sentì bussare alla finestra.

— Avanti! — disse don Camillo. Comparve la faccia di Peppone.

— Se vi interessa, — borbottò Peppone, — la barca è lì giù che vi aspetta.

— Non mi interessa! — rispose don Camillo. — La guardia muore ma non si arrende!

— Allora andate all'inferno! — gridò Peppone richiudendo la finestra.

Quando la barca passò davanti alla porta spalancata della chiesa, Peppone diede un urlaccio ai rematori: — Badate lì a sinistra, animali!

Così tutti si voltarono verso sinistra e Peppone poté cavarsi il cappello e rimetterselo senza che nessuno avesse visto.

Per quanto ci pensasse, Peppone non riusciva a capire cosa mai avesse voluto dire don Camillo con la faccenda della guardia che muore ma non si arrende.

Un fatto però era certo: adesso, sapendo che don Camillo rimaneva là gli pareva che il paese fosse molto meno allagato.

IX ⁄ Ognuno al suo posto

Il Maroli era un vecchio come il cucco e ridotto a un sacco d'ossa: però, quando ci si metteva, riusciva a essere testardo con la forza di un giovanotto di venticinque anni.

Il giorno in cui le cose si misero davvero male, anche i due figli del Maroli, buttata sui carri la roba più importante, si prepararono a lasciare la casa con tutta la tribù: ma il vecchio rispose che lui non si muoveva.

— Questa è casa mia e resto qui.

I due uomini cercarono di convincerlo, gli spiegarono che tutto il paese sloggiava perché l'acqua da un momento all'altro poteva spaccare l'argine, ma il Maroli scosse il capo:

— Non mi muovo. Sono malato. Voglio morire qui, in casa mia! Voglio morire in questo letto dove è morta la mia donna.

Tentarono le due nuore, ma il vecchio era duro come la ghisa.

E così, a un bel momento, il più anziano dei due figli si avvicinò al letto:

— Basta! — gridò. — Tu prendilo dall'altra parte e voi due dai piedi. Lo portiamo giù con tutto il materasso.

— Via di qui! — urlò il vecchio.

Ma già gli erano tutti attorno e avevano agguantato il materasso per sollevarlo, ed era una roba da niente sollevare il materasso perché il vecchio Maroli, così spolpato, non pesava più di un ragazzo.

Il vecchio agguantò per il petto il figlio più anziano e cercò di respingerlo. Però l'uomo era già imbestialito e, afferrate le mani del padre, se le strappò di dosso, e con rabbia buttò il Maroli sul letto, e lo tenne inchiodato giù urlando:

— Piantatela di fare il matto o vi spacco la testa!

Il vecchio cercò disperatamente di svincolarsi, ma era come se avesse addosso un macigno, e l'angoscia lo prese.

Vide sopra di sé tanti occhi e tutti erano occhi cattivi: quelli dei figli, quelli delle nuore, quelli dei due nipoti più grandi. Ma, in un angolo della stanza scoperse due occhi diversi dagli altri e allora ansimò:

— Rosa!... Rosa!...

Ma che aiuto poteva dargli una povera disgraziata ragazza di sì e no dodici anni?

— Rosa! — ansimò ancora il vecchio.

La ragazza balzò contro l'uomo che teneva inchiodato sul letto il vecchio e pareva una gatta rabbiosa. Ma dieci mani l'agguantarono e la buttarono da parte riempiendole la testa di scapaccioni.

— Via, stupida! Via, matta!

Il vecchio aveva la bava alla bocca per la rabbia:

— Matti siete voi! — urlò. — Matti e vigliacchi! Se ci fosse suo padre non mi trattereste così!

Ma il padre della Rosa era ormai terra nella terra da un sacco d'anni e anche la madre della Rosa era morta. Il padre della Rosa era il più in gamba di tutta la banda e, quando gli era mancato quel figlio, al vecchio Maroli era venuto il mal di cuore.

— Adesso ci siamo noi, — sghignazzò il figlio più anziano, — e voi farete quello che vogliamo noi. Spicciamoci.

Dieci mani impazienti afferrarono il materasso e lo sollevarono dal letto mentre con le sue grosse zampe nere il figlio più anziano impediva al vecchio di agitarsi.

In quel momento si udì la voce della Rosa.

— Lasciatelo stare o tiro!

Una doppietta carica tra le mani di una ragazza fa più paura di un mitra tra le mani di un uomo. E poi la Rosa, oltre ad essere una ragazza, era matta: e allora si capisce come pure essendo in sei (due uomini, due donne e due giovanotti) tutti si trovarono d'accordo che era meglio lasciar stare il vecchio.

Rimisero giù il materasso e l'uomo che teneva il vecchio ritirò le zampe.

— Via, o tiro! — disse la ragazza.

La banda rinculò verso la porta e, quando furono usciti, la ragazza andò a chiudere col catenaccio.

— Vi farò venire a prendere dai carabinieri e dagli infermieri dell'ospedale, — urlò il figlio più anziano dalle scale.

Il vecchio non si turbò:

— Badate bene di stare zitti perché, se si avvicina qualcuno, dò fuoco alla casa! — minacciò il Maroli.

Tra il fabbricato rustico e il civile c'era la « porta morta » e, sopra la « porta morta » la camera del vecchio, che univa il rustico al civile e, dalla parte opposta al civile, confinava col fienile. L'aveva voluta lui, quella stanza che di solito serve da granaio, perché aveva fatto fare un buco nel pavimento e così poteva vedere le bestie che dalla stalla andavano a bere alla vasca della «porta morta» e poteva seguire tutto il movimento della gente e della roba che entrava e usciva. Il fienile era gonfio di foraggio secco e bastava legare uno stoppino a un bastone e sporgersi un momentino dalla finestra della stanza del vecchio per dar fuoco al foraggio in due minuti.

La minaccia del vecchio fece venire il sudor freddo a tutti. Il vecchio aveva una lucerna, una fiasca piena di petrolio, una doppietta carica e una pazza scatenata a sua disposizione.

— Vi lasceremo tranquillo! — dissero allora dalla scala.

E il vecchio ridacchiò:

— Vi conviene!

Arrivati sull'aia, una delle nuore ebbe l'idea sottile e, dopo aver strizzato l'occhio agli altri, gridò rivolta verso la finestra del vecchio:

— Se voi volete rimanere, fate pure; ma non avete il diritto di esporre la ragazza al pericolo dell'inondazione! Se veramente le volete bene, la dovete lasciar venire con noi!

Il vecchio rimase soprapensiero qualche istante. Poi si rivolse alla ragazza:

— Rosa, qui c'è pericolo perché viene l'acqua. Se vuoi andare, va.

La ragazza fece di no con la testa e, affacciatasi alla finestra, tirò a sé le imposte e le chiuse col catenaccio.

— Che Dio li strafulmini tutt'e due! — borbottò la donna che aveva tentato il colpo mancino.

I giovanotti osservarono che, alla fine, se quei disgraziati fossero crepati tutt'e due, sarebbe stato un affare per tutti.

I figli del Maroli erano cupi e non dissero niente. Ma quando si trovarono sull'argine assieme alla loro roba, guardarono la casa, e il più vecchio disse con rabbia:

— Passerà anche questa. Però quando torniamo mettiamo tutto a posto una volta per sempre. Lui all'ospedale e lei in manicomio.

Il fratello approvò:

— Stavolta non la scappano.

* * *

Il vecchio e la ragazza rimasero soli nella casa abbandonata e nessuno sapeva che essi fossero là.

Appena fu sicura che tutti erano andati, la ragazza scese a chiudere col catenaccio tutte le porte e a dare il rampone alle finestre.

Nelle stanze del primo piano e nel granaio, roba da mangiare ce n'era: il vecchio fece riempire di tutto l'occorrente la stanza. Disse alla ragazza di portar su una damigiana vuota e, un secchiello alla volta, la ragazza la riempì d'acqua che andava a pompare in cucina.

La ragazza, quando venne la sera, aveva le ossa rotte e si coricò per terra, su un materasso.

— C'è il pericolo che quei disgraziati tornino stanotte, — borbottò il vecchio. — Tu dormi tranquilla perché io non dormo. Se sento qualche cosa ti chiamo.

Rimase seduto sul letto, con la doppietta fra le mani: ma nessuno si fece vivo.

Poi, la mattina seguente, il fiume si trovò la via sotto l'argine e l'acqua arrivò nell'aia.

— Adesso possiamo stare tranquilli, — disse il vecchio.

Verso le undici sentirono suonare la campana e il vecchio mandò la ragazza a guardare dall'abbaino.

La ragazza stette su parecchio e quando tornò spiegò:

— La porta della chiesa è aperta e c'è acqua dappertutto. L'argine è pieno di gente.

Alle tre, la ragazza, che era ritornata a far la guardia, corse giù:

— C'è una barca con della gente che gira da una casa all'altra! — gridò.

Il Maroli sospirò:

— Rosa, se vuoi andare, va.

— Se vengono a prenderci diamo fuoco al fienile! — rispose la ragazza.

La barca passò anche nell'aia della casa del Maroli e la ragazza stette a spiare dalla fessura della finestra.

— C'è su quello grosso che fa il fabbro e ha sempre il fazzoletto rosso, — spiegò al vecchio.

Si udì la voce di Peppone:

— Ohei! C'è ancora qualcuno qui?

Il vecchio e la ragazza trattennero il respiro e la barca si allontanò:

— Si vede che hanno avuto paura e non hanno detto niente a nessuno, — borbottò il vecchio. — Adesso staremo in pace.

Don Camillo si svegliò di soprassalto e si trovò al buio. Aveva dormito tutto il pomeriggio perché era stanco morto e adesso era già sera. Andò a spalancare la finestra e, in fondo, sull'orizzonte di quella gran distesa d'acqua che pareva il mare, c'era una riga di tramonto, sottile sottile, come se l'avessero segnata col lapis rosso.

Si sentì oppresso da quell'enorme silenzio. Ricordò le finestre illuminate come una cosa lontana, quasi un sogno. Adesso tutte le case erano buie e l'acqua arrivava a ottanta centimetri dal soffitto del pianterreno.

Udì l'ululato lontano di un cane e, improvvisamente, pensò a Ful.

Dov'era Ful? Dove si trovava al momento in cui l'acqua aveva invaso il paese?

L'ululato continuava e, più che di lontano, pareva venire da sottoterra, e gli dava un'angoscia che aveva qualcosa della paura.

L'ululato non smetteva e pareva venisse proprio di sotto i piedi di don Camillo.

Allora don Camillo accese la lucerna e, trovato un pezzaccio di ferro, si inginocchiò e cavò un mattone del pavimento. Poi ne cavò altri e Ful era lì sotto che ululava su una zattera. Una zattera che poi era semplicemente una tavola rovesciata.

L'acqua l'aveva sorpreso fuori di casa. E quando, Dio sa come, Ful era andato a casa, l'acqua arrivava al metro e ottanta: così Ful era entrato per la porta trovandosi nella saletta. Poi, rapidamente, l'acqua era salita coprendo la porta e Ful si era trovato prigioniero. Ma la grossa tavola che don Camillo non aveva potuto portar su l'aveva salvato perché si era capovolta trasformandosi in una zattera. A un bel momento l'acqua si era fermata e Ful da un pezzo era lì che aspettava un aiuto dal cielo o, almeno, dal soffitto.

Don Camillo lo cavò fuori dal buco del pavimento e Ful era tanto bagnato e tanto soddisfatto che don Camillo si trovò fradicio come se fosse rimasto mezza giornata sotto la pioggia.

Era l'ora di andare a suonare le campane per l'Ufficio serale. Don Camillo, con un pigiatoio e quattro fusti vuoti che funzionavano da galleggiante, s'era costruito una specie di Bucintoro col quale poteva navigare tranquillamente.

Salì sul Bucintoro ed entrò in chiesa. Giunto ai piedi del Cristo crocifisso - l'altare era già tutto coperto - si inginocchiò.

— Gesù, perdonate se adesso l'altare l'ho fatto sul campanile e celebrerò di lassù: una inondazione è un po' come una guerra e io oggi mi sento cappellano presso un reparto combattente e così ho tirato fuori il mio vecchio altarino da campo.

Il Cristo sospirò:

— Don Camillo, cosa fai tu qui? Il tuo posto non è fra la tua gente?

— Gesù, la mia gente è qui: i corpi sono lontani ma col cuore essi sono tutti qui.

— Don Camillo, le tue braccia sono forti e restano qui inoperose mentre potrebbero servire ad aiutare i più deboli.

— Gesù, — rispose don Camillo, — io li aiuto tutti, stando qui: e con la voce di queste campane tengo viva la speranza della gente lontana. La speranza e la fede.

Don Camillo ormeggiò il Bucintoro sotto la finestra della camera da letto, salì e si mise a letto. E dormì parecchio perché quel silenzio sconfinato pesava sul cervello e lo intorpidiva.

Lo svegliò d'improvviso l'abbaiare di Ful. Ful era in allarme e si avventava verso la finestra.

Don Camillo agguantò la doppietta e, senza accendere la luce, socchiuse le imposte. Qualcuno lo chiamava e allora don Camillo accese la torcia elettrica ed esplorò l'acqua sotto la finestra.

Dentro una grande bigoncia c'era un fagotto di stracci che si muoveva.

— Chi sei?

— Sono la Rosa dei Maroli, — disse il fagottello di stracci. — Il nonno vuole vedervi.

— Il nonno?

Don Camillo si calò dalla finestra, caricò la ragazzina sul Bucintoro e, lavorando con un lungo palo, si mise a navigare.

— Cosa fai tu qui, in nome del cielo?

— Il nonno ha voluto rimanere e io gli ho tenuto compagnia. Gli altri non volevano che il nonno restasse e gli facevano del male. Ma io sapevo dove era lo schioppo...

— Sei rimasta e non hai avuto paura?

— No: c'era il nonno. E poi si vedeva la luce in casa vostra e poi si sentiva la campana.

*   *   *

Il vecchio Maroli era alla fine.

— Mi volevano far morire come un cane in un ospedale... — ansimò. — Io voglio morire come un cristiano, nella mia casa... Matto! Dicevano che sono matto!... Dicono che anche lei è matta!...

La ragazza, immobile e muta, fissava il vecchio.

— Rosa, — ansimò il vecchio, — è vero che tu sei matta?...

— Mi fa male la testa, delle volte e allora non capisco più bene... — disse timidamente.

— Le fa male la testa, ecco! — disse il vecchio. — Quando era piccolina è caduta contro un sasso... Adesso ha un osso che le preme il cervello... L'ha detto quel professore... A me lo ha detto... Con una operazione sarebbe tutto andato a posto... Ma io mi sono malato e l'operazione costa e gli altri non vogliono spendere... Al manicomio la vogliono mandare! Gli dà fastidio!...

Don Camillo intervenne:

— Calmatevi, sono qui io.

— ...Voi le farete fare l'operazione, — disse il vecchio. — Tiratemi da parte il letto... Ecco, lì nel muro... In fondo! Togliete quel mattone rigato...

Don Camillo cavò il mattone e trovò un sacchetto che pesava come il piombo.

— Oro! — ansimò il vecchio! — Roba d'oro... Marenghi d'oro... Roba mia!... Tutto per lei!... Fatele fare l'operazione, mettetela in casa di qualche persona per bene che la istruisca... Gli faremo vedere noi se siamo matti o no! È vero, Rosa?

La ragazza fece di sì con la testa.

*   *   *

Era già l'alba quando don Camillo si levò in piedi: il vecchio Maroli era morto da cristiano, e la ragazza era lì che guardava con occhi sbarrati il nonno immobile.

— Adesso vieni con me, — disse don Camillo con dolcezza. — Nessuno farà più arrabbiare il tuo nonno. E nessuno farà più arrabbiare anche te.

La ragazza lo seguì.

A casa Ful aspettava abbaiando, sul davanzale della finestra del primo piano : il Bucintoro attraccò e don Camillo fece salire la bambina.

— Bùttati nel primo letto che trovi e dormi tranquilla.

Poi don Camillo navigò col Bucintoro verso la chiesa e, quando fu davanti all'altar maggiore guardò su :

— Gesù, — disse, — avete sentito? Lo ha detto lei : non aveva paura perché vedeva la luce della mia finestra e sentiva la campana... Non è pazza: il fatto è che è caduta da piccola. Con l'operazione guarirà!...

— Anche tu sei caduto da piccolo, povero don Camillo, — rispose il Cristo sorridendo. — Ma tu non guarirai mai... E così ascolterai sempre più il tuo cuore che il tuo cervello... Che Iddio ti conservi intatto quel benedetto cuore.

La campana suonò a morto, ma nessuno l'udì perché il vento cancellò subito tutto.

IL PELLEROSSA

Quell'anno il Carnevale si presentò nel modo migliore perché il tempo era straordinario e così arrivò gente da tutte le parti. I carri e le mascherate venute da fuori furono anche moltissimi e un corso uguale a quello non lo si era visto mai.

Come di consueto, il lungo corteo dei carri e delle maschere in gruppo o isolate, sfilò tre volte attraverso il paese. E Peppone, che stava sul palco delle autorità, al secondo giro notò, fra le maschere isolate, un pellerossa in motocicletta. Quando il pellerossa fu passato, Peppone si domandò come mai avesse notata quella maschera invece di un'altra: ripensandoci, il pellerossa non aveva proprio niente di straordinario. Era un comune pellerossa con un gran naso di cartone e un gran casco di penne di gallina in testa. L'abito poi era banalissimo. Peppone concluse che egli doveva aver notato il pellerossa semplicemente perché gli ricordava qualcuno o qualcosa. Già: gli ricordava un famoso cartello *réclame* delle motociclette «Indian».

Al terzo giro Peppone controllò se la sua posizione era esatta. Non c'era dubbio: il pellerossa gli ricordava la *réclame* delle motociclette «Indian». Però il pellerossa non stava a cavalcioni di una motocicletta «Indian». Si trattava di una «BSA». Una vecchia «BSA».

Peppone, nel campo dei motori di motocicletta, era esattamente come quegli intenditori di musica che, appena gli fate sentire tre note, vi sanno dire subito il nome del compositore e il titolo dell'opera. Peppone non poteva sbagliarsi perché, oltre al resto, quella motocicletta l'aveva avuta tra le mani duecento volte. Quella era la vecchia «BSA» di Dario Camoni.

E immediatamente una domanda si affacciò alla mente di Peppone: chi si nascondeva sotto le spoglie del pellerossa in sella alla vecchia «BSA» di Dario Camoni?

Peppone lasciò il palco e avanzò faticosamente tra la folla cercando di mantenersi sempre all'altezza del pellerossa. Durante una brevissima sosta del corteo, il pellerossa volse il capo dalla parte di Peppone e gli occhi del pellerossa incontrarono gli occhi di Peppone.

Allora Peppone non ebbe più nessun dubbio: sulla vecchia «BSA» di Dario Camoni, stava Dario Camoni. Anche se sono acquattati dietro un finto naso di cartone, due occhi come quelli di Dario Camoni si riconoscono sempre.

Peppone seguì passo passo il corteo tenendo gli occhi inchiodati sul pellerossa: e non c'era ostacolo che potesse fermare Peppone quando Peppone faceva la marcia del *Panzer*. Compiuto il terzo giro e arrivato al grande spiazzo fra il paese e l'argine, il corteo si sciolse, ma c'era un tale putiferio di gente, di carri, di birocci, di camion eccetera che il pellerossa motociclista non poté neppure pensare a tagliar la corda. L'unica via che gli rimaneva aperta riconduceva indietro, verso la piazza: ormai si era accorto che Peppone lo seguiva e non esitò. A costo di tirare sotto qualcuno, ritornò indietro. Ma, fatti pochi metri, si trovò la strada bloccata da un carro e dovette deviare a destra con Peppone che gli ansimava alle spalle.

Il sagrato era sgombro completamente: si buttò accelerando per il viottolo che girava dietro la chiesa. E così, dopo dieci metri, riusciva a malapena a inchiodare la macchina per non investire don Camillo che stava fumando il suo mezzo toscano seduto davanti alla porta della canonica.

Un tempo la viottola, arrivata davanti alla canonica, girava a destra e andava ad allacciarsi alla strada che portava sull'argine. Ma da qualche anno il passaggio era stato chiuso.

Don Camillo, vedendosi davanti quella diavoleria, rimase come rimbambito. Poi si levò in piedi col fermo intento di agguantare per lo stomaco il pellerossa e di sbatacchiarlo contro il muro. Ma non fece in tempo: vista la porta aperta, il pellerossa mollò per terra la motocicletta e si infilò in canonica.

In quel preciso momento arrivò Peppone e anche lui, senza darsi la minima cura di don Camillo, puntò diretto verso la porta della canonica. Ma il suo slancio si infranse contro il massiccio torace di don Camillo.

— E allora? — gridò don Camillo. — Prima

un pellerossa quasi mi salta addosso con la moto, adesso mi investe un sindaco a piedi. Cos'è? Una mascherata allegorica?

— Reverendo, — ansimò Peppone, — fatemi entrare. Devo arrangiare un conto con Dario Camoni!

— Camoni? E cosa c'entra?

— Il pellerossa è lui! — disse a denti stretti Peppone.

Don Camillo con uno spintone buttò indietro Peppone, entrò e chiuse col catenaccio.

Il pellerossa aspettava seduto in tinello. Don Camillo gli si avvicinò e gli tolse il naso di cartone.

— Sì, sono io! — esclamò il pellerossa alzandosi in piedi. — Sono io. E con questo?

Don Camillo si sedette dietro la sua scrivania e riaccese il mezzo toscano.

— Con questo, niente, — spiegò calmo dopo aver cavato dal sigaro due o tre boccate di fumo. — Comunque sarebbe meglio che, invece di Dario Camoni, tu fossi davvero un pellerossa.

*   *   *

Nel 1922, Dario Camoni aveva diciassette anni e un programma preciso: liquidare i conti coi rossi che, alla fine del '19, quando Dario Camoni aveva quattordici anni, gli avevano legnato il padre davanti agli occhi.

Dario Camoni era robusto, ma soprattutto era un fegataccio. Quando ingranava la quarta, i suoi occhi facevano senza parlare dei discorsi straordinariamente convincenti.

Peppone era di qualche anno più vecchio e alto

almeno una spanna di più di Dario ma, quando si vedeva addosso quei maledetti occhi, girava alla larga.

Una sera Peppone stava chiacchierando colla sua ragazza, sul ponticello della casa di lei, quando era arrivato in bicicletta Dario Camoni.

— Mi dispiace di disturbare, — aveva detto Dario scendendo dalla bicicletta e avvicinandosi. — Ma ho ricevuto un'incombenza.

Poi aveva cavato fuori di saccoccia un grosso bicchiere e una boccetta e, posato sulla spalletta del ponte il bicchiere, l'aveva riempito col contenuto della boccetta.

— Mi ha incaricato il dottore di dirti che hai bisogno di una purghetta perché sei imbarazzato di stomaco, — aveva spiegato Dario Camoni facendo un passo indietro e mettendo la mano nella tasca destra della giacca.

Un bicchiere così grosso d'olio di ricino era qualcosa di spaventoso e Dario Camoni aveva spiegato:

— Bevi perché, nel tenere la boccetta in tasca, mi si è unta la canna della pistola e non vorrei che mi scivolasse via qualche colpo. Se per te la dose è troppo forte, non fa niente: quello che non bevi tu vuol dire che lo beve la tua bella. Conto fino a tre. Uno... due...

Peppone aveva agguantato il bicchiere tracannando l'olio fino all'ultima goccia.

— Bene, — aveva concluso Dario risalendo in bicicletta. — Cerca di non pestare più i calli alla gente perché la prossima volta può andare peggio.

Peppone riuscì a mandare giù l'olio di ricino, ma non riuscì mai a mandar giù la mascalzonata.

Perché, poi, era una mascalzonata spaventosa in quanto il Dario gli aveva fatto bere l'olio davanti alla ragazza. In seguito, Peppone aveva sposato la ragazza, ma questo aveva peggiorato le cose anziché migliorarle. Perché, ogni volta che Peppone faceva la voce grossa con sua moglie, la donna gli diceva:

— Certo che, se ci fosse qui il tipo che ti ha purgato quella sera, non faresti tanto lo spavaldo!

Peppone non aveva mai mandato giù quella mascalzonata. Né, del resto, l'aveva mandata giù don Camillo.

Perché, in quel lontano 1922, don Camillo che era un pretino appena sfornato ma non era per niente impappinato, una volta, durante la predica, fece una fiera filippica contro i violenti in genere e, in particolare contro i bulli che vanno in giro a far bere le porcherie alla gente. E così, una notte, qualcuno lo fece scendere perché c'era un poveretto che stava male e aveva bisogno dell'Olio Santo.

Arrivato giù, don Camillo trovò Dario Camoni che, con una « Mauser » nella destra e un grosso bicchiere d'olio di ricino nella sinistra, gli spiegò:

— Il poveretto che ha bisogno dell'olio siete voi, reverendo. Mandatelo giù anche se non è santo. Dato che bisogna avere dei riguardi speciali per il clero, invece di contare fino a tre, conterò fino a quattro.

Don Camillo mandò giù la sua spettanza di olio di ricino.

— Vedrete, reverendo, come vi rischiarerà le idee. Caso mai l'olio di ricino non vi giovasse e voleste proprio l'Olio Santo, non avete che a continuare a impicciarvi dei fatti nostri.

Don Camillo, anche lui come Peppone, aveva mandato giù l'olio, ma l'azione non era riuscito a digerirla.

— Gesù, — aveva detto parecchie volte al Cristo. — Se mi avesse dato un sacco di legnate sarebbe un'altra cosa. Anche se mi avesse spaccato la zucca. Ma l'olio di ricino no! Un sacerdote lo si ammazza, non lo si purga!

Il tempo era passato: Dario Camoni era rimasto a far il militante fino a quando si era trattato di pestare; poi si era ritirato e non si era più impicciato di politica.

Ma troppa gente aveva spazzolato e lubrificato, e così, a più di vent'anni di distanza, quando nel 1945 era accaduto il ribaltone, Dario Camoni aveva dovuto tagliare la corda e abbandonare il paese.

E Peppone gli aveva mandato a dire che, se si faceva vedere ancora in paese, ci avrebbe rimesso la ghirba.

Dario Camoni non si era visto mai più in paese, ed erano passati ancora degli altri anni: ed ecco che era ritornato vestito da pellerossa.

*　　*　　*

— Mi piacerebbe sapere come mai ti è venuto in testa di combinare una cosa di questo genere, — disse don Camillo.

— Sono quasi sei anni che manco dal paese, — borbottò il pellerossa. — Mi è venuta voglia di rivederlo. Mascherandomi era l'unico modo per poter girare in su e in giù senza dare nell'occhio. Non mi pare che fosse pensata male.

Don Camillo sospirò:

— Triste situazione quella d'un pellerossa in motocicletta che, per difendersi da un sindaco a piedi, va a nascondersi in casa di un prete. Ad ogni modo stai tranquillo: qui sei quasi al sicuro. Certo che se, fra me e te non ci fosse quel famoso bicchiere d'olio di ricino, saresti più sicuro.

Il pellerossa sbuffò:

— Avete in mente ancora quella stupidaggine? Roba di quasi trent'anni fa. Ragazzate!

Don Camillo aveva intenzione di fare al pellerossa un lungo discorso ma, in quel momento, la porta si spalancò ed entrò Peppone.

— Scusate, reverendo, se mi sono permesso di entrare dalla finestra dell'orto, — borbottò Peppone. — Ma non avevo altro sistema perché tutte le porte sono chiuse.

Il pellerossa era balzato in piedi: Peppone aveva una gran brutta faccia, in quel momento. Inoltre stringeva nella mano destra una spranga di ferro e pareva fermamente deciso a volersene servire.

Don Camillo intervenne:

— Vediamo di non combinare una tragedia in pieno Carnevale, — esclamò. — Cerchiamo di rimanere calmi.

— Io sono calmissimo! — ridacchiò Peppone a denti stretti. — E non sono qui per combinare delle tragedie. Ho una incombenza.

Cavò dalla tasca due grossi bicchieri e li posò sulla tavola. Poi, mai perdendo d'occhio il pellerossa, cavò da un'altra tasca una boccetta e riempì i due bicchieri col contenuto di essa.

— Ecco, — disse ritraendosi e mettendosi davanti alla porta. — Mi ha incaricato il dottore di farti bere questo olio di ricino. Hai lo stomaco imbarazzato e ti farà bene. Spicciati perché questa spranga di ferro mi si è unta e ho paura che ti scivoli sulla zucca. Bevi tutt'e due i bicchieri: uno alla mia salute e uno alla salute del reverendo. È un omaggio che gli faccio io.

Il pellerossa era diventato pallido e si era addossato al muro.

Peppone si avanzò verso di lui e faceva davvero paura, in quel momento:

— Bevi! — urlò Peppone levando minacciosamente la spranga di ferro.

— No, — rispose il pellerossa.

Peppone si slanciò e lo agguantò per il collo.

— Berrai per forza, — urlò Peppone.

Ma il pellerossa aveva la faccia e il collo unti di cerone e riuscì a svincolarsi. Balzò dietro la tavola e Peppone e don Camillo si accorsero del fatto quando era troppo tardi: il pellerossa aveva agguantato la doppietta appesa al muro e ora la puntava contro il petto di Peppone.

— Non fare il pazzo! — urlò don Camillo, tirandosi da parte. — È carica!

Il pellerossa avanzò verso Peppone.

— Butta la stanga! — disse il pellerossa con voce dura.

Gli occhi del pellerossa erano diventati quelli del Dario Camoni di trent'anni fa. Se ne accorsero tutt'e due, Peppone e don Camillo, perché se li ricordavano benissimo. Capirono che Dario Camoni avrebbe sparato.

Peppone lasciò cadere la spranga.

— E adesso bevi! — disse a denti stretti il pellerossa a Peppone. — Conterò fino a tre: uno... due...

Era la stessa voce d'allora, erano gli stessi occhi pazzi d'allora. Peppone afferrò uno dei due bicchieri colmi d'olio e bevve.

— E adesso vattene di dove sei venuto! — ordinò il pellerossa.

Peppone uscì e il pellerossa chiuse col chiavistello la porta del tinello.

— Vengano pure, — disse il pellerossa. — Io ci rimetterò la pelle ma non andrò all'inferno solo.

Don Camillo accese il suo mezzo toscano.

— Basta con le pagliacciate, — disse don Camillo. — Rimetti giù lo schioppo e togliti dai piedi.

— Andatevene voi, piuttosto, — rispose con voce dura il pellerossa. — Io li aspetto qui.

— Non ti conviene, pellerossa. A parte il fatto che i visi pallidi non verranno, come puoi difenderti con uno schioppo scarico?

— Vecchia! — ridacchiò il pellerossa. — Non mi avrete preso per un ragazzino.

Don Camillo andò a sedersi nell'angolo opposto.

— Io mi seggo qui, — disse. — Tu guarda.

Il pellerossa aprì un momentino le canne e diventò pallido. La doppietta era vuota.

— Rimetti a posto lo schioppo, — disse tranquillo don Camillo. — Togliti il travestimento, poi esci dalla parte dell'orto e prendi i campi. Se allunghi il passo arrivi a salire sulla corriera a Fontanile. La moto la metterò io al riparo. Poi tu mi dirai dove te la devo mandare, o mandala tu a prendere.

Il pellerossa depose la doppietta sulla tavola.

— Inutile che ti guardi attorno per cercare la cartuccera, — spiegò tranquillo don Camillo che, inforcati gli occhiali, si era messo a leggere il giornale. — La cartuccera è chiusa dentro l'armadio e la chiave dell'armadio l'ho in tasca io. Ti avverto che, se non ti sbrighi, mi fai venire in mente quell'aperitivo che mi hai offerto la volta di cui si parlava.

Il pellerossa si strappò di dosso gli stracci del travestimento e con essi si ripulì la faccia dal cerone. Aveva in tasca una berretta e se la calcò in testa.

Intanto era scesa una nebbiolina che pareva fatta apposta per uno che dovesse tagliar la corda. Dario Camoni si avviò per uscire: arrivato sulla porta si volse, ristette un momento poi tornò indietro deciso.

— Paghiamo i debiti, — disse.

E, afferrato il bicchiere ch'era rimasto pieno fino all'orlo d'olio di ricino, lo tracannò.

— Pari? — domandò il Camoni.

— Pari, — rispose don Camillo senza levare la testa.

L'uomo scomparve.

*   *   *

Sul tardi arrivò, pallidissimo, Peppone.

— Spero che non sarete tanto infame da andare a raccontare in giro quello che mi è successo! — disse cupo Peppone.

— Me ne guardo bene, — rispose con un sospiro don Camillo indicandogli la tavola. — Uno lo hai bevuto tu, ma l'altro, poi, lo ha fatto bere a me, quel dannato!

Peppone si sedette.

— È andato? — domandò.

— Sparito.

Peppone rimase un pochetto a guardar per terra in silenzio:

— Cosa volete che vi dica, — borbottò Peppone alla fine. — In fondo è stato un po' come ritornar giovani. Come ritornare a trent'anni fa...

— Davvero, — sospirò don Camillo. — Quel pellerossa ci ha portato un soffio di giovinezza...

Peppone ebbe uno scatto di ribellione.

— Stai calmo, Peppone, — lo consigliò don Camillo. — Puoi compromettere la tua dignità di sindaco.

Peppone se ne andò con passo molto cauto e don Camillo si recò a fare il suo rapporto al Cristo crocifisso:

— Gesù, — spiegò don Camillo, — come potevo agire altrimenti? Se avessi detto che lo schioppo era scarico, Peppone avrebbe massacrato quel disgraziato pellerossa senza riuscire a fargli bere l'olio perché i Camoni hanno la zucca di ghisa. Così, senza nessuna violenza, il pellerossa si è bevuto il suo olio compiendo anche un gesto che voi vorrete tenere nella giusta considerazione. E, sacrificando il mio orgoglio personale, ho evitato di umiliare Peppone.

— Don Camillo, — replicò il Cristo. — Quando il pellerossa ha intimato a Peppone di bere l'olio, tu che sapevi bene come il fucile fosse scarico, potevi intervenire.

— Gesù, — sospirò don Camillo allargando le braccia. — Ma se poi Peppone si accorgeva che lo schioppo era scarico e non beveva l'olio?

— Don Camillo, — rispose severamente il Cristo, — meriteresti che facessero bere anche a te un grosso bicchiere d'olio di ricino.

Pare che don Camillo, mentre usciva, borbottasse che quelli erano ragionamenti da squadrista. Ma non è una cosa sicura.

Comunque, don Camillo appese in tinello, vicino alla doppietta, come trofeo, il casco di piume del pellerossa e, ogni volta che lo guardava, pensava che si può fare ottima caccia anche con uno schioppo scarico.

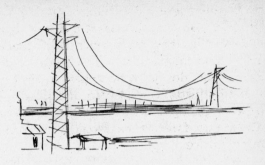

IL PILONE

Il maestro nuovo era un giovanotto timido e, quando la seconda A venne improvvisamente invasa da Peppone e dalla banda dei consiglieri comunali, diventò smorto.

— Continui pure la sua lezione, — gli disse Peppone. — Siamo curiosi di vedere che differenza c'è fra l'insegnamento di adesso e quello dei nostri tempi.

Il maestrino continuò a balbettare la lezione interrotta: ma, siccome si trattava dei primi elementi di geografia, Peppone trovò che, in fondo, era una faccenda analoga a quella dei tempi suoi e ne fu soddisfatto.

— Molto bene, — esclamò Peppone alla fine. — Adesso, col permesso del signor maestro, vorrei sentire cosa sanno questi ragazzi.

I venticinque scolaretti, con le mani dietro la schiena, erano lì immobili e respiravano pianino pianino, tutti con gli occhi piantati su Peppone.

Peppone con aria assai truce squadrò la ciurma, poi il suo sguardo si fermò sul terzo banco della fila di mezzo.

— Sentiamo un po' quello lì, — disse puntando l'indice sul ragazzino di sinistra. — Quanto fa tre per sei?

Il ragazzino abbassò la testa e incominciò a dimenare le spalle, ma il maestro intervenne:

— Presto, alzati e rispondi al signor sindaco quanto fa tre volte sei...

Il ragazzino si alzò e, sempre a testa bassa rispose: — Diciotto.

— Benissimo! — tuonò Peppone. — E sei per sette quanto fa?

— Trentadue, — rispose il ragazzino.

Peppone allargò le braccia.

— Bella figura mi fai fare! — esclamò. — Il figlio del sindaco non sa quanto fa sei per sette! Scommetto che, invece, il tuo compagno di banco lo sa benissimo! Dimmi un po', tu: quanto fa sei per sette?

Il ragazzino che sedeva a fianco del figlio di Peppone si alzò e stette lì impalato, con gli occhi bassi e la bocca chiusa.

— Presto, rispondi! — intervenne il maestro. — Sei volte sette!

Il ragazzino fece segno di no con la testa.

— Non lo sai? — domandò irritato il maestro.

— Lo so, — borbottò il ragazzino.

— E se lo sai perché non rispondi al signor sindaco?

— Perché lui ha picchiato mio papà, — affermò il ragazzo sempre con lo sguardo fisso al pavimento.

Peppone credette di non aver capito.

— Cosa stai dicendo? — balbettò.

Il ragazzino abbassò lo sguardo poi fissò ancora in faccia a Peppone:

— Sì, — affermò, — tu hai picchiato mio papà. Gli hai fatto sanguinare la bocca. Ho visto io. Io ero con lui sul carro.

Il ragazzino abbassò lo sguardo poi fissò ancora negli occhi Peppone e disse con voce dura:

— Quando sono grande ti spacco la testa!

Peppone, il maestro e i consiglieri, come fulminati, guardavano sbalorditi il ragazzino: avevano occhi e pensieri solo per lui, come se non ci fosse che lui, nei banchi.

Ma, in quel momento, il figlio di Peppone, che era rimasto in piedi anche lui, si volse verso il compagno e gli disse: — Stupido!

L'altro, che intanto aveva abbassato la testa, gli rispose con una spallata. Il ragazzino di Peppone barcollò ed ebbe appena il tempo di aggrapparsi al banco.

Allora intervenne il maestro:

— Scartini! — gridò, — fuori dall'aula!

Sempre a testa bassa il ragazzino uscì di mezzo al banco: ma, prima di andarsene, borbottò al figlio di Peppone:

— Poi ci vediamo fuori.

E Peppone e gli altri lo sentirono.

Il giovane maestro era più impappinato che mai:

— Non riesco a capire... — balbettò. — È la prima volta che succede una cosa di questo genere...

Scartini: Peppone pensava che il compagno di banco di suo figlio era il bambino di Scartini.

« Quando sono grande ti spacco la testa », aveva detto a Peppone il figlio di Scartini. E il bambino di Peppone era diventato rosso rosso e gli aveva risposto: « Stupido! ». E poi l'urtone. E poi « ci vediamo fuori ».

Intanto il maestrino si affannava a scusarsi e ripeteva: « Li dividerò... Li dividerò... ».

E Peppone si sentiva, dentro, una voce che gli diceva: « È inutile: sono già divisi ».

*   *   *

Il ragazzino di Peppone, quel giorno, tornò a casa più tardi del solito e aveva i capelli in disordine ed era rosso in volto.

— Cos'hai fatto? — domandò Peppone.

— Niente. Abbiamo giocato un po'.

— Devi studiare meglio la tavola pitagorica! — affermò Peppone severamente. — Stai troppo in giro a vagabondare. E, quando esci da scuola, vieni immediatamente a casa!

— Sì, papà, — rispose il ragazzino.

Il giorno seguente il ragazzino fu puntuale e andò avanti bene per un paio di settimane. Poi, un sabato, il ragazzino tardò a ritornare e allora Peppone prese la bicicletta e si avviò verso la scuola.

La strada era deserta e, anche nei paraggi della scuola, non si vedeva anima viva. Continuò verso il fiume e arrivato sull'argine trovò don Camillo che, abbandonata la bicicletta sul ciglio della strada, stava dimenandosi e urlando. Con più precisione don Camillo stava facendo una paternale a due ragazzini e, siccome li aveva agguantati per la collottola, nei punti salienti del sermone, sbatteva le zucche dei ragazzini l'una contro l'altra.

Come arrivò Peppone, don Camillo gli consegnò uno dei ragazzini:

— Tieni il tuo bell'arnese e cerca di insegnargli a vivere da persona civile. Stavano rotolandosi in mezzo alla strada e, se non arrivavo io, si sarebbero scannati. Guarda qui come sono ridotti.

I due ragazzini avevano la faccia rigata dai graffi e i vestiti infangati e a pezzi. I quaderni e i libri giacevano sparpagliati un po' dappertutto.

Peppone non ebbe tempo di dir niente perché, in quel momento, arrivò sulla strada dell'argine un altro omaccio in bicicletta ed era lo Scartini.

Don Camillo gli consegnò il ragazzino rimastogli fra le mani, spiegandogli lo schifo che era successo e consigliandolo a educare meglio i figli.

Peppone, che aveva già insediato il suo ragazzino in canna alla bicicletta, lo rimise giù e gli disse con voce dura:

— Tu fila a casa immediatamente. Via!

Anche lo Scartini si liberò del suo ragazzo e gli ordinò di correre a casa. Così i due padri rimasero l'uno davanti all'altro a guardarsi con aria cupa, e don Camillo, messo fra i due, pareva un arbitro pronto a dare il segnale d'inizio della scazzottata.

Parlò per primo Peppone:

— Scartini, — disse Peppone, — i conti che ci sono fra me e te debbono rimanere fra me e te. La più gran mascalzonata che tu hai fatto è stata quella di montare la testa al tuo ragazzo. Se mio figlio e tuo figlio si picchiano è per colpa tua. Bada che se la cosa non torna come deve essere, io ti scanno!

Lo Scartini strinse i pugni:

— Peppone, i conti restano fra me e te, e un giorno chi deve pagare pagherà, — rispose a denti stretti. — Se tra mio figlio e tuo figlio succede quel che sta succedendo, la colpa è soltanto tua. Io non ho mai parlato né con lui né con nessuno di quello che è successo: ma il ragazzo era presente e ha visto quando tu, nella Strada Quarta, mi hai tirato giù dal carro e mi hai rotto la faccia. Era piccolo, ma certe cose si capiscono anche da piccoli e restano appiccicate alla mente per tutta la vita. La tua è stata la più gran vigliaccheria che un uomo possa commettere.

Peppone lasciò cadere la bicicletta e si avanzò minaccioso verso lo Scartini, e anche lo Scartini abbandonò la bicicletta e si mosse contro Peppone: ma don Camillo fece un passo avanti e si trovò in mezzo ai due:

— Fermi, disgraziati! — disse a bassa voce. — Voltatevi e guardate.

Sulla strada dell'argine, a cinquanta passi dietro le spalle di Peppone, stava fermo il ragazzino di Peppone, mentre il ragazzino di Scartini stava fermo in mezzo alla strada, dalla parte opposta, dietro le spalle di suo padre.

Peppone da una parte e lo Scartini dall'altra, lanciarono un urlaccio ai loro bambini. I bambini si allontanarono di corsa ma, dopo due minuti, erano già tornati al posto di prima e stavano lì fermi ad aspettare.

Era meglio fingere di non accorgersene. Peppone e lo Scartini tirarono su le loro biciclette e ripresero a parlare.

— Io non faccio mai vigliaccate, — disse Peppone. — Io, quando ti ho tirato giù dal carro, ti ho semplicemente restituite le sberle che tu mi avevi dato quando comandavate voi.

— La vigliaccata l'hai fatta picchiandomi davanti agli occhi del mio ragazzo, — rispose lo Scartini. — Io non potevo difendermi perché avevi il coltello per il manico tu...

— Come quando le hai date tu a me! — lo interruppe Peppone. — Io non ho pensato a tuo figlio. Non mi ricordo neanche di averlo visto. Io pensavo soltanto a saldare il conto.

Don Camillo intervenne:

— E adesso? Le avete prese tutt'e due e avete avvelenato il sangue di due innocenti.

*   *   *

Passò ancora del tempo e tutto pareva tranquillo, ma, un giorno, il ragazzino di Peppone tornò a casa con un enorme bernoccolo in testa.

— Quelli della sua parte, — spiegò il ragazzino mentre Peppone lo medicava, — ci hanno attaccato di sorpresa. Avevano tutti in tasca un sasso e ce lo hanno picchiato in testa... Ma adesso ce l'abbiamo anche noialtri.

Peppone mollò tutto: corse fuori e, saltato sulla bicicletta, pigiò come un dannato sui pedali.

« Stavolta », pensò, « la liquidiamo per sempre. Prendo per il collo lo Scartini e l'ammazzo di botte! ».

Non arrivò neppure sull'argine perché, improvvisamente, risentì le parole del suo ragazzino. Parole che aveva udito ma alle quali non aveva dato nessuna importanza perché, in quel momento, l'importante era il fatto che il figlio dello Scartini aveva picchiato con un sasso una botta in testa al suo bambino: «Quelli della sua parte... Adesso ce l'abbiamo anche noi altri...».

Non due bambini, ma due fazioni. L'odio si era moltiplicato, dunque. Peppone ritornò a casa e, passando davanti alla canonica, gli venne in mente la scena dell'argine: lui e lo Scartini di fronte, dietro i due ragazzini e, fra le due parti, don Camillo.

Entrò in canonica.

— Pare che la cosa si complichi, — spiegò Peppone. — Adesso ci sono due squadre...

— Due Partiti, — precisò don Camillo. — Uno comandato dal Peppone numero due e l'altro comandato dall'antipeppone numero due. Lo so: ma io non me ne intendo, di Partiti. Piuttosto tu, Peppone, tu che sei capo di un Partito, - almeno qui - come ti regoli per mantenere tranquilli i tuoi uomini e impedir loro di commettere violenze, soprusi e altre sciocchezze?

Peppone diventò rosso come se stesse per scoppiare.

— Non ti agitare, Peppone, — lo ammonì don Camillo. — La realtà è quella che è. Come potete pretendere voi, che insegnate l'odio agli uomini, voi che organizzate l'odio degli uomini, come potete pretendere che i vostri ragazzi rimangano immuni dal morbo infernale che voi diffondete? L'odio è un seme che tu getti nella terra fertile. Dal seme nasce la spiga, ogni granello della quale è un seme che, cadendo per terra, darà un'altra spiga. Sì, Peppone: io ho parlato, io parlerò a questi ragazzi: ma le mie sono povere parole che si disperdono nell'aria mentre i fatti restano. E i bambini credono più ai vostri atti di violenza che alle mie parole di bontà.

Peppone si avviò verso la porta.

— Peppone, — disse ancora don Camillo. — Il tuo vicino getta la mala erba nel tuo campo e tu la getti nel campo del tuo vicino. E, alla fine, il grano tuo e quello del tuo vicino muoiono perché, invece di estirpare la mala erba, tu e il tuo vicino vi preoccupate soltanto di gettare nuova mala erba l'uno nel campo dell'altro come se il male altrui fosse il vostro bene. Invece è male per tutti.

*   *   *

La piccola guerra continuò spostandosi da un argine all'altro, da una sterpaglia a un canneto e sfuggiva a ogni controllo. E così pareva che non ci fosse. Ma un giorno risuonò un grido di terrore nel paese.

Una turba di ragazzini impazziti scaturì d'improvviso come uscita dalla terra e traversò urlando le strade e la piazza, scomparendo poi nei vicoletti e nelle porte. E una parola soltanto rimase come sospesa nell'aria ferma di quel pomeriggio d'autunno: Ghiaione!

Il Ghiaione era una specie di cava di pietre, a mezzo chilometro dal paese. Una gran buca sassosa attorniata da uno spesso anello di gaggìa. La gente intese quella parola, sentì il terrore che era in quel grido e tutti corsero verso il Ghiaione.

Quando arrivò Peppone, quelli che già stavano sul posto fecero largo e Peppone si trovò davanti il suo ragazzino che era abbandonato nella sassaia, come morto, con la faccia piena di sangue.

Se lo portò a casa sulle braccia, con tutta la gente dietro e, quando il dottore disse che un grosso ciottolo aveva spaccato la testa al ragazzino e che la cosa era molto, molto grave, Peppone uscì di casa ed era pallido come chi sta per ammazzare.

Agguantò un grappolo di ragazzini e seppe quello che già sentiva: era stato il ragazzo dello Scartini.

Questa volta Peppone non si sarebbe fermato arrivando sull'argine: avrebbe proseguito. Nessuno l'avrebbe potuto fermare. Prese la via dei campi e non gli importava niente della mala erba di don Camillo: lo Scartini avrebbe pagato per suo figlio. Era stato lui a cominciare, era stato lui a gettare il seme che si era moltiplicato.

Peppone continuò a camminare e il suo passo era inesorabile, quando vide il pilone non provò nessun turbamento. Come uno che, moltiplicando tre per tre, ottiene nove.

La casa dello Scartini era a piè della breve salita che portava sull'argine. Di là dall'argine era piantato l'altissimo pilone in traliccio di ferro che faceva riscontro con altro identico pilone piantato dall'altra parte del fiume che qui si distendeva nella sua massima ampiezza. E i due aerei piloni servivano per far superare alla linea dell'alta tensione quella immensa campata.

Non era possibile sbagliare: per arrivare alla casa dello Scartini bastava camminare diritto verso il pilone.

La casa gialla dello Scartini gli apparve d'improvviso lì a venti metri: ma anche allora Peppone rimase impassibile.

Passò il ponticello, entrò nell'aia, ma lo Scartini

non c'era. L'aia era deserta: sentì delle voci oltre l'argine e si inerpicò.

C'era, dall'altra parte dell'argine, un gruppo di persone e Peppone cercò fra esse lo Scartini.

Una vecchia gli si avvicinò:

— Mio Dio, mio Dio, — gemette la vecchia. — Non credevo mai di dover vedere uno spavento del genere.

— Cos'è successo? — domandò Peppone assente, cercando sempre il viso dello Scartini.

— Il figlio dello Scartini, un ragazzino di otto anni, ha tirato un ciottolo nella testa di un altro ragazzino e lo ha ammazzato, pare. Allora la paura gli ha fatto perdere la testa e adesso eccolo là!... Gesummaria!

Peppone levò gli occhi e lassù, aggrappato a una sbarra del traliccio, stava il ragazzino e aveva passato già la metà del pilone. E guardava giù, e il suo terrore era tale che lo si capiva anche se non si potevano vedere i suoi occhi.

La gente era spostata tutta indietro, al piede dell'argine, vicino alla base del traliccio stava soltanto lo Scartini che guardava in su e urlava:

— Mario, vieni giù, non ti fa niente nessuno... Mario non aver paura, nessuno ti vuol fare del male... Se non ti senti di venir giù fermati lì, ti vengo a prendere io...

Ma appena il padre faceva un passo avanti, il ragazzino riprendeva a salire. E allora il padre tornava indietro e gli diceva:

— Mario stai lì dove ti trovi... Non salire più... Adesso mandiamo via tutti... Rimaniamo soltanto noi due...

Il ragazzo non rispondeva e continuava a guardare con occhi sbarrati tutt'attorno, come se temesse l'arrivo di qualcosa di terribile. E non si riusciva a capire di che cosa si trattasse.

Peppone guardò quell'uccelletto spaurito, aggrappato lassù, e sentì una pena immensa, più ancora che se lassù ci fosse stato suo figlio.

Intanto il ragazzino continuava a spiare tutt'intorno: e ad un tratto si capì che cosa temesse tanto di veder arrivare.

Perché si udì un piccolo, acuto grido angoscioso, lassù, e il ragazzino prese disperatamente ad arrampicarsi: sull'argine erano apparsi il maresciallo con quattro carabinieri.

Peppone si slanciò su per l'argine per buttarli via, ma ormai era troppo tardi: il ragazzino li aveva visti ed era impazzito di paura. E le sue mani, ormai, non avevano più forza.

Un grido di angoscia infinita percosse l'aria. E tremò l'acqua del fiume placido.

*   *   *

Don Camillo camminò sull'argine quella sera, poi discese verso il fiume e si fermò in riva all'acqua. Quanti giorni erano passati? Molti, forse: ma cosa conta il tempo?

Il figlio di Peppone era guarito e aveva dimenticato il sasso, ma lo Scartini non aveva dimenticato il suo ragazzino finito così, davanti ai suoi occhi.

Don Camillo guardava l'acqua del grande fiume:

« O tu che raccogli le voci del monte e del piano », sussurrò don Camillo, « tu che hai visto le angosce dei millenni passati e vedi quelle dei nostri giorni, racconta agli uomini anche questa storia. Di' agli uomini: "Voi che fecondate nel vostro cuore il germe dell'odio, liberate una belva che poi vi sfugge e fa strage nelle tenere carni dei corpi. Una belva che di notte corre i campi addormentati e penetra nelle case e poi, all'alba, si unisce al branco che batte le contrade di tutto il mondo". Di' agli uomini: "Abbiate pietà dei vostri figli. Dio avrà pietà di voi" ».

Il fiume continuava a portare acqua al mare. Sempre la stessa acqua di cento miliardi d'anni fa. Storie vanno al mare, e storie ritornano dal mare al monte e al piano. E sono sempre le stesse, e gli uomini le ascoltano ma non ne intendono la saggezza. Perché la saggezza è noiosa come i cento e mille e centomila don Camillo che, persa la fiducia negli uomini, parlano all'acqua dei fiumi.

COMMERCIO

Il Nero stava smartellando già da tre ore, ma ancora non era riuscito a concludere niente di buono perché quel muro stramaledetto pareva un unico masso di pietra e bisognava cavar via i mattoni pezzettino per pezzettino.

Il Nero interruppe il suo lavoro per asciugarsi il sudore della fronte e, guardando la piccola nicchia che era riuscito a scavare dopo tanta fatica, lanciò una imprecazione.

— Bisogna aver pazienza, — disse una voce. Ed era il padrone di casa, il vecchio Molotti, che era entrato già da qualche minuto e s'era fermato vicino alla porta a osservare il muratore.

— La pazienza non basta! — esclamò di malumore il Nero. — Questo non è un muro, è un blocco di ghisa. Per aprire una porta in un canchero così ci vuol altro che la pazienza!

Il Nero riprese a smartellare rabbiosamente ma, poco dopo, lasciava cadere martello e scalpello assieme a una bestemmia.

Il colpo era stato forte e l'indice della mano sinistra gli sanguinava.

— Te l'avevo detto che bisogna aver pazienza! — esclamò il vecchio Molotti. — Quando uno ha pazienza, non perde la calma e non si pesta le martellate sulle mani.

Il Nero bestemmiò ancora e allora il vecchio Molotti scosse il capo:

— Il Padreterno non c'entra se ti sei pestato un dito, — esclamò. — Prenditela non con lui ma con quello che ti ha dato la martellata. E ricordati che per guadagnare il Paradiso bisogna soffrire.

Il Nero si mise a sghignazzare:

— Bisogna soffrire per guadagnarsi un pezzo di pane! — disse. — Altro che Paradiso! Ci faccio la birra, io, col vostro Paradiso!

Il Nero era rosso come il fuoco e uno dei più scalmanati della banda di Peppone, ma il vecchio Molotti, per quanto avesse passato i novant'anni, non era tipo da lasciarsi impressionare:

— Già, — disse, — col nostro Paradiso tu ci fai la birra. Dimenticavo che sei uno di quelli che promettono il Paradiso in terra!

Il Nero si volse:

— Molto più onesti di chi promette il Paradiso in cielo. Perché, mentre noi promettiamo delle cose che si possono vedere e controllare, voi promettete delle cose che nessuno può vedere né controllare.

— Non temere, — replicò il vecchio Molotti levando il dito ammonitore. — Verrà il tuo turno e allora vedrai e controllerai.

Il Nero rise di gusto:

— Morto io, morto il mondo. Una volta che

uno è crepato, tutto è finito. Di là ci sono soltanto le chiacchiere dei preti.

Il vecchio Molotti sospirò:

— Dio salvi la tua anima!

Il Nero si rimise a smartellare.

— Roba da matti! — borbottò. — Si deve ancora sentir parlar di simili baggianate! L'anima! L'anima che vola in cielo con le ali e va a prendere il premio! Questa gente ci prende proprio per dei cretini!

Il vecchio Molotti si appressò:

— Se non fossi sicuro che parli così per fare il bullo e che, di dentro, pensi in maniera tutto diversa, ti risponderei che tu sei un povero pazzo.

— Pazzi siete voi della borghesia e del clero che credete di riuscire ancora a darcela a bere! — urlò il Nero. — Io sono ben sicuro di quello che dico, e la penso come dico.

Il vecchio Molotti tentennò il capo:

— Allora tu sei proprio sicuro che l'anima muore assieme al corpo?

— Sicuro come sono sicuro di essere vivo. L'anima non esiste!

— Addirittura! E se l'anima non esiste, cos'è che hai di dentro?

— Polmoni, fegato, milza, cervello, cuore, stomaco, budelle. Siamo delle macchine di carne che funzionano fino a quando tutti gli organi funzionano. Quando un organo si guasta, la macchina si ferma e, se il dottore non riesce a riparare il guasto, la macchina muore.

Il vecchio Molotti allargò le braccia indignato:

— Ma l'anima, — gridò, — è il soffio della vita!

— Balle, — replicò il Nero. — Provate a tirar

via i polmoni a un uomo e poi vedrete cosa succede. Se l'anima fosse il soffio della vita e via discorrendo un corpo umano dovrebbe funzionare anche senza qualche organo interno!

— Tu bestemmi!

— Io ragiono. Io vedo che la vita dell'uomo è legata ai suoi organi interni. Io non ho mai visto un uomo morire perché gli hanno tolto l'anima. E poi, se, come dite voi, l'anima è il soffio della vita, dato che le galline vive sono vive, hanno l'anima anche le galline e, quindi, ci sarà l'Inferno, il Purgatorio e il Paradiso anche per le galline.

Il vecchio Molotti capì che era inutile continuare la discussione e si allontanò. Ma non rinunciò alla lotta e, quando a mezzogiorno il Nero smise di smartellare e andò a sedersi sotto il portico per mangiare la roba che s'era portato da casa, lo raggiunse.

— Sentite, Molotti, — l'ammonì il Nero appena lo vide davanti. — Se venite per ricominciare la solfa, è fiato sprecato.

— Non ho nessuna voglia di discutere, — spiegò il vecchio Molotti. — Vengo a proporti un affare. Sei proprio sicuro di non avercela, l'anima?

Il Nero si rabbuiò, ma il vecchio non gli diede tempo di parlare:

— Se sei proprio sicuro di non avere l'anima, perché non me la vendi? Ti dò cinquecento lire.

Il Nero guardò il biglietto di banca che il vecchio gli porgeva e scoppiò a ridere.

— Bella davvero! E come faccio a vendervi una cosa che non ho?

Il vecchio Molotti non disarmò:

— Non te ne incaricare: tu mi vendi la tua anima. Vuol dire che, se proprio non ce l'hai, io ci rimetto le cinquecento lire. Se invece tu l'hai, l'anima diventa di mia proprietà.

Il Nero stava divertendosi come non s'era divertito mai. Pensò che il Molotti doveva essere rimbambito a causa dell'età.

— Cinquecento lire sono poche, — replicò allegramente il Nero. — Almeno dovete darmi un biglietto da mille.

— No, — rispose il vecchio Molotti. — Un'anima come la tua non vale più di cinquecento lire.

— O mille o niente! — affermò il Nero.

Il Molotti cedette:

— Sta bene, mille lire. Prima di andare a casa concluderemo l'affare.

Il Nero smartellò allegramente fino alla sera: allora il vecchio ricomparve. Aveva in mano un foglio di carta bollata e una penna stilografica.

— Sei ancora del parere? — domandò al Nero.

— Certamente.

— Bene, siediti lì e scrivi. Sono poche parole.

Il Nero si sedette al tavolo e il vecchio prese a dettare: «*Io sottoscritto Francesco Golini detto "Nero" con la presente privata scritta valevole a tutti gli effetti di legge, dichiaro di vendere la mia anima al signor Giuseppe Molotti per la somma di lire mille. Il signor Molotti entra oggi stesso in possesso dell'anima di cui sopra avendo versato in mie mani la pattuita somma di lire mille, e di essa anima può disporre come meglio crede. Letto e sottoscritto...*».

Il vecchio Molotti porse le mille lire al Nero che segnò sotto il contratto la sua più bella firma.

— Perfetto! — disse soddisfatto il vecchio riponendo con cura il contratto dentro il portafogli.

— Affare fatto e non se ne parli più.

Il Nero se ne andò ridendo: evidentemente il vecchio era completamente rimbambito. Si rammaricò di non aver chiesto di più. Comunque era sempre un bigliettone da mille che pioveva dal cielo.

Però, mentre pigiava sui pedali del suo scalcagnato biciclo, il Nero continuò a pensare allo strano contratto: « E se il Molotti non è rincretinito come pare, perché mi ha regalato mille lire? ».

Il Molotti era tanto danaroso quanto tirchio e se aveva fatto questo a mente lucida, uno scopo doveva esserci.

Ad un tratto una luce brillò nel cervello del Nero che lanciò una imprecazione e tornò indietro, deciso a rimediare alla stupidaggine commessa.

Trovò il vecchio Molotti nell'aia e subito entrò in argomento:

— Sentite, — disse con aria cupa, — sono stato uno stupido a non pensarci prima. Comunque meglio tardi che mai. Conosco gli sporchi sistemi di propaganda di voi reazionari: voi mi avete carpito quella dichiarazione per pubblicarla e cavarne fuori uno scandalo e danneggiare il mio Partito: « Ecco cosa sono i comunisti: gente che vende l'anima per mille lire ».

— Questo è un affare tra me e te e lo dobbiamo sapere soltanto noi due, — rispose. — Comunque sono disposto a mettere in calce al contratto una clausola di garanzia: « Giuro sul mio onore che non mostrerò mai a nessuno il presente documento ». Ti basta?

Il Molotti era un uomo d'onore: se giurava c'era da fidarsi.

Il Molotti, entrato in tinello, scrisse in calce al contratto la clausola di garanzia e la firmò.

— Adesso puoi star tranquillo, — disse il Molotti. — Ma potevi star tranquillo anche prima perché io la tua anima l'ho comprata non per farne commercio più o meno politico, ma per tenermela io.

— Sempre ammesso che la troviate! — esclamò allegramente il Nero.

— Naturalmente, — replicò calmo il Molotti. — Ad ogni modo, per conto mio l'affare è ottimo perché io sono sicuro che tu l'anima ce l'hai. Sarebbe la prima volta, in vita mia, che sbaglio un affare.

Il Nero tornò a casa soddisfatto: ormai non aveva più alcun dubbio: il vecchio Molotti era completamente rimbambito.

Aveva una voglia matta di raccontare la faccenda almeno ai suoi più intimi della banda: poi lo trattenne il timore che la storia andasse in giro e servisse ai reazionari per far inorridire le vecchie bigotte.

*   *   *

I lavori in casa del Molotti durarono una settimana e, ogni giorno, il Nero ebbe modo di incontrarsi col vecchio: ma il vecchio non tornò mai sull'argomento del contratto né impiantò più discussioni a sfondo politico. Pareva addirittura che non si ricordasse più di niente. Poi, quando ebbe lasciata la casa del Molotti, anche il Nero si dimenticò del famoso contratto e passò un anno prima che la cosa gli si riaffacciasse alla mente.

Questo accadde una sera, nell'officina di Peppone. Peppone doveva fare un lavoro urgente e aveva bisogno di qualcuno che gli desse una mano: c'era da mettere insieme un cancelletto di ferro battuto di cui Peppone aveva già forgiato tutti gli elementi.

— È del vecchio Molotti, — spiegò Peppone, — e lo vuole a ogni costo per domattina. Gli serve per la tomba di famiglia: dice che, prima di morire, vuol vederlo lui perché gli altri non capiscono niente.

— È malato? — si informò il Nero.

— Ha novantatré anni, — rispose Peppone. — Si è messo a letto da una settimana con un accidente ai polmoni e si sa che, a quell'età, anche un raffreddore può mandare all'altro mondo.

Il Nero si mise a girare la manetta della ventola.

— Un vecchio maiale reazionario di meno, — borbottò il Nero. — Una fortuna per tutti, anche per lui perché da un bel pezzo era diventato completamente rimbambito.

Peppone scosse il capo:

— Non mi pare: un mese fa ha combinato l'affare del fondo di Trespiano guadagnandoci almeno quindici milioni.

— Un semplice caso di fortuna schifosa! — replicò il Nero. — Ti assicuro che da un pezzo era diventato completamente cretino. Capo, ti dico un fatto che non ho mai detto a nessuno.

Il Nero sghignazzando raccontò la storia del contratto dell'anima e Peppone lo stette ad ascoltare attentamente.

— Non è cretino un uomo che compra un'anima per mille lire? — concluse il Nero.

— Certamente, — osservò Peppone. — Però è più cretino chi vende l'anima per mille lire.

Il Nero si strinse nelle spalle:

— Lo so, potevo cavarci molti quattrini di più, — riconobbe.

— Non è questione di soldi in più o in meno, — disse Peppone. — È il fatto in sé che è cretino.

Il Nero smise di girare la manetta della fucina:

— Capo, — esclamò, — mi stai diventando una Figlia di Maria anche tu? Che storie sono queste? Lascia stare l'opportunità politica di non prendere di petto la religione e la Chiesa, lascia stare la posizione ufficiale del Partito: ma, detto qui fra noi, non sei forse d'accordo che l'anima, il Paradiso, l'Inferno e compagnia bella sono soltanto delle invenzioni dei preti?

Peppone continuò a pestar martellate sul ferro rovente.

— Nero, — disse dopo una lunga pausa di silenzio, — tutto questo non c'entra. Io dico che vendere l'anima per mille lire è controproducente.

Il Nero si rasserenò:

— Capo, adesso sì capisco. Però hai torto: per evitare ogni speculazione politica ho fatto aggiungere sul contratto la clausola che il Molotti mai parlerà di quel contratto con nessuno.

— Be', allora se c'è la clausola è un'altra cosa, — affermò Peppone. — Diventa un fatto tuo personale che non ha niente a che vedere col Partito. Col Partito sei a posto.

Poi prese a parlare d'altro.

Il Nero tornò a casa verso mezzanotte ed era allegrissimo.

« L'importante è di essere a posto col Partito », disse fra sé prima di addormentarsi. « Quando uno è a posto col Partito è a posto con tutto il resto ».

      *   *   *

Il Molotti andò peggiorando di giorno in giorno e don Camillo, ritornando una sera in canonica dopo aver trascorso lunghe ore al capezzale del vecchio, si imbatté nel Nero.

— Buonasera, — disse il Nero. E la cosa fu tanto grossa che don Camillo ritenne necessario fermare la bicicletta, scendere e andare a guardare in faccia, da vicino, il Nero.

— Straordinario, — disse alla fine. — Tu sei effettivamente il Nero in carne ed ossa e mi hai salutato. Ti sei forse sbagliato? Mi hai forse preso per una guardia del dazio? Ti sei accorto che sono il parroco?

Il Nero si strinse nelle spalle:

— Con lei non si sa mai come regolarsi. Se non lo salutiamo dice che noi rossi siamo dei senza Dio. Se lo salutiamo dice che siamo matti.

Don Camillo allargò le braccia:

— In un certo senso hai ragione. In un certo altro però hai torto. Comunque, buonasera a te.

Il Nero rimase qualche istante a guardare il manubrio della bicicletta di don Camillo, poi domandò:

— Come sta il vecchio Molotti?

— Si spegne lentamente.

— Ha perso conoscenza?

— No: è sempre stato ed è ancora lucidissimo.

Il Nero esitò, poi domandò aggressivo:

— Le ha detto niente?

Don Camillo spalancò gli occhi stupito.

— Nero, non capisco, — affermò. — Che cosa avrebbe dovuto dirmi?

— Non le ha mai parlato di me? Di un contratto fra me e lui?

— No, — disse con estrema sicurezza don Camillo. — Abbiamo parlato di tutto fuorché di te. D'altra parte io non vado al capezzale dei moribondi per parlare di affari: io non amministro beni terreni, io amministro anime.

Il Nero ebbe uno scatto e don Camillo tentennò sorridendo la testa:

— Nero, non ho nessuna intenzione di farti delle prediche. Quello che dovevo dirti te l'ho già detto quando tu eri ancora ragazzo e venivi ad ascoltarmi. Adesso mi limito a rispondere alle tue domande: non ho parlato d'affari col Molotti. Non mi sono interessato di nessun contratto. Né posso interessarmene. Se hai bisogno di un aiuto, rivolgiti a un avvocato. Ma fai presto perché il Molotti è più di là che di qua.

Il Nero si strinse nelle spalle:

— Se ho fermato lei e non un avvocato significa che la cosa riguarda un prete e non un avvocato. Si tratta di una sciocchezzuola, uno scherzo: ad ogni modo lei dovrebbe dare al Molotti queste mille lire e dirgli di restituirmi quella carta bollata.

— Danaro? Carta bollata? Mercanzia da avvocati, non da preti! — ribatté don Camillo.

Erano ormai arrivati davanti alla canonica: don Camillo entrò e il Nero, data un'occhiata intorno, lo seguì.

Don Camillo andò a sedersi dietro il tavolino in tinello e, indicando una sedia al Nero, gli disse:

— Se credi che io possa esserti utile, parla.

Il Nero rigirò il cappello fra le mani per un bel po' quindi disse:

— Reverendo, il fatto è questo: un anno fa io ho venduto al Molotti la mia anima per mille lire.

Don Camillo fece un piccolo balzo sulla sedia, poi disse minaccioso:

— Senti: se tu vuoi divertirti hai sbagliato porta.

— Non scherzo! — esclamò il Nero. — Io lavoravo in casa sua e ci siamo messi a discutere dell'anima. Io sostenevo che l'anima non esiste, allora lui mi ha detto: « Se per te l'anima non esiste, perché non me la vendi? Ti dò mille lire ». Io ho accettato l'affare e ho firmato il contratto.

— Il contratto?

— Sì: scritto di mio pugno, in carta bollata.

Il Nero ripeté a memoria il testo del contratto: lo ricordava alla perfezione. E don Camillo si convinse che il Nero diceva la esatta verità.

Allora allargò le braccia:

— Ho capito perfettamente. Quello che non capisco è il perché tu rivoglia quella carta. Se per te l'anima non esiste, che cosa ti importa di averla venduta?

— Non è per l'anima, — spiegò il Nero. — Non vorrei che gli eredi trovassero quella carta e ne facessero una speculazione politica a danno del mio Partito.

Don Camillo si levò e si piantò davanti al Nero, con le mani sui fianchi.

— Dimmi un po', — muggì a denti stretti. — Secondo te io dovrei dunque aiutarti per fare l'interesse del tuo Partito! Allora questo significa che tu mi giudichi il prete più cretino dell'universo! Prendi la porta e fila!

Il Nero si levò e si avviò lentamente verso la porta. Ma, fatti pochi passi, tornò indietro:

— Non me ne importa niente del Partito! — gridò. — Io rivoglio quella carta!

Don Camillo era sempre lì fermo, coi pugni sui fianchi e la mascella serrata.

— Rivoglio quella carta! — gridò il Nero. — Sono sei mesi che io non dormo più!

Don Camillo guardò quel viso sconvolto, quegli occhi sgomenti, quella fronte piena di sudore.

— La carta! — ansimò il Nero. — Se quel porco vuol guadagnare anche in punto di morte, gli darò di più. Gli darò quello che chiede. Io non posso andare da lui. Non mi lascerebbero entrare. E poi non saprei come impostare la faccenda.

Don Camillo intervenne:

— Calmati: se non è per una questione di Partito, cosa ti importa quella carta? Tanto l'anima e l'aldilà sono balle inventate da noi preti...

— Sono affari che non vi riguardano! — urlò il Nero. — Io rivoglio la mia carta!

Don Camillo si strinse nelle spalle:

— Domani mattina proverò.

— No! Subito! — disse il Nero. — Domattina può essere morto. Subito, intanto che è vivo. Prenda le mille lire e vada. Io l'aspetto lì fuori... Vada, reverendo. Si spicci!

Don Camillo aveva capito, ma, nonostante tutto, non riusciva a mandar giù il tono perentorio di quel dannato senza Dio. E perciò stava ancora lì fermo coi pugni sui fianchi a guardare il viso sconvolto del Nero.

— Reverendo, faccia il suo dovere! — urlò il Nero esasperato.

Allora don Camillo si sentì improvvisamente la smania addosso: corse fuori senza neppure mettersi il cappello e saltato sulla bicicletta scomparve nel buio.

*   *   *

Ritornò dopo circa un'ora: entrò in canonica e il Nero lo seguì.

— Ecco, — disse al Nero porgendogli una grossa busta suggellata.

Dentro la busta grande c'era un foglietto con poche righe e un'altra busta con suggelli di ceralacca. Il foglietto diceva: « *Con la presente il sottoscritto Molotti Giuseppe dichiara annullato il contratto stipulato col signor Golini Francesco detto "Nero" e glielo restituisce. In fede Molotti Giuseppe* ». Nella busta piccola c'era il contratto famoso in carta bollata.

Don Camillo porse al Nero qualcosa d'altro:

— Le mille lire non le ha volute, — spiegò, — dice che tu ne faccia quello che credi. Buonasera.

Il Nero non disse una parola. Uscì con tutta la sua mercanzia fra le mani. Pensò che doveva lacerare subito il contratto, ma poi pensò che sarebbe stato meglio bruciarlo.

La porta piccola della chiesa era ancora aperta e si vedevano brillare alcuni ceri.

Entrò e si fermò davanti al cero che ardeva subito dietro la balaustra dell'altar maggiore.

Appressò alla fiamma il foglio di carta bollata e lo guardò bruciare.

Poi strinse fra le grosse dita il foglio contorto e carbonizzato e lo ridusse in cenere. Aperse la mano e soffiò via la cenere.

Si avviò per uscire, ma si ricordò delle mille lire che aveva messo dentro la busta, assieme al foglietto del Molotti. Cavò il biglietto da mille e, appressatosi alla cassettina delle elemosine, lo infilò nella fessura.

Poi cavò di tasca un altro biglietto da mille e anche questo infilò nella fessura.

« Per grazia ricevuta », pensò.

Uscì e tornò a casa. Aveva gli occhi pieni di sonno e sapeva che, quella notte, avrebbe dormito.

Don Camillo, poco dopo, andò a chiudere la chiesa e a salutare il Cristo dell'altar maggiore.

— Gesù, — disse, — chi riesce a capirla, questa gente?

— Io, — rispose sorridendo il Cristo crocifisso.

LA LETTERA

Barchini, il cartolaio-tipografo, era malato da
un pezzo e don Camillo, per stampare il suo bollettino, fu costretto a servirsi di una tipografia in città.
E così, quando poi dovette ritornare per correggere
le bozze, si divertì a curiosare tra le macchine.

Il demonio è un tal farabutto che non ha rispetto di niente e va ad appostarsi dappertutto per giocare i suoi sporchi scherzi alla gente: non soltanto
nei luoghi di divertimento, di ozio, di perdizione
e via discorrendo, ma anche nei luoghi dove la gente
lavora.

Ecco: il demonio era appostato vicino a una
pedalina dove l'operaio stava stampando l'intestazione sui fogli di carta da lettera e così il povero
don Camillo, quando uscì poi dalla tipografia, si
trovò nei pasticci.

Ora, considerando che la carne è debole e che
anche il più galantuomo dei parroci di campagna è
di carne, cosa può fare un povero parroco di campagna, come don Camillo che, ritornato al paesello,

si trova, non si sa come, dentro la borsa cinque o sei fogli di carta da lettera con la intestazione della segreteria provinciale di un Partito politico?

*   *   *

Peppone, un paio di giorni dopo, ricevette dalla città una raccomandata e rimase perplesso perché la busta portava la intestazione di un certo Franchini e lui non conosceva nessun Franchini.

Aprì la busta e trovò un foglio recante una intestazione che lo fece istintivamente scattare sull'attenti.

« *Caro compagno,*

tu sei al corrente della nuova situazione creatasi col tradimento dell'America che, con una clausola segreta del nefasto Patto Atlantico impone ai Governi complici una rigorosissima sorveglianza sui partiti democratici allo scopo di sabotare ogni loro iniziativa di pace.

Siamo spiati dalla polizia e lo scrivere lettere con buste recanti l'intestazione del Partito sarebbe una imperdonabile imprudenza. Con busta intestata al Partito si deve scrivere soltanto quando sia utile per noi che la polizia sappia determinate cose. Riceverai al momento opportuno le nuove disposizioni che regolano la corrispondenza.

Quanto oggi ti scriviamo è di natura delicatissima e deve rimanere assolutamente segreto.

Compagno: la cricca clerico-capitalistica lavora per la guerra. La pace è insidiata e l'Unione Sovietica, che è l'unica forza benefica che possa difendere la pace, ha bisogno dell'aiuto di tutti i compagni migliori.

*L'Unione Sovietica deve essere pronta a soste-
nere l'aggressione che proditoriamente le sferrerà la
furia occidentale. La Santa Causa della Pace ha
bisogno di avere a sua disposizione uomini di sicu-
rissima fede, di alta competenza professionale, for-
niti di spiccate doti autocritiche e di cosciente disciplina.*

*Siamo sicuri di te, compagno Bottazzi: per-
tanto la Commissione Speciale A.P. ha deciso con
parere unanime di concederti l'onore di far parte
del gruppo degli Eletti.*

*Siamo certi che la notizia ti riempirà di legit-
timo orgoglio: partirai fra poco per l'URSS dove
andrai a prestare la tua opera di meccanico là dove
si lavora per la salvezza della pace.*

*Il Glorioso Paese del Socialismo, concederà ai
componenti di questa eletta Brigata della Pace, lo
stesso trattamento del cittadino russo. E in questo
ti prego di notare un altro segno della generosità
dei compagni sovietici.*

*Riceverai dettagliate istruzioni circa il giorno
della partenza e l'equipaggiamento. Raggiungerai
l'URSS per via aerea.*

*Data l'estrema delicatezza della cosa, ti ordi-
niamo di distruggere immediatamente questa lettera. Indirizza la risposta al compagno del quale
troverai l'indirizzo sulla busta. Sii estremamente
cauto, la Sacra Causa della Pace è oggi più che mai
nelle tue mani. Attendiamo tua conferma ».*

Per la prima volta in vita sua, Peppone disob-
bedì a un ordine del Partito: non bruciò la lettera.

« Non la brucio », disse tra sé. « Questo è il più
bel riconoscimento che mi ha rilasciato il Partito.

Un documento di quella importanza storica non lo mollo di sicuro: domani, quando qualche sporcaccione dovesse mettere in dubbio i miei meriti, io gli sbatto sul muso la lettera e lo metto a sedere. Carta canta e villan dorme ».

Rilesse chi sa quante volte la lettera, poi, quando la seppe a memoria, concluse molto allegramente: « Si lavora, sì: ma si hanno delle grandi soddisfazioni! ».

Unico dispiacere quello di non poter mostrare la lettera a nessuno. « Adesso gli preparo una risposta ancora più storica della lettera », decise Peppone. « Li faccio piangere tutti dalla commozione. Gli faccio vedere io che razza di sentimento ho qui dentro, anche se ho fatto soltanto la terza elementare! ».

La sera stessa si chiuse in cantina e cominciò a scrivere la risposta:

« Compagno,

l'immensità soprannaturale dell'orgoglio vibrante la quale esulta il mio animo per la scielta fra il numero degli eletti della Brigata della Pace onde sono pronto agli ordini indefettibili del Partito. Inalziamo il grido fatidico del Socialismo: "Obbedisco!" come la camicia rossa Garibaldi e aspettiamo ordini in merito anche se l'impulso naturale sarebbe di partire subito. Per cui io non ho mai chiesto niente ma adesso chiedo di farmi partire primo di tutti! ».

Peppone rilesse: c'erano, si capisce, delle parole da limare e c'era da sistemare la punteggiatura: ma, come prima ondata, andava benone.

Rimandò la seconda ondata alla sera dopo. Non era il caso di precipitare troppo le cose: lui doveva scrivere una lettera di quelle che poi il Partito stampa sui giornali con sotto il commento della direzione.

Calcolò che in tre ondate avrebbe liquidata la faccenda.

*   *   *

Don Camillo, una sera, stava passeggiando per la strada del mulino fumando il suo sigaro e rimirandosi la primavera in fiore, quando si trovò tra i piedi Peppone.

Parlarono del tempo e della campagna, ma si capiva lontano un miglio che Peppone aveva qualcosa da sputar fuori.

E, a un bel momento, sputò:

— Sentite un po', don voi. Si può parlare due minuti da uomo a uomo e non da uomo a prete?

Don Camillo si fermò a guardarlo.

— Cominciamo male, — osservò don Camillo. — Questo tuo è un parlare da somaro a uomo.

Peppone fece un gesto d'impazienza:

— Lasciamo perdere la politica! Io vorrei che voi mi diceste, da uomo a uomo, che cosa ne pensate della Russia.

— Te l'avrò detto ottantamila volte, — rispose don Camillo.

Peppone si fermò.

— Qui siamo soli e nessuno ci sente. Potete essere sincero, una volta tanto. Non si tratta di fare della propaganda politica. Cos'è insomma questa Russia?

Don Camillo si strinse nelle spalle.

— Peppone, cosa vuoi che ne sappia io? Io non ci sono mai stato! Io so quello che ho letto sui libri e sui giornali. Per saperti dire come si sta veramente dovrei andarci. E poi tu queste cose le dovresti sapere meglio di me.

— Si capisce che le so! — ribatté Peppone. — In Russia si sta bene, tutti hanno lavoro, il popolo comanda, non ci sono sfruttatori né sfruttati. Quello che la reazione racconta son tutte balle!

Don Camillo lo guardò:

— E allora, se lo sai, perché me lo domandi?

— Così, per sentire anche il vostro parere di uomo: finora io ho sempre sentito soltanto il vostro parere di prete.

— In compenso io ho sempre sentito soltanto il tuo parere di *compagno*. Potrei sapere anche il tuo parere di uomo?

— Per essere *compagni* bisogna essere uomini e per essere uomini bisogna essere *compagni*. Quello che penso come *compagno* lo penso anche come uomo!

Camminarono un po', poi Peppone tornò alla carica.

— Insomma, secondo voi, in Russia si starebbe più o meno come si sta qui!

— Io non l'ho detto, — ribatté don Camillo. — Ma, dato che lo hai detto tu, press'a poco questo è il mio parere. Sempre facendo eccezioni per la parte religiosa, si capisce.

Peppone tentennò il capo.

— D'accordo, — obiettò. — E allora mi sapete spiegare voi come mai tutti ne parlano e ne scrivono tanto male?

Don Camillo allargò le braccia.

— Sai com'è la politica...

— La politica, la politica... — borbottò Peppone. — Anche con l'America c'è la politica. Eppure nessuno dice dell'America quello che dicono della Russia.

— Il fatto è che, mentre tutti possono andare a vedere cosa succede in America, ben pochi possono andare a vedere cosa succede in Russia.

Peppone spiegò che si trattava di logiche misure difensive. Poi agguantò per una manica don Camillo e lo fermò.

— Sentite un po', da uomo a uomo: se uno avesse la possibilità di andare in Russia a lavorare in un buon posto e vi chiedesse consiglio, voi cosa gli rispondereste?

— Peppone, tu mi fai una domanda...

— Reverendo, qui si parla da uomo a uomo e si deve avere il coraggio di essere sinceri: cosa direste voi?

Don Camillo scosse la testa.

— Sarò sincero: se si trattasse di lavoro, io gli risponderei di andare.

Succedono delle strane cose nella vita: qui Peppone avrebbe dovuto fare un salto di gioia. Invece Peppone non fu per niente rallegrato dalla risposta.

Si toccò il cappello e si avviò per andarsene. Ma, fatto qualche passo, si volse.

— E come fate in coscienza a consigliare a uno di andare in un posto che voi non conoscete? — domandò.

— Lo conosco più di quanto tu non creda. Tu non lo sai ma io leggo anche i giornali vostri e, sui vostri giornali, scrive gente che in Russia c'è stata.

Peppone gli volse le spalle di scatto.

— I giornali! I giornali! — brontolò allontanandosi.

*   *   *

Don Camillo schiattava di gioia e andò a confidarsi al Cristo dell'altare. Gli raccontò tutta la storia.

— Gesù, — concluse don Camillo. — Egli è adesso nei pasticci. Egli vorrebbe rispondere che non accetta di andare ma, data la sua posizione, non si sente di rifiutare quello che i suoi capi gli hanno proposto come un grande onore. Ed è venuto da me sperando che io, parlandogli della vita in Russia, gli dessi la forza di rifiutare. E adesso non sa come fare perché deve rispondere. Non vorrei essere davvero nei panni di Peppone!

— Né io vorrei essere nei tuoi anche se Dio lo permettesse, — gli rispose severamente il Cristo. — Sarei nei panni di un uomo malvagio.

Don Camillo rimase a bocca aperta.

— Ma io, — balbettò alla fine, — io gli ho fatto semplicemente uno scherzo.

— Lo scherzo è tale fino a quando non diventa compiacimento della sofferenza che esso procura a chi ne è vittima.

Don Camillo se ne andò a testa bassa. Due giorni dopo, Peppone ricevette una seconda lettera dal Partito:

« *Caro compagno,*

abbiamo il dispiacere di comunicarti che in seguito a gravi complicazioni sopravvenute né tu

334

né nessuno degli Eletti destinati a costituire la Brigata della Pace potrete partire. Ti preghiamo di scusarci per la delusione che involontariamente ti abbiamo procurato. Servirai la Causa della Pace rimanendo qui».

Non si seppe mai chi fu che, approfittando della sera, entrò in chiesa e portò un grosso cero. Il fatto è che don Camillo trovò il cero acceso davanti al Cristo, sulla balaustra dell'altare.

LA DANZA DELLE ORE

A dire la verità, la Rocca - dove aveva sede il comune - era malandata e cascava a pezzi: così, quando arrivò una squadra di muratori e incominciò a tirar su le impalcature attorno alla torre della Rocca, tutti dissero: « Era ora! ».

Non si trattava neanche d'una questione estetica perché, da quelle parti là, l'estetica non conta un fico secco e una cosa è bella quando è di buona qualità e serve bene al suo scopo. Il fatto è che tutti, in un paese, una volta o l'altra hanno occasione di andare in comune e così tutti vivevano con la paura che, entrando sotto l'androne della Rocca, cascasse loro in testa un mattone o un pezzo di cornicione.

Finite le impalcature, i muratori fasciarono tutta la faccenda coi graticci per via che non cadessero i calcinacci addosso a quelli che dovevano entrare e uscire, e i lavori di restauro incominciarono.

Durarono un mese preciso poi, una notte, gli operai tirarono via tutto e, la mattina dopo, la gente del paese - e anche quella venuta di fuori perché era giorno di mercato - trovarono la sorpresa della torre restaurata.

Un lavoro fatto bene davvero, da specialisti: naturalmente c'era anche l'immancabile colpetto politico: un gran cartello piantato sul davanti della torre, sotto la merlatura e, sul cartello, stava scritto: «*Questa opera pubblica NON è stata finanziata dal Fondo ERP*».

Anche don Camillo stava tra la gente che, appena si era sparsa la voce che avevano levato l'impalcatura, era corsa a curiosare in piazza, e Peppone - il quale non aspettava altro - come lo vide fece in modo di arrivargli alle spalle.

— Cosa ne dice il reverendo?

Don Camillo non si volse neppure.

— È un bel lavoro, — rispose. — Peccato che quel cartello rovini tutta l'estetica generale.

Peppone si volse al suo stato maggiore che, guarda il caso, era lì vicino:

— Avete sentito? Il reverendo dice che, secondo lui, il cartello rovina l'estetica. Quasi quasi sarei anch'io dello stesso parere.

— Quando si tratta di questioni artistiche, la parola del reverendo ha il suo valore, — esclamò lo Smilzo. — Per me il reverendo ha ragione.

Discussero un po', e alla fine Peppone decise:

— Vada qualcuno a dare ordine che tirino giù il cartello. Anche per dimostrare che noi non siamo come certi tipi che pretendono di avere sempre ragione.

Dopo due minuti qualcuno mollò le corde e il cartellone in un attimo fu giù. E allora ci fu la vera sorpresa: l'orologio.

Da anni e annorum in paese c'era stato soltanto l'orologio del campanile: adesso il paese aveva anche l'orologio della Rocca.

— Adesso non si vede perché è di giorno, — si affrettò a spiegare Peppone. — Ma il quadrante è illuminato. Uno può leggere l'ora anche lontano un miglio.

In quel momento si udì un po' di tramestio in cima alla Rocca e Peppone urlò:

— Silenzio!

La piazza era piena, ma tutti stettero zitti e, nel silenzio, l'orologio nuovo scandì dieci colpi.

L'eco dei dieci rintocchi non si era ancora spenta che, dal campanile, incominciarono a suonare i rintocchi delle dieci.

— Bello, — disse don Camillo a Peppone. — Però il vostro orologio è avanti di quasi due minuti.

Peppone scrollò le spalle:

— Si potrebbe magari anche dire che il vostro orologio va indietro di quasi due minuti!

Don Camillo non si eccitò:

— Si potrebbe dire, ma è meglio non dirlo per la semplice ragione che il mio orologio spacca il minuto, come ha sempre spaccato il minuto da trenta o quarant'anni, e quindi fa benissimo il suo servizio e non era davvero il caso di buttar via il pubblico danaro per mettere una carcassa di orologio sulla torre del palazzo comunale.

Peppone voleva dire un sacco di cose ma gli si ingolfò il carburatore e si limitò a farsi venire le vene del collo grosse come bastoni.

Intervenne lo Smilzo che, levato il dito, gridò:

— Vi fa rabbia perché vorreste anche il monopolio delle ore! Ma il tempo non è del clero! Il tempo è del popolo!

L'orologio della Rocca suonò il quarto d'ora e, immediatamente, la piazza piombò nel silenzio.

Passò un minuto, passò un altro minuto. Poi l'orologio del campanile suonò anch'esso il quarto.

— Ha già aumentato l'errore! — esclamò don Camillo. — Adesso è avanti di due minuti buoni.

La gente cavò fuori dei taschini dei gilè i grossi «Roskoff» attaccati al catenone e incominciarono le discussioni.

Roba da matti: perché fino a quel momento, da quelle parti là, non si era mai fatto questione di minuti. I minuti primi e i minuti secondi sono merce da città, dove un disgraziato si arrabatta perché non vuol perdere nemmeno un minuto secondo e non si accorge che, così facendo, perde una vita.

Quando l'orologio della Rocca suonò le dieci e mezzo e, due minuti dopo, fece eco quello del campanile, si erano già delineate due tendenze: quella favorevole all'ora dell'arciprete e quella favorevole all'ora del comune: niente di preoccupante perché il conflitto rimaneva circoscritto ai taschini dei panciotti e ai cipolloni d'argento.

Ma lo Smilzo, che ormai aveva innestato la quarta, a un bel momento urlò:

— Il giorno in cui l'orologio della Rocca suonerà l'ora della riscossa proletaria, certi individui si accorgeranno di essere rimasti indietro non due minuti, ma due secoli!

Non era niente di straordinario: il guaio è che lo Smilzo gridò queste parole agitando minaccioso un dito sotto il naso di don Camillo. E don Camillo era don Camillo.

Don Camillo procedette da fermo: allungò le mani e incalcò il berretto fin sugli occhi allo Smilzo. Poi gli diede il classico giro di vite portandogli la visiera sulla nuca.

Peppone si avanzò.

— E se ve lo facessero a voi, reverendo, uno scherzo del genere, cosa direste? — domandò a denti stretti Peppone.

— Bisognerebbe provare! — rispose don Camillo. — Però fino a oggi non ci ha provato mai nessuno.

Venti mani agguantarono Peppone e lo tirarono indietro.

— Tu non puoi comprometterti, — gli dissero. — Il sindaco non può ficcarsi in questi pasticci.

Il gruppo dei rossi si strinse minaccioso attorno a don Camillo e incominciò a urlargli un sacco di cose.

A don Camillo mancò l'aria, e sentì il bisogno di farsi vento con qualcosa. E il primo ventaglio che gli capitò sotto le mani fu la solita panca.

Con una panca tra le mani e con la caldaia in pressione, don Camillo era un ciclone: si fece immediatamente il vuoto attorno a lui, ma in una piazza zeppa di gente e di bancarelle, fare il vuoto in un punto significa aumentare il pieno in tutto il resto. Una gabbia di galline si sfasciò, un cavallo si impennò. Urla, muggiti e nitriti.

La squadra dei rossi è disfatta ma intanto Peppone, che è assediato sotto l'androne della Rocca da un sacco di gente che non vuole che il sindaco si comprometta, è riuscito ad agguantare anche lui una panca.

Anche Peppone, a motore imballato e con una

panca tra le zampe, è qualcosa che assomiglia al ciclone, e non conosce più amici o nemici.

La gente si ritrasse: Peppone si avviò con passo lento e fatale verso don Camillo che l'aveva già visto e lo aspettava a piè fermo, con la panca tra le mani.

Tutti si buttarono ai margini della piazza: solo lo Smilzo riuscì a mantenere i contatti col suo buon senso e si parò d'un tratto davanti a Peppone:

— Capo, lascia perdere! Capo, non fare bestialità! Capo, ragiona!

Ma Peppone procedeva implacabile verso il centro della piazza e lo Smilzo parlava rinculando.

E a un bel momento si trovò tra la panca di don Camillo e quella di Peppone, ma non si ritirò. Stette ad aspettare il terremoto.

La gente si era fatta silenziosa ma già, dietro Peppone, s'erano raggruppate le facce più proibite dei rossi, e dietro don Camillo c'erano i vecchi agrari che sentivano il richiamo nostalgico dell'antico manganello e stringevano in pugno i pesanti bastoni di bosso e di ciliegio. Ormai era come se un tacito accordo si fosse stabilito fra le due parti: appena Peppone e don Camillo avessero dato di piglio alle panche, sarebbe successa la ribotta generale.

Ci fu un istante di perfetto silenzio e già Peppone e don Camillo stavano per brandire le panche quando, improvvisamente, accadde qualcosa di straordinario: l'orologio della Rocca e l'orologio del campanile presero a suonare le undici. E ogni botto dell'uno era contemporaneo al botto dell'altro.

E tutt'e due gli orologi segnavano le undici·precise, spaccate fino al millesimo.

Le panche caddero, il vuoto fu riempito. Don Camillo e Peppone si ritrovarono, come usciti da un sogno, in mezzo alla gente che urlava le sue mercanzie o parlava d'affari.

Peppone si avviò verso la Rocca, don Camillo verso la canonica.

Lo Smilzo rimase lì in mezzo alla piazza e cercava di pensare cosa accidente fosse successo.

Alla fine rinunciò a capire e, poiché la bancarella delle bibite era vicina e tutti i rossi erano lontani, andò a bere una Coca-Cola.

IL BULLO

Ogni paese ha il suo bullo, e il Mericano era il
bullo del Fontanaccio. Prima di partire per l'America, si chiamava Gigi, Gianni o roba del genere:
quando era tornato l'avevano soprannominato Mericano. E quel soprannome era tutto ciò che si era
guadagnato dopo essere rimasto per trent'anni a
tagliare piante nelle foreste del Canadà.

Dopo trent'anni di lavoro aveva in saccoccia
giusto i quattrini per tornare al Fontanaccio a raccogliere la magra eredità del padre: otto o nove
biolche di terra e una carcassa di casa che pareva
stesse in piedi per scommessa.

Il Mericano era subito diventato il bullo del
Fontanaccio, ma non perché avesse l'anima del ca-
morrista o peggio: semplicemente perché, fra i cristiani di Fontanaccio, era la bestia più grossa e
più forte.

A quarantacinque anni di età, la cosa più intelligente che sapesse fare era quella di sollevare una

pesante sedia a forza di ganasce, dopo averla atta-
nagliata coi denti per la spalliera.

Il Mericano aveva la forza di un Caterpillar e,
aggiogato a un aratro in coppia con un bue, se la
sarebbe cavata onorevolmente pur non possedendo
l'agilità e l'intelligenza del bue. Al Fontanaccio,
naturalmente, si era formata poco a poco la squadra del Mericano: bulli e vicebulli, attratti dal fa-
scino di quella macchina di carne, avevano impian-
tato la più potente ghenga di rompiscatole dell'universo e non c'era sagra che non fosse rallegrata dalle
spavalderie della banda. Il Mericano funzionava da
carro armato ed entrava in azione soltanto nei momenti critici. Ma quando si muoveva era peggio del
terremoto.

La squadra del Mericano batteva tutte le piazze
eccettuato il paese di don Camillo. Di qui si erano
sempre tenuti alla larga perché tirava una gran
brutta aria per chi andava in giro a piantar grane:
ma accadde che uno della banda si innamorò di una
ragazza del Molinetto e per quattro sere gironzolò
in bicicletta nei paraggi: poi la quinta sera, incon-
trata la ragazza, ebbe l'imprudenza di fermarla, e
allora di dietro la siepe uscirono tre giovanotti che
rispedirono al Fontanaccio il bulletto dopo avergli
fatto un tabarro di legnate.

Non si trattava più di un caso personale: un
paese aveva recato offesa al Fontanaccio e così la
squadra del Mericano entrò sul sentiero di guerra.

E, un sabato, sul tardo pomeriggio, la squadra del Mericano apparve nella piazza del borgo
nemico.

Avevano fatto la mobilitazione generale ed
erano più di sessanta e tutti decisi.

Arrivarono in bicicletta, alla spicciolata. Entrarono a gruppi nelle osterie, nei due caffè, fingendo di ritrovarsi come per caso, e pestandosi grandi pacche sulle spalle.

Lo Smilzo, che aveva l'occhio del falchetto, capì subito l'antifona, e corse ad avvertire Peppone.

— Piglia la mia moto e va a chiamare gente, — ordinò Peppone allo Smilzo. — Che non si facciano vedere: adunata alla Casa del Popolo.

Poi andò a sedersi, assieme al Bigio e al Brusco, sotto il portico, a un tavolino del caffè di Ciro.

In quel momento si udirono grandi urla e arrivò sulla piazza il Mericano.

Subito otto o dieci del Fontanaccio furono attorno al Mericano schiamazzando e augurandogli affettuosamente dei cancheri come si usa, da quelle parti, con gli amici più cari: lo spinsero sotto il portico e lo fecero sedere a un tavolino del caffè. Guarda il caso, proprio davanti al tavolino attorno al quale stavano seduti Peppone e compagni.

— Ci siamo, — borbottò Peppone. E ci voleva poco a capire che la solfa stava per incominciare.

«Come va, come stai, come mai anche tu da queste parti, cosa fai di bello, bevi un bicchiere, bevi anche questo se no guastiamo l'amicizia»; la prima parte della manovra si svolse rapidamente fra grandi urla. Il Mericano buttò giù otto o dieci bicchieri di vino uno dopo l'altro e, intanto, tutti quelli della banda che si erano fermati nell'altro caffè e nelle osterie arrivavano e si addensavano attorno ai tavolini di Peppone e del Mericano.

Ad un tratto uno della banda gridò:

— Ehi, Mericano: cosa te ne pare di questo paese?

Peppone strinse i pugni perché capiva che il momento era arrivato e si preparò a scattare: ma il gioco non era ancora completo.

— Beh, — rispose il Mericano. — Mica male. L'unica cosa che non mi va è il monumento.

— Il monumento? — urlò l'altro. — Oh bella! E perché?

— È messo male, — spiegò il Mericano.

In fondo alla piazza del paese, dalla parte opposta della chiesa, c'era un monumento. Niente di straordinario: un vecchio Ercole di marmo, con la sua clava, in piedi su un gran parallelepipedo di pietra. Un unico blocco che poggiava a sua volta su un ripiano di marmo alto una spanna.

Roba messa lì dai Farnese, *temporibus illis*, e rimasta lì intatta perché nessuno aveva mai ravvisato allusioni politiche in quell'omaccio di sasso. Un monumento che non aveva mai dato fastidio ad anima viva e pareva non potesse darne. Ed ecco che al Mericano il monumento non piaceva.

Proprio al Mericano che possedeva lo stesso gusto artistico che può possedere una vacca spagnola. La cosa incominciava a diventare ridicola.

— Messo male? — urlò il solito. — Cosa significa?

— Significa che non c'è la simmetria, — spiegò il Mericano che intanto aveva ingollato un altro bicchiere. — Io in America ho visto un sacco di monumenti, ma tutti avevano la simmetria.

— Mericano, non capisco un accidente! — protestò il compare. — Spiegati.

Il Mericano mandò giù altri due bicchieri poi si alzò e pareva il Picco dei Tre Signori tanto era alto e massiccio. Si fece largo e, passando davanti al tavolino di Peppone, uscì dal portico e, lentamente, si avviò verso il monumento.

Si alzò anche Peppone e uscì dal portico assieme ai suoi. Ormai tutta la banda del Fontanaccio aveva fatto cerchio attorno al monumento ma, quando arrivò, Peppone trovò aperta la strada per arrivare in prima fila.

Il Mericano stava col piede sul ripiano di marmo, come se pensasse qualcosa: in realtà aspettava che arrivasse Peppone. Tanto è vero che, non appena Peppone fu lì davanti in prima fila, il Mericano disse:

— Nel monumento non c'è la simmetria perché il piedestallo non è messo giusto.

Poi cinse con le lunghe braccia il piedestallo e ristette con la faccia incollata alla pietra.

Improvvisamente tese tutti i muscoli e diede lo strappo.

Le ossa di quella gran macchina di carne scricchiolarono, ma il parallelepipedo di pietra fece un ottavo di giro e l'Ercole, che prima guardava a nord, ora guardava a nord-est.

La gente era rimasta a bocca aperta per lo stupore.

— Così sta meglio, — spiegò il Mericano. — Caso mai, se qualcuno non gli piace, va a chiamare il sindaco che è robusto, e lui lo rimette a posto.

La squadra del Fontanaccio sparò un'urlata frenetica mentre Peppone impallidiva.

Quello che aveva fatto il Mericano era qualcosa di bestialmente enorme, Peppone aveva le braccia che parevano due tronchi d'olmo, e il filone della schiena solido come una trave di cemento armato: però non se la sentiva di compiere uno sforzo di questo genere. E poi, se avesse tentato e avesse fatto cilecca, era finita.

Intanto il cerchio si era ispessito: lo Smilzo stava lì dietro con la sua squadra.

Peppone si fece avanti:

— Rimettilo a posto! — disse con voce dura al Mericano.

— A me piace così, — rispose il Mericano. — Se a voi non piace, rigiratelo com'era prima. Se poi non ve la cavate, fatevi aiutare da quelli della vostra squadra.

Peppone strinse i pugni:

— Questa provocazione ve la dovete ingoiare, — urlò. — Rimettete a posto il piedestallo!

Il Mericano si mise a ridere.

Oramai era questione di pochi secondi: la squadra di Peppone e la squadra del Mericano stavano già coi nervi tesi per scattare. Tutti, dall'una parte e dall'altra, non avevano niente tra le mani, ma ognuno, si capisce, portava in saccoccia, o infilato nella cintura dei pantaloni, un cavicchio di ferro o una chiave inglese.

Fra un secondo sarebbe incominciato il macello.

Ma si udì rimbombare nel silenzio la voce di don Camillo.

— Un momento, giovanotti! — esclamò allegramente don Camillo facendosi avanti e mettendosi fra le due squadre. — Qui, se non sbaglio, c'è un grosso malinteso!

— Non c'è nessun malinteso! — urlò Peppone. — Chi ha girato il piedestallo lo deve rimettere a posto!

— Giusto, — rispose sorridendo don Camillo

rivolgendosi al Mericano. — Se non sbaglio lo ha girato lei: quindi lo rimetta a posto.

Il Mericano si strinse nelle spalle:

— A me mi piace così, — borbottò. — Se al sindaco non gli piace se lo rimetta a posto lui.

Peppone fece per scattare ma don Camillo lo bloccò.

— Lei, giovanotto, pretende troppo, — continuò rivolto al Mericano. — Il sindaco è la più alta autorità del paese e il suo compito non è quello di raddrizzare i monumenti: ha altre cose storte da raddrizzare. Per raddrizzare un monumento basta il parroco.

Don Camillo si rimboccò le maniche e si avanzò lentamente verso l'enorme parallelepipedo di pietra. Gli pareva ancora più grosso, e smisurato. Sapeva di non possedere la forza sufficiente: solo una bestia come il Mericano poteva compiere un'impresa simile.

Ormai era giunto: abbracciò il piedestallo e incollò la guancia sinistra sulla pietra fredda. Intravvedeva, al disopra della gente assiepata in cerchio, la porta spalancata della chiesa, le candele accese sull'altar maggiore, ai piedi del Cristo crocifisso.

— Gesù, — disse don Camillo con disperazione, — ancora non ho incominciato e già le forze mi mancano!

— L'importante è che non ti manchi la fede, — rispose con un sussurro la voce del Cristo.

Si udì un urlo e don Camillo lasciò la presa per guardare cosa succedesse ed era la gente che lo applaudiva frenetica perché il piedestallo era tornato al suo posto.

Don Camillo rimandò a più tardi una analisi del fenomeno: adesso c'era qualcosa di più urgente da fare.

— Ogni cosa è tornata al posto di prima, — spiegò mettendosi ancora fra le due squadre. — Grazie alla mediazione della Chiesa lo scherzo di questo giovanotto è rimasto uno scherzo. Ognuno lieto e soddisfatto riprenda la strada di casa sua e se ne vada con Dio.

In quel momento arrivò in piazza il camioncino dei carabinieri e questo fatto indusse il Mericano e la sua banda a tagliare la corda.

— Cosa sta succedendo? — domandò affannato il maresciallo facendosi largo.

— Niente di grave, — spiegò sorridendo don Camillo. — Una semplice discussione di carattere artistico.

Peppone andò a letto, quella sera, con un gatto vivo nello stomaco. E non si trattava della faccenda del Mericano. La faccenda del Mericano era un rospo grosso, ma riusciva anche a mandarlo giù. Il Mericano non era un uomo, alla fine: era un elefante e un uomo non può, a ragion di logica, sentirsi umiliato se un elefante ha più forza di lui.

Il fatto che non poteva mandar giù era quello di don Camillo. Don Camillo non era un elefante, era un uomo come Peppone. E don Camillo era riuscito a raddrizzare il piedestallo.

Peppone si rigirò nel letto fino all'una di notte. Poi sentì, nello stomaco, non uno ma due gatti vivi: perché don Camillo lo aveva umiliato come uomo e come rappresentante di un Partito. «Grazie alla mediazione della Chiesa», aveva detto don Camillo.

Peppone, alle due di notte, saltò giù dal letto, si vestì e, sceso in cucina, si scolò d'un fiato una bottiglia di vino. Poi uscì e camminò solo per le vie deserte e silenziose del paese addormentato. Era scesa la nebbia, una nebbia spessa da non vederci a tre metri di distanza. Vagò con l'anima in pena e, a un bel momento, si trovò davanti al monumento. « Se ce l'ha cavata quel maledetto prete, perché non dovrei cavarcela io? », pensò con rabbia. Il vino gli era entrato in circolazione e gli aveva scaldato i cilindri.

« Gesù Cristo! », disse Peppone abbrancando con furore il piedestallo di pietra, « se siete giusto e non fate delle preferenze coi preti dovete darmi la forza che avete dato a don Camillo!... ».

Gli parve che gli si spaccassero tutte le giunture: ma il piedestallo fece un ottavo di giro e l'Ercole tornò a guardare a nord-est.

Peppone lanciò un sospirone che avrebbe fatto spostare di un miglio un tre-alberi da carico.

« Grazie, Gesù », disse Peppone. « Mi convinco sempre di più che siete un galantuomo indipendente e che non fate della politica ».

Riuscì appena appena ad arrivare a casa: non aveva più niente che gli funzionasse. Gli doleva tutto. Si sentiva come uno al quale sia passato sul corpo un rullo compressore. Bevve d'un fiato un'altra bottiglia di vino e si buttò a letto cadendo a capofitto in un sonno di ghisa.

* * *

Verso le dieci del mattino seguente, quando la nebbia fu spazzata via, qualcuno si accorse che il piedestallo del monumento era di traverso e diede l'allarme. La cosa era chiara: durante la notte quelli del Fontanaccio erano tornati a ripetere l'impresa e la provocazione.

Lo Smilzo corse a casa di Peppone e, trovatolo ancora a letto, voleva svegliarlo. Ma gli toccò la fronte e sentì che scottava. Era una febbre da dinosauro e lo Smilzo rinunciò all'impresa.

Tornò alla Casa del Popolo per avvertire che non si facesse niente di niente fino a quando il capo non avesse ripreso l'uso della ragione: ma ormai la faccenda era diventata troppo grossa e la gente ne aveva fatto un caso che interessava tutto il paese.

Bisognava dare una lezione a quei disgraziati del Fontanaccio.

« Stasera si va al Fontanaccio e si pestano tutti dal Mericano all'ultimo vicebullo. Se occorre, si pestano anche quelli che non sono della ghenga ».

« E se poi qualche maledetta spia soffia nel riso e ci mette di mezzo i carabinieri, niente di male. Invece di stasera si va un'altra volta. Il conto deve essere saldato ad ogni costo. E guai a chi tocca il monumento. Chi l'ha girato deve rimetterlo a posto ».

Queste le conclusioni alle quali si era arrivati la sera e in questi termini vennero riferite a don Camillo dal Barchini, il suo informatore ufficiale.

In verità don Camillo non capì niente di quello che gli disse il Barchini: don Camillo era ancora a letto e non aveva un ossicino che potesse muoversi senza cigolare o un nervettino che, a farlo lavorare, non gli strappasse un urlo di dolore. Quando, raddrizzato il piedestallo, era tornato in canonica, aveva dovuto buttarsi immediatamente a letto e una febbre da rinoceronte lo aveva tenuto inchiodato lì, come morto, fino alla sera seguente.

Il Barchini gli ripeté tutta la relazione e, siccome la cosa era grave, don Camillo, gemendo si era tolto dal letto. Poi si era fatto riempire la bigoncia del bucato d'acqua bollente e aveva fatto uno di quei bagni che, se non lo ammazzano, riescono a rimettere in piedi un uomo anche in peggiori condizioni di don Camillo.

Adeguò la temperatura interna a quella esterna mandando giù mezza bottiglia di cognac e, finalmente, riuscì a ingranare la marcia.

Ma ormai era troppo tardi: un sacco di gente del Fontanaccio era già stata spazzolata e aveva ricevuto l'aut aut: «E se domani non viene il vostro forzuto a rimettere a posto la statua, domani sera si fa il bis».

Ciò significava che l'indomani (o un altro giorno se ci si metteva di mezzo la polizia), la squadra sarebbe partita per il Fontanaccio con gli schioppi perché era sicura che quelli del Fontanaccio l'avrebbero accolta a schioppettate.

Don Camillo si fece prestare il biroccio dal Pasotti e, verso mezzanotte, partì per il Fontanaccio.

Andò diritto alla casa del Mericano, e gli aprì una vecchia sbigottita.

Il Mericano era a letto e, come vide don Camillo, spalancò gli occhi.

— Bestia maledetta! — gli urlò don Camillo, — per colpa tua due paesi stanno per scannarsi. Perché hai girato ancora il monumento?

— Non sono stato io! Ve lo giuro! — singhiozzò il Mericano. — Appena tornato a casa, mi sono dovuto buttare a letto perché non stavo più in piedi. Ho tutte le ossa spaccate! Non sono stato io. Domandatelo a mia nonna!

La vecchia si segnò.

— Giuro sulla Croce benedetta che appena è venuto a casa, ieri, si è messo a letto e non si è mosso più.

— Allora è stata la tua squadra! — urlò don Camillo.

— Non so niente, non so niente! — gemette il Mericano.

Don Camillo si rivolse alla vecchia:

— Voi accendete il fuoco e mettete su dell'acqua! Riempite una bigoncia e, quando è pronta, avvertitemi.

Quando la bigoncia fu pronta dentro la stalla, il Mericano dovette andar giù a cuocersi le ossa come aveva fatto don Camillo. Poi dovette vestirsi e salire sul biroccio con don Camillo.

— Dove mi portate? Non ho fatto niente, — gemeva il Mericano.

Arrivarono in paese verso le due e la nebbia era più fitta della sera prima. Quando si trovarono di fronte al piedestallo del monumento, don Camillo ordinò al Mericano:

— Forza! Ti aiuto anch'io!

Ce la misero tutta ma non riuscirono a spostare la pietra di un centimetro.

— Non muoverti di qui, — disse allora don Camillo.

*   *   *

Peppone venne giù con l'aiuto di Dio e, appena gli fu davanti, don Camillo gli disse di vestirsi e di accompagnarlo.

— Qui, se non raddrizziamo il monumento, succede l'ira di Dio. Il Mericano ha le ossa rotte e non ce la fa, io ho le ossa rotte e anche in due non si cava un ragno dal buco. Vieni tu a darci una mano.

Peppone gemette:

— E come faccio se non riesco neanche a stare in piedi?

— Lascia perdere; mettiti il tabarro e vieni.

Peppone non ne poté più di tenersi i due gatti vivi dentro lo stomaco: di uno almeno doveva liberarsi:

— Reverendo, se voi e il Mericano avete le ossa rotte per aver spostato il monumento, perché non dovrei avere le ossa rotte io se l'ho spostato anch'io?

Erano nella cucina di Peppone: don Camillo aperse un canterano, ne cavò una bottiglia, la stappò e la porse a Peppone:

— Bevi, assassino!

Peppone bevette: poi si buttò sulle spalle il tabarro e seguì don Camillo.

Il Mericano aspettava seduto sul gradino del monumento tremando per il gran freddo.

Tutt'e tre abbrancarono il piedestallo e incominciarono a dargli dei piccoli strappi. E ogni strappo tirava fuori tre gemiti di dolore. Non si sa se gli strappi furono cinque, cinquecento o cinquantamila: il piedestallo tornò diritto.

— Dormirai in canonica, — disse alla fine don Camillo al Mericano. — Spiegherò che sei venuto stamattina presto a raddrizzare il monumento alla presenza mia e del sindaco, poi siccome non ce la facevi più a rimanere in piedi, ti ho trattenuto.

Arrivati alla canonica, il Mericano crollò sull'ottomana della saletta e non si mosse più. Don Camillo gli buttò addosso il tabarro e andò da Peppone che aspettava seduto nel divano dell'andito.

— Se avessi soltanto la forza di alzare un braccio, ti darei un pugno che ti manderei a sbattere la zucca fin là in fondo! — esclamò don Camillo.

— Come dato, — borbottò Peppone crollando lungo disteso sul divano.

— La mia casa è diventata un dormitorio popolare! — urlò don Camillo.

Trovò altri stracci da buttare addosso a Peppone poi, arrivato dopo lunghi sforzi alla sua stanza, crollò sul letto.

— Gesù, — sussurrò, — stabilite voi chi è il più disgraziato di noi tre e sul suo capo mettete la vostra santa mano.

Gesù stabilì che il più disgraziato era Peppone e gli mise sul capo la santa mano e così, quando il giorno dopo Peppone si svegliò, aveva in testa una luminosa idea che mise subito in pratica anche se, a maneggiare il martello, gli costava una fatica sovrumana.

Infatti fece quattro graffe di ferro di tre chili l'una e ordinò che le murassero subito con cemento 800 in modo che, saldato il piedestallo al gradino delle fondamenta, nessuno, neanche l'Ercole alloggiato sul piedestallo, potesse spostarlo di un solo millimetro.

Poi, andò a finire che la ragazza sposò il bulletto del Fontanaccio e il figlio che nacque lo chiamarono Ercolino e ruppe il filo d'odio che divideva i due paesi e li legò con un filo d'amore.

EMPORIO PITACIO

A venticinque anni Giosuè Bigatti non sopportò più il fatto che al paese tutti lo chiamassero Pitaciò e andò a lavorare in città.

Rimase via quindici anni e tornò in paese ben vestito, ben scortato di quattrini e bene ammogliato.

Aprì in piazza una bella bottega e sulla insegna fece scrivere:

GIOSUÈ BIGATTI
& FIGLIO
EMPORIO
Articoli Casalinghi

Il figlio di cui parlava l'insegna non aveva ancora raggiunto i dieci mesi: comunque il figlio c'era e si chiamava Anteo Bigatti. Ma la gente non ci stette neppure a pensar sopra un minuto: « Giosuè Bigatti e figlio Empòrio », disse la gente.

E, siccome Giosuè Bigatti si chiamava Pitaciò, Anteo Bigatti venne chiamato Empòrio Pitaciò.

Anteo non ne aveva nessuna colpa, ma quello dei Bigatti era un tragico destino e il nomignolo gli rimase sul groppone. Suo padre e sua madre non tentarono neppure di lottare: e quando un giorno, arrivato Anteo ai sei anni, tornò dalla scuola piangendo perché i suoi compagni lo avevano chiamato Empòrio Pitaciò, il padre gli rispose:

— Lasciali dire, Anteo. Quando sarai grande gli farai vedere chi sei tu!

Anteo si piantò dentro il cervello quelle parole e, in seguito, quando lo chiamavano Empòrio o Pitaciò, incassava sempre senza batter ciglio.

A diciassette anni però, la cosa incominciò a dargli fastidio perché anche le ragazze lo chiamavano Empòrio: allora disse a suo padre:

— Mandami a studiare in città.

Nessuno in paese sapeva cosa accidente studiasse Empòrio in città. Tornava al paese per le vacanze e, quando gli amici cercavano di andargli sotto, se la cavava dicendo: «Faccio pratica commerciale».

Quando Empòrio compì i ventidue anni, in paese scoppiò la bomba. Empòrio studiava canto: stava scritto sul giornale, nella cronaca della provincia: Anteo Bigatti si era particolarmente distinto nel saggio al Conservatorio.

E non ci furono dubbi perché, nella vetrina dell'empòrio di articoli casalinghi, c'era, appiccicato al cristallo, il giornale con un gran frego rosso attorno alla notizia del saggio al Conservatorio.

Aspettarono che Empòrio tornasse per le vacanze, ma Empòrio non tornò: «Empòrio si è perso nella nebbia», disse la gente.

Cinque anni dopo il vecchio Bigatti morì. La vecchia rimase alcuni mesi a piangere in bottega poi, una mattina, la saracinesca non si levò e rimase sempre abbassata: i coniugi Pitaciò si erano riuniti.

«Forse è morto anche lui», commentò la gente non vedendo Empòrio comparire né al funerale del padre né a quello della madre.

Ma Empòrio Pitaciò non era morto, e un giorno, tornò a galla dalla terza pagina di un giornale: «*Clamoroso successo del tenore Anteo Bigatti in Argentina*».

La gente, in paese, rimase perplessa: non riusciva ad ammettere che Empòrio Pitaciò potesse aver combinato qualcosa di così grosso.

Poi fu costretta ad ammetterlo perché il nome di Anteo Bigatti diventò sempre più famoso e, quando il quotidiano nazionale più importante pubblicò l'intervista che Anteo Bigatti aveva concesso al corrispondente newyorkese, al paese venne la frenesia.

Nell'intervista Anteo Bigatti affermava che, una volta finiti i suoi numerosi impegni coi principali teatri d'America, avrebbe cantato in Europa e, quindi, anche in Italia: e questo era bene. Ma, più avanti, si affermava che Anteo Bigatti era nato «*a Castelletto, un piccolo paese in riva al Po...*».

«Porci maledetti!», urlò la gente in paese «Anteo Bigatti è nato qui, non a Castelletto! Anteo Bigatti è nostro!».

Peppone fece fotografare il registro delle nascite e mandò la fotografia al giornale con una lettera di fiera protesta. Il direttore del giornale approfittò dell'occasione per spedire un inviato speciale al paese a raccogliere materiale per un articolo sulla fanciullezza del grande tenore.

Risultò che tutti avevano da raccontare qualche episodio sulla straordinaria vocazione per il canto che Anteo Bigatti aveva dimostrato, fin da quando era ragazzino e risultò che tutti avevano detto, a suo tempo: «Questo ragazzo farà cose grandi».

Soltanto don Camillo, quando il giornalista andò a intervistarlo, spiegò che lui non aveva capito proprio niente:

— Era quello che cantava peggio, nel coro. Ricordo che fui costretto ad escluderlo per completa mancanza di voce e d'orecchio. Come tipo di ragazzo era taciturno, musone e piuttosto antipatico.

Il giornale stampò puntualmente anche le dichiarazioni di don Camillo e la cosa fu tanto grossa, per il paese, che Peppone organizzò un pubblico comizio per deplorare indignato «*coloro che, pur vestiti della tonaca dei ministri della religione cristiana, approfittano di ogni occasione per denigrare gli illustri artisti espressi dai virgulti generosi del sano popolo lavoratore*».

Disse inoltre che «*il paese si gloriava di avere come figlio Anteo Bigatti anche se l'oscurantismo medievale del clericalismo aveva tentato di ostacolarne la radiosa carriera negando la bellezza di quel canto che oggi risuona nei principali teatri del mondo e porta alto il prestigio della nazione e del paese natio!*».

Don Camillo non si inquietò. Rispose con estrema semplicità:

— Non posso rimproverare il buon Dio perché non mi ha fornito di fine intuito musicale, tanto più che mi ha regalato una virtù ben più importante: quella della sincerità.

Passò del tempo e, ogni volta che qualche giornale parlava di Anteo Bigatti, il ritaglio con la notizia o l'articolo venivano appiccicati alle vetrine di tutti i caffè e di tutti i negozi più importanti.

Poi, il giorno in cui la stampa e la radio comunicarono che Anteo Bigatti era arrivato in Italia, il paese fu come sconvolto da una ventata di entusiasmo, tanto è vero che risultò necessario costituire immediatamente un comitato.

« Anteo deve venire qui! », disse il paese. « Prima di tutto egli deve venire qui nel luogo che gli ha dato i natali, che l'ha ispirato, che l'ha sostenuto nelle sue prime dure battaglie. Deve venire qui, fra i suoi amici, fra i suoi compagni di giochi, fra la gente che gelosamente ha custodito i suoi morti! La sua voce è la voce di questa terra: è la nostra voce e noi abbiamo il diritto di sentirla prima degli altri ».

Il comitato lavorò giorno e notte e, alla fine, decise: « Qualcuno parta immediatamente per Milano, trovi Anteo, gli porti il vibrante messaggio di benvenuto di tutto il paese e lo convinca a venire qui, almeno per una sera, a cantare per noi. Gli garantiamo una organizzazione perfetta e la presenza di tutte le principali personalità della provincia e della stampa nazionale ».

Il difficile incominciò quando si trattò di trovare chi andasse a Milano a convincere con la sua parola appassionata il celebre tenore.

Peppone obiettò che lui sarebbe andato volentieri, ma data la sua posizione politica, non voleva che Anteo, il quale veniva dall'America e, probabilmente, aveva delle errate idee sui comunisti, venisse indotto ad equivocare circa le intenzioni del sindaco.

Allora, per eliminare ogni equivoco, si stabilì che, assieme al sindaco, sarebbe andato anche il parroco.

E don Camillo fu costretto ad accettare. Fu costretto soprattutto dalla sua furibonda curiosità di vedere cosa fosse diventato, dopo tanti anni, quel musone di ragazzino che aveva tanto orecchio quanto una tegola.

*   *   *

Peppone, a vestirlo della festa con pantaloni stirati, scarpe lustre, colletto, cravatta e penna stilografica nel taschino, funzionava come se lo avessero inamidato dentro e fuori. Le parole arrivavano fino al bottone del colletto poi ritornavano giù impaurite, a ribollir dentro lo stomaco.

— Parlate voi, reverendo, — disse quando furono davanti al grande albergo milanese. — Parlate pure anche a mio nome. Cercate magari di non farmi dire delle sciocchezze troppo grosse.

— Non temere, compagno, — lo rassicurò don Camillo. — Ti farò dire le stupidaggini solite.

Ci fu da aspettar parecchio prima che don Camillo e Peppone potessero ottenere via libera. E, quando furono davanti alla porta dell'appartamento di Anteo, erano piuttosto agitati tutt'e due.

Li ricevette un personaggio pieno di sussiego.

— Sono il segretario, — spiegò. — Il commendatore è molto affaticato: li prego di essere brevi.

Anteo, in vestaglia da camera, era sdraiato in una enorme poltrona di velluto rosso. Stava leggendo un giornale e levò lentamente il capo:

— Prego, — sospirò con voce lontana. — Dicano pure.

Peppone toccò col gomito don Camillo che stava lì in piedi al suo fianco e guardava il celebre tenore a bocca aperta.

— Ecco, — balbettò don Camillo, — noi siamo qui, il sindaco ed io, a portare il benvenuto affettuoso del paese.

Anteo Bigatti fece un sorrisetto:

— Del paese? — domandò con calma. — Scusino, di quale paese?

Don Camillo, che fino a quel momento non era riuscito a raccapezzarsi, ingranò decisamente la marcia.

— Del nostro paese, — rispose. — Del suo, del mio e di quello del signor sindaco. Del paese dove lei è nato, insomma.

Anteo Bigatti fece un sorrisetto tutto tirato da un lato:

— Molto interessante e molto carino, — rispose. — Un pensiero davvero gentile.

Don Camillo cominciò a vedere della nebbia: per fortuna Peppone era riuscito a vincere il « complesso del colletto » e a dar fiato sufficiente alle sue parole:

— Commendatore, — disse Peppone, — il nostro paese è orgoglioso di lei e ha sempre seguito con ansia i suoi successi mondiali. E allora tutti, al di sopra delle correnti politiche, siamo qui a chiederle il privilegio di una sua visita.

— Capisco, — rispose. — Ma i miei impegni sono tali e tanti che mi è assolutamente impossibile.

Il segretario allargò le braccia e scosse il capo.

— Impossibile, — disse anche lui. — Assolutamente impossibile.

Don Camillo intervenne:

— Ci rendiamo perfettamente conto di quello che lei dice, commendatore. Il celebre tenore deve avere davvero degli impegni straordinariamente gravi se non riesce a concedere al figlio neppure poche ore di permesso per andar a vedere se i suoi vecchi son stati sotterrati in un cimitero oppure lungo la riva di un fosso.

Anteo Bigatti impallidì. Poi diventò rosso. Ma don Camillo, lanciata la sua freccia avvelenata, aveva voltato le spalle al celebre tenore e veleggiava maestoso verso la porta. Peppone lo seguì.

Non fecero a tempo a imboccar la scala che sopraggiunse affannato il segretario:

— Li prego, signori. Qui c'è un equivoco. Non si preoccupino, lascino fare a me, sistemerò tutto io: troverò il modo di posporre qualche impegno. Domani riceveranno un mio telegramma. Nel frattempo evitino di fare qualsiasi dichiarazione alla stampa. Qui tutto è chiaro e semplice, e non bisogna complicare ciò che è chiaro e semplice.

Don Camillo capì che aveva il coltello per il manico e non lo mollò.

— Certamente, — rispose. — Noi abbiamo organizzato un solenne ricevimento per il commendatore, il quale, la sera, sarà tanto gentile da eseguire qualche pezzo per noi del paese. Tutti sono in grande aspettativa. Oltre al resto lo scopo è benefico. Inviteremo le autorità, la stampa. Una cosa degna del commendatore.

Il segretario mandò giù.

— Lascino fare a me, — rispose. — Certamente,

il commendatore canterà. Però niente stampa, niente autorità... Altrimenti egli dovrebbe pagare grosse penali dati i contratti che ha firmato. Sì, una cosa in famiglia.

Peppone era raggiante:

— Certamente, — esclamò. — Anteo e noi siamo figli della stessa terra. Una cosa intima, familiare, senza estranei.

Usciti dall'albergo Peppone e don Camillo camminarono in silenzio per un bel pezzo. Poi don Camillo sospirò:

— Peppone, io ti dico che avrei agito più da galantuomo se, invece di fargli quel discorso, gli avessi rifilato una sberla. Dio mi avrebbe perdonata la sberla, difficilmente mi perdonerà quelle parole.

Ma Peppone schiattava di contentezza e non si preoccupava minimamente del disagio spirituale di don Camillo.

*   *   *

La mattina seguente arrivò il telegramma. Il commendatore accettava di venire e di cantare e stabiliva la data. Peppone fece subito sparare un manifesto trionfale e il paese si preparò a ricevere degnamente il suo illustre figlio. Il salone venne rimesso a nuovo: pittura ai muri, vernice alle porte. Vennero installati altoparlanti in modo che anche la gente rimasta fuori potesse sentire.

Anteo Bigatti arrivò nel primo pomeriggio del giorno fissato e la gente lo aspettava fin dal mattino.

Quando apparve nella piazza la enorme macchina americana del tenore, non rimasero nelle case neppure i gatti.

Anteo era di pessimo umore: scese dal macchinone nero che la polvere delle strade della Bassa aveva reso biancastro. Toccò col dito affusolato dall'unghia curatissima un risvolto del suo meraviglioso doppio petto grigio a righe bianche e fece una smorfia di disgusto:

— Un'indecenza: sono pieno di polvere anch'io. Pieno di sudore e di sudiceria! Prego, portatemi alla mia stanza, devo rimettermi a posto.

La gente applaudiva e gridava: «Viva Anteo!», ma Anteo aveva premura soltanto di raggiungere la sua stanza. Il fatto di essere arrivato al paese con una macchina stupenda ma che, essendo piena di polvere, non faceva neppure metà dell'effetto che avrebbe potuto fare, lo deprimeva. E poi anche lui era in disordine. Aveva la faccia untuosa, sciupata.

— Presto, presto, la stanza del commendatore! — gemeva intanto il segretario che volteggiava intorno al tenore come un caccia attorno al bombardiere.

Poi, quando finalmente vide la stanza, il segretario si coperse il volto con le mani:

— Gesù, Gesù! È una cosa impossibile! Almeno la stanza doveva essere qualcosa di decente!

L'albergatore, che aveva tirato fuori dai cassettoni la sua biancheria più candida e aveva messo sui mobili tutte le cose più belle della casa, compresa la coppa d'argento placcato guadagnata nel torneo di bocce, era umiliatissimo.

— Presto, il bagno! — esclamò Anteo arrivando e gettandosi su una sedia. — Presto un bagno caldo e subito o è un disastro.

Tutti erano usciti dalla stanza e stavano lì, davanti alla porta chiusa, come rimbambiti: schizzò fuori il segretario.

— Per favore, — implorò, — il bagno. Il bagno, per favore; il commendatore è in condizioni pietose. Il bagno!

Si guardarono in faccia l'un con l'altro, poi Peppone balbettò:

— Il bagno... il bagno non c'è... Capisca, questo è un paese...

Il segretario sbarrò gli occhi.

— E come faccio a dirglielo al commendatore? Qui succede una tragedia!

— Mettiamo subito su dell'acqua e prepariamo la bigoncia del bucato! — propose l'oste. Ma il segretario non gli diede neppure retta. Disse che bisognava trovare un bagno.

— Alla Palazzina vecchia c'è un bagno! — esclamò lo Smilzo. — Lo mettiamo a posto e vuol dire che il bagno lo andrà a fare là.

Peppone, lo Smilzo e il Bigio corsero alla Palazzina, e alla custode dissero che non rompesse l'anima perché dovevano requisire il bagno per motivi di utilità pubblica.

Effettivamente il bagno c'era. L'aveva fatto impiantare nel 1920 quel matto del Trambini, quando gli erano venute le smanie della nobiltà. Lo scaldabagno era a legna, di quei trabiccoli alti di rame. La vasca di ferro smaltato era gialla di sporcizia e piena di patate e di cipolle.

Lo Smilzo volò in officina a prendere dell'acido e, mentre il Bigio e la vecchia si affannavano a sgombrare la vasca e il camerino, Peppone si attaccò alla caldaia. Lavorò febbrilmente e riuscì a riempirla d'acqua. Teneva bene e allora Peppone accese il fornello.

Quando, un quarto d'ora dopo, ritornò lo Smilzo con l'acido, la caldaia scoppiò.

La squadra riprese tristemente la via del ritorno e, davanti all'alberghetto, trovò il segretario che aspettava cupo.

— Abbiamo trovato il bagno, — spiegò Peppone. — Ma la caldaia è scoppiata.

Il segretario lo guardò, poi disse con voce nella quale fremeva l'orrore:

— Non importa. Il commendatore sta facendo il bagno dentro un bigoncio!

La gente, adesso, si era tutta raggruppata davanti all'albergo e aspettava.

Sapeva che Anteo Bigatti stava facendo il bagno e rispettava la sua pace.

Dopo mezz'ora la gente incominciò a battere le mani e a gridare: «Viva Anteo!», «Fuori Anteo!». Arrivò la banda che attaccò il suo pezzo forte e Anteo dovette affacciarsi alla finestra. Aveva una stupenda vestaglia di seta. Sorrise, agitò la bianca mano e l'enorme brillante che aveva al dito sfavillò al sole.

Poi il segretario scese pregando la gente di lasciar tranquillo il commendatore che aveva bisogno di riposo e di silenzio.

Pareva che tutto fosse finalmente tranquillo e che tutto dovesse procedere bene ma, verso sera, il commendatore chiese qualcosa da mangiare e gli portarono un enorme piatto di salame e culatello, un'anitra arrosto e una plancia di lasagne al forno.

Il segretario quasi si metteva a piangere:

— Qualcosa da mangiare per un cantante, non per una leonessa! — gemette. — Roba leggera, un piccolo brodo ristretto, una fettina di prosciutto magro, un cetriolo, un dito di vino di Porto...

L'oste, che aveva tagliato sei culatelli e otto salami prima di trovare due pezzi perfetti, si sentì morire.

Il brodino, fatto così alla svelta, risultò una schifezza, il prosciutto sapeva di rancido, il Lambrusco non riuscì neppure a ricordare il Porto. Il cetriolo dovette essere sostituito con un orrendo mazzo di ravanelli.

Il commendatore pareva Giove al quale, invece di nettare, avessero rifilato una fetta di mortadella.

Intanto le ore galoppavano: il salone era zeppo, la piazza gremita.

Male anche tutto questo perché, dopo aver dovuto lavorare come un carro armato per fendere la folla nella piazza, Anteo Bigatti trovò la sala zeppa, appunto, come un uovo, quando invece avrebbe dovuto essere vuotissima e ciò allo scopo di permettere al commendatore di mettersi d'accordo col maestro di pianoforte e provare qualcosa per via dei toni e dei trasporti.

La gente fu costretta a uscire tutta e fu un gas. E poi ci fu la tragedia del maestro di piano che non capiva niente. Alla fine tutto andò a posto e la gente poté ritornare in sala.

Peppone, che si era messo un vestito nero nel quale scoppiava perché aveva dovuto prenderlo a prestito, quando la banda ebbe eseguito, dalla piazza, l'inno di Mameli, si avanzò sul palco introducendo con un gesto maestoso Anteo Bigatti che indossava un frak tagliato dal miglior sarto di Piccadilly. L'applauso fu qualcosa di spaventoso. Anteo si inchinò sorridendo come si sarebbe inchinato se fosse stato, non nel salone del suo paese, ma sul palcoscenico del Metropolitan.

Peppone snocciolò un discorso formidabile che terminava: « E ora vorremmo che il grande Anteo Bigatti, il nostro grande Anteo, prima di cantare dicesse una parola ai suoi amici ».

La cosa infastidì spaventosamente Anteo che, dopo aver esitato parecchio, si avanzò al proscenio e disse con voce indifferente:

— Canterò per voi *Celeste Aida*.

La gente tacque e stette a guardare Anteo Bigatti che, lentamente, andava assumendo la posa statuaria dell'Ugola Divina che si accinge a regalare al mondo - lurido e pezzente - uno dei gioielli mirabili del suo scrigno.

Tutto si svolse in un silenzio assoluto, un silenzio quasi soprannaturale. Anteo Bigatti era ormai pronto: il brillante enorme che aveva al dito esplose in mille barbagli.

Il piano preludiò. Le labbra di Anteo si dischiusero. La voce uscì e la gente ne fu come sgomenta. La gente trattenne il fiato per timore di turbare l'aria nella quale si distendeva quell'argenteo filo canoro. E il filo, dopo essersi disteso nel silenzio, prese a salire in lente volute, via via fino a raggiungere le prime stelle del cielo e sostò un istante per prendere lo slancio che l'avrebbe portato al culmine dell'infinito. E qui, implacabile, inequivocabile, esplose una stecca colossale, orrenda.

Una stecca atomica che lasciò atterrito Anteo Bigatti e tolse alla gente quel pochino di fiato che le era rimasto.

Ma fu questione di un decimo di secondo. Immediatamente una voce urlò:

— Empòrio, va a cantare in Argentina!

E cento altre voci crepitarono:

— Pitaciò, vai a letto!

— Pitaciò!... Pitaciò!... Pitaciò!...

Fu qualcosa come una ribellione, una sommossa, una rivoluzione. Fu un grido feroce, spietato. Un sibilare furibondo di cento vapori in pressione.

Poi una risata zampillò in mezzo alla sala, e altri zampilli schizzarono un po' dappertutto fino a quando la risata non diventò un fiume vorticoso.

Anteo Bigatti impallidì: rimase immobile qualche istante poi infilò la porticina e scomparve. Pochi minuti dopo entrava nell'albergo.

— Povero Empòrio Pitaciò, te l'hanno dato il prosciutto magro e il cetriolo! — gli gridò dietro sghignazzando l'oste.

Non fece neppure le valigie: aiutato dall'autista e dal segretario, abbrancò la sua roba alla rinfusa e sceso, la buttò dentro la macchina. La immensa « Buick » si mosse e scomparve rapidamente nella notte.

Erano le nove. La gente continuò a ridere fino all'una di notte, poi tutti andarono a letto perché non ne potevano più di ridere.

All'una e mezzo crepitò e si spense l'ultimo « Pitaciò! » e, alle due, il paese precipitò in un sonno di piombo.

La piazza rimase deserta. Le lampade erano immobili perché non soffiava un alito di vento.

Alle due e un quarto un enorme fantasma nero scivolò fino al margine della piazza e qui si fermò.

Un uomo uscì dall'ombra del fantasma e, arrivato al centro della piazza, ristette.

Ad un tratto la lama di una voce altissima forò

quel silenzio. E la voce aumentava sempre più di volume fino a diventare un canto pieno e dispiegato. Un canto che percorse rapido il porticato attorno alla piazza, poi volteggiò nel cielo e riempì la notte.

Tutta la gente si svegliò e dischiuse le finestre e dalle fessure rimirò sbigottita Empòrio Pitaciò che era tornato indietro e ora cantava in mezzo alla piazza deserta.

Uno, due, cinque, dieci arie; l'una dopo l'altra, una più difficile dell'altra e l'ultima fu proprio quella che Empòrio aveva dovuto interrompere, alcune ore prima nel salone: *Celeste Aida*.

Quando arrivò all'acuto, là dove era esplosa la stecca, la voce balzò sicura all'arrembaggio di quella nota che, forse, nessuno era riuscito mai a sfiorare, e l'agguantò saldamente per il lungo gambo e la colse come fosse un fiore e, come fosse un fiore, la depose davanti alla saracinesca polverosa del negozietto che portava scritto sull'insegna scolorita:

GIOSUÈ BIGATTI
& FIGLIO
EMPORIO
Articoli Casalinghi

Poi Empòrio Pitaciò tornò dentro la sua grossa macchina e disparve. Nessuno fiatò, le gelosie si riaccostarono silenziosamente e don Camillo, che anche lui si era levato ad ascoltare, tornò a letto e sussurrò:

— Gesù, fate che le anime dei suoi vecchi l'abbiano sentito.

PASQUA

Pareva proprio che, quell'anno, la Pasqua dovesse venire a mettere il sigillo di ceralacca sul trattato di pace, perché, già da un bel pezzo, il paese era tranquillo, e di scioperi, agitazioni e altra mercanzia progressiva non si parlava più da nessuna parte, come se fosse roba appartenente a un triste e lontanissimo passato.

— È troppo bello, non può durare, si tratterà di una manovra, — diceva la gente preòccupata a don Camillo.

E don Camillo sorrideva:

— Se stamattina c'è il sole, bisogna essere previdenti e pensare che stasera può piovere o grandinare, — rispondeva. — E perciò, se uno si mette in viaggio col sole, fa bene a portarsi l'ombrello. Ma, fin che c'è il sole, godiamoci il sole e non giriamo con l'ombrello aperto. Pensiamo al peggio, ma non sperperiamo il meglio. Stolto chi crede di poter risparmiare la luce del giorno per farsi con essa lume di nòtte.

Don Camillo era prudente ma era sicuro che, quella, sarebbe stata una gran bella Pasqua. E, mentre girava per il paese a benedire le case, aveva il cuore gonfio di gioia.

Sentiva, sì, che qualcosa sarebbe venuto alla fine ad amareggiargli la giornata ma, ogni volta, ricacciava giù il pensiero molesto: «Fin che c'è il sole godiamoci il sole: apriremo l'ombrello quando si metterà a piovere!».

Verso sera, finito il giro, stava avviandosi verso la canonica e il pensiero molesto ritornò a galla ma, stavolta, non poté rimandarlo giù. Tanto più che, passando davanti alla casa di Peppone, si sentì chiamare. Ed era la moglie del sindaco.

— Reverendo, — disse la donna di Peppone, — se voi guardate nel registro del battesimo, vedrete che ci siamo anche noi, nella nota dei cristiani!

— Ci guarderò, — rispose don Camillo. — Comunque il fatto è che io non posso mettere piede in una casa scomunicata.

— Io e i miei figli non c'entriamo, — replicò la donna. — Io e i miei figli non facciamo della politica.

— Già, — borbottò don Camillo. — Voi non fate della politica eccettuato quando i tuoi figli vengono a scrivere «abbasso il Vaticano» sui muri della canonica e quando tu fai la partigiana della pace e spieghi al popolo che i preti sono d'accordo con l'America e vogliono la guerra.

— Politica o no, questa è una casa onesta, — affermò la donna.

— Non lo metto in dubbio, — replicò don Camillo. — La casa è a posto: non è a posto chi ci abita.

Don Camillo stava per riprendere la sua strada, quando sulla porta si affacciò una vecchina tutta striminzita e curva, con un fazzoletto nero in testa.

— Buona sera, reverendo, — disse la vecchia. — Non mi riconoscete?

Don Camillo la riconobbe: era partita dal paese tanti anni fa, quando il fratello di Peppone aveva messo su un'officina per conto suo a Trecastelli. E, da allora, non era tornata più. Don Camillo pensava che fosse morta laggiù perché era già vecchia come il cucco quando aveva lasciato Peppone per seguire il figlio più giovane.

— Sono ottantasei passati, reverendo, — spiegò la vecchietta. — Ormai ne ho più pochi da campare e, prima di chiudere gli occhi, ho voluto rivedere la mia vecchia casa. Sono qui da una settimana e sarei venuta a trovarla ma mi trattano come una bambina di tre anni e non vogliono che esca di casa da sola e via discorrendo. E poi ho pensato che lei sarebbe venuto qui per la benedizione di Pasqua. Entri, entri, reverendo.

Don Camillo inghiottì.

— Già... appunto, — balbettò. — Il fatto è che io, come dicevo a vostra nuora...

La voce imperiosa di Peppone lo interruppe:

— Buona sera, reverendo! Ha visto com'è in gamba ancora la mia mammetta?

— Una cosa straordinaria! — esclamò don Camillo. — Pare proprio che, per lei, gli anni non passino.

— Passano sì, passano sì! — disse ridendo la vecchietta. — Son qui piegata come una roncola e

quando cammino, se non sto attenta prendo il tra-
picco! Ma venga dentro, reverendo!

— E Giacomino, come sta? — domandò don
Camillo.

— Giacomino è diventato un Giacomone come
questo screanzato di suo fratello. Ha l'officina e fa
bene. Ha preso moglie e ha due figli. Non voleva
lasciarmi venire perché anche lui ha l'idea fissa che
io sia diventata una scema che non può neanche
mettere il naso fuori di casa. Ma io gliel'ho cantata
chiara: sono trent'anni che non ti metto le mani addosso, ma se non mi porti subito da tuo fratello, te
ne dò tante che ti pelo la zucca. Allora mi ha portato con la macchina. Ha una bella macchina da
noleggio e lavora mica male anche in questo ramo.
Ma venga dentro, reverendo, parleremo con più comodità. Ho proprio piacere di prendere la benedizione nella mia vecchia casa! S'accomodi, reverendo!

Don Camillo si asciugò la fronte piena di sudore.

— Veramente, come stavo dicendo a vostra
nuora, io non posso...

Si interruppe perché gli arrivò, inaspettata e
fulminea come una raffica di mitra, una calcagnata
sulla noce del piede sinistro e, levati gli occhi, incontrò quelli di Peppone.

Don Camillo non aveva mai visto due occhi
così: erano due occhi che dicevano con chiarezza
spaventosa: « Badate a come parlate o vi rompo
la zucca con questo martello! ».

Ed effettivamente la mano destra di Peppone
stringeva un grosso martello. Ma lo strano è che
quella mano tremava.

Non si sa se don Camillo fosse più impressionato da quello sguardo fermo o da quella mano tremante: il fatto è che cavò fuori di tasca il fazzolettone bianco e giallo e si asciugò ancora il sudore della fronte.

— Cosa stavo dicendo? — disse don Camillo per guadagnare tempo. — Ho girato tanto sotto il sole e adesso sono svanito.

— Stava dicendo che, come ha spiegato a mia nuora, lei non può, — spiegò la vecchia.

— Ah, già, — esclamò don Camillo. — Come dicevo a vostra nuora, non posso entrare a benedire, per via... per via del giro.

— Il giro? E come sarebbe? — si stupì la vecchietta.

— Il giro, nel senso che bisogna rispettare un ordine. C'è una nota: prima la casa tale, poi la talaltra, poi la talaltra eccetera. Sì: si va per numeri in modo che non ci siano gelosie perché il prete va a benedire in un posto prima che in un altro. Mi spiego?

— Giusto, — approvò la vecchietta. — Non tocca a noi adesso?

Uno dei due chierichetti che si era avvicinato e aveva ascoltato le ultime parole intervenne:

— Sì, reverendo, tocca a questa, adesso. Le abbiamo fatte tutte.

Don Camillo aveva mani larghe come badili e dello spessore di un mattone: dovendo, per ovvie ragioni, prendere a scapaccioni i suoi chierichetti, si era visto costretto ad adottare la tecnica dello scapaccione «radente» in modo che la mano, invece di abbattersi sull'obbiettivo, vi scivolasse sopra. Ciò rendeva lo scapaccione silenzioso e di peso sopportabile. Solo grazie a questo accorgimento la vecchina non si accorse del flagello che si era abbattuto sulla zucca del chierichetto.

— Se è l'ultima vuol dire che il giro dei numeri è finito e quindi non le resta che entrare, reverendo!

Così dicendo si avviò verso la porta.

Don Camillo rimandò in canonica i chierichetti, poi guardò con occhi pieni di ferocia Peppone e, mentre si avviava dietro la vecchia, gli fece cenno di rimanere fuori.

E Peppone con un cenno gli rispose che non si sarebbe mosso di lì.

Ma, una volta entrati nell'andito, la vecchia si guardò attorno e gridò:

— Ehi, vieni dentro, tu, scriteriato! Cosa aspetti lì fuori?

Peppone allargò le braccia come per dire che lui non ne aveva colpa ed entrò.

Don Camillo, impugnando l'aspersorio con la gentilezza con la quale avrebbe maneggiato una mazza ferrata, benedisse l'andito, poi passò alla cucina, poi alla saletta, poi dovette salire per benedire le camere da letto al primo piano.

Ridiscese con la pressione altissima, ma la vecchina aveva le idee chiare e non mollò:

— E l'officina? Bisogna benedire anche l'officina, — disse. — Dove si lavora c'è più che in ogni altro posto bisogno della benedizione di Dio!

La porta che collegava l'officina alla casa era nell'andito, dalla parte opposta dell'uscio della cucina:

— Voi, nonna, andate a prepararmi un bel bicchiere di limonata, — disse don Camillo alla vecchina. — Avete sgambettato abbastanza su e giù per le scale. Vado da solo.

— Vai anche tu, scriteriato! — intimò la vecchina a Peppone.

Si ritrovarono soli, don Camillo e Peppone, nell'officina deserta e silenziosa.

— Non sa niente, povera vecchia, — spiegò Peppone. — Per questo non vogliamo che vada in giro e senta delle chiacchiere. Non sa niente di come stanno le cose. Se sapesse che io sono fra quelli della scomunica, le verrebbe un colpo.

— Ma io lo so! — gridò don Camillo. — E lo sapevo. E, pur sapendolo, ho fatto quel che ho fatto. È un sacrilegio!

Peppone si strinse nelle spalle.

— Non diciamo parole grosse, reverendo. Non buttiamo subito la cosa in politica. Io non credo che il Padreterno si offenderà se un prete, una volta tanto, si è comportato da galantuomo. E poi è una cosa che capita tanto poco spesso!

Don Camillo levò il pugno per pestarlo sulla zucca di Peppone: e allora si accorse che il pugno stringeva ancora l'aspersorio.

— Che Dio mi perdoni e illumini le tenebre che incombono in questa testa di legno, — disse don Camillo trasformando quel gesto di minaccia nel gesto della benedizione.

— *Amen*, — borbottò Peppone abbassando il capo.

In cucina la vecchietta aspettava con la limonata pronta.

— La vuole dolce, reverendo? — si informò.

— Dolce, molto dolce, — rispose don Camillo.

— Ho la bocca amara come se avessi mangiato del catrame.

— Digestione cattiva, — sentenziò Peppone spudoratamente.

La vecchia, mentre don Camillo mandava giù la limonata, era andata a frugare nella credenza, e ora tornava con un cestello contenente sei uova.

— No, grazie, non incomodatevi! — protestò con vivacità don Camillo.

Peppone si avvicinò.

— Le mie galline non sono iscritte al Partito, — disse a bassa voce.

— Se non le prende mi offende, — affermò la vecchina.

Don Camillo mise le sei uova in tasca e si avviò decisamente verso l'uscita.

Fuori dalla porta c'era di guardia la moglie di Peppone.

— Un momento, — disse la donna a don Camillo, impedendogli di varcare la soglia. Poi si ritrasse: — È passato. Era il Barchini in bicicletta. Adesso potete uscire tranquillo che non vi vede nessuno.

— Nessuno, all'infuori di Dio! — esclamò cupo don Camillo.

— Poco male, — affermò con naturalezza la donna. — Dio non è un chiacchierone e non vi farà avere delle grane.

Quando, la sera, don Camillo andò a inginocchiarsi davanti all'altar maggiore, il Cristo crocifisso gli domandò se tutto aveva funzionato bene.

— Tutto, — rispose don Camillo.

— E se ogni cosa è andata come doveva andare, perché non sei contento, don Camillo?

— Non sono contento perché sono contento di una cosa di cui non dovrei essere per niente contento.

Don Camillo sospirò; poi, levati gli occhi, domandò:

— Gesù non sarebbe meglio se io, invece di continuare a fare il sacerdote, andassi a fare il maniscalco?

— No, — rispose sorridendo il Cristo. — I cavalli non hanno bisogno d'assistenza spirituale. Gli uomini, invece, ne hanno sempre più bisogno.

— Gesù, se io vi dicessi quello che ho fatto, cambiereste parere.

— No, don Camillo: cambierei parere se Peppone non fosse più un uomo e fosse diventato un cavallo.

IL «PANZER»

Ho una cosa qui!... — esclamò ancora il vecchio Dorini battendosi il pugno sul petto.

Don Camillo perdette la pazienza:

— Sentite un po': da mezz'ora mi state ripetendo come una macchinetta queste sole parole. O vi decidete a vuotare il sacco spiegandomi che accidente avete dentro lo stomaco o io vi metto alla porta e me ne vado a letto.

— Reverendo, si tratta di una faccenda grossa, — disse con voce lamentosa il vecchio Dorini.

— Non sarà mica un bue quello che avete in petto! — esclamò don Camillo.

— Peggio, — gemette il Dorini. — Se si trattasse soltanto di un bue sarebbe uno scherzo.

Don Camillo si levò su, da dietro il tavolino, e venne a piantarsi coi pugni sui fianchi davanti al vecchio.

— Ebbene, si può sapere che roba è? — gridò.

— Non lo so con precisione perché non sono

pratico di quella merce lì, — balbettò l'uomo. — È
uno di quegli arnesi di ferro coi cingoli.

— Un trattore?

— Una specie. Però con un cannone sopra.

Don Camillo lo guardò sbalordito e pensò che
i casi erano due: il vecchio Dorini era ubriaco, oppure era diventato matto.

— Un carro armato? — domandò.

— Un carro armato o press'a poco. Sono cinque anni che ce l'ho qui e non riesco più a dormire.

Se il vecchio Dorini aveva un carro armato dentro lo stomaco, era naturale che non potesse dormire. Non ugualmente naturale sembrava a don
Camillo il fatto che il vecchio Dorini fosse immischiato in una faccenda di carri armati.

— È roba vecchia, dell'aprile 1945, quando i
tedeschi si ritiravano, — spiegò il vecchio. — Uno
di quegli arnesi passò attraverso i miei campi per
raggiungere la strada. Vicino all'aia si fermò perché
s'era rotto non so che cosa dentro. Allora si aprì
il coperchio e saltarono fuori tre tedeschi che incominciarono a bestemmiare nella loro lingua. Gira-
rono attorno al macchinone, poi uno se ne andò
probabilmente a cercare aiuto e gli altri due rimasero lì ad aspettare. Dopo un po', uno venne nel-
l'aia e fece segno che aveva sete. Gli avremmo dato
la cantina intera pur che si levasse dai piedi. Venne
anche l'altro e incominciarono a bere bottiglie a
garganella. Mai visto gente con uno stomaco di
quel genere. Quello che era andato a domandare
aiuto tardava a tornare e i due crucchi continua-
vano a tracannare vino come se fosse acqua zucche-
rata. Noi abbiamo del vino vecchio, che picchia
forte: dopo mezz'ora o poco più, quei disgraziati

parevano due stracci... Allora abbiamo fatto la fesseria.

Il vecchio Dorini s'interruppe e lasciò andare un lungo sospiro.

— Cosa diavolo avete combinato? — esclamò don Camillo allarmato. — Li avete fatti fuori?

Il vecchio scosse il capo:

— Per l'amor di Dio, reverendo: lé pare che noi siamo gente capace di ammazzare dei cristiani che non ci fanno niente di male? Siccome sulla strada passavano altri crucchi, abbiamo fermato un camion e abbiamo fatto capire che c'erano due ubriachi. Allora un sergente che pareva un elefante è saltato giù, ha agguantato per il bavero i due disgraziati e li ha buttati sul camion come se fossero due sacchi di stracci. E via!

Don Camillo chiese perplesso:

— È tutta qui la fesseria?

— No, è soltanto la prima parte, — spiegò il vecchio. — Perché i miei due figli, visto che nessuno si faceva più vivo, buttarono sul carro armato della paglia. E quando, dopo un'ora, quello dei tre crucchi che era andato a cercare aiuto tornò con un carro officina, noi gli spiegammo che gli altri due avevano accomodato il carro armato ed erano partiti già da mezz'ora.

Don Camillo guardò sbalordito il vecchio Dorini: non gli sembrava possibile una faccenda così grossa.

— Avevano tutti una fretta maledetta di tagliare la corda, — spiegò con semplicità il vecchio. — Quando si scappa non si guarda tanto per il sottile. E poi lei lo sa, reverendo; ne han lasciata parecchia di roba, in giro, i tedeschi. E se ne son visti parecchi di camion e carri armati buttati dentro un canale perché non impedissero la strada.

— Capisco, — ribatté don Camillo. — Avete anche fatto bene a nascondere il carro armato. Non capisco però come mai voi lo abbiate ancor oggi sullo stomaco, quell'accidente!

Il vecchio allargò le braccia.

— Quella macchina ci faceva gola: avevamo pensato di cavarne fuori un trattore per arare. Così, durante la notte, abbiamo tolto la paglia, abbiamo coperto ben bene la macchina con dei teloni, poi gli abbiamo trasportato sopra la catasta delle fascine che stava a una ventina di metri da lì. Un lavoro grosso, reverendo: ma oggi, anche se lei lo sa, non riuscirebbe mai a capire che sotto la catasta delle fascine c'è il carro armato. Durante questi cinque anni abbiamo poco alla volta rinnovate le fascine in modo che non marcissero. Una cosina come si deve.

Don Camillo guardò il vecchio aggressivamente:

— Benissimo! — gridò. — Ma perché siete venuto a raccontare a me questa storia? Si può sapere che cosa c'entro io con le vostre porcherie?

— Reverendo, — gemette il vecchio. — A chi volete che le vada a raccontare? Soltanto lei può aiutarmi a liberarmi da quell'incubo. Io, quel maledetto arnese non lo voglio più, in casa! Se lo scoprono possono pensare chi sa mai cosa.

— Appena andati via i tedeschi, voi dovevate denunciare il carro armato all'autorità!

— Pensavamo di trasformarlo in un trattore, reverendo. In quei giorni pareva possibile tutto. In fondo cosa abbiamo fatto di male? Il carro armato è rimasto lì senza che nessuno lo potesse toccare. Adesso vorremmo che l'autorità lo trovasse. Però non sotto le nostre fascine o nei nostri campi. Basterebbe poterlo portare fuori e abbandonarlo sulla strada a qualche chilometro di distanza.

Era un'idea da squinternati e don Camillo lo spiegò al vecchio:

— Ma sì: lo si porta distante qualche chilometro poi lo si pianta lì, vicino al fosso. Passa uno e dice: «Guarda guarda, qualcuno ha perso un carro armato: bisogna portarlo all'ufficio oggetti smarriti e ritrovati». E tutto finisce lì! Non capite che poi ci saranno inchieste e contro inchieste? Non capite che i carabinieri interrogheranno perfino i vitelli di tutta la zona? Non capite che la verità verrà a galla? E poi chi riuscirebbe a portare il carro armato lontano da casa vostra?

Il vecchio incominciò a singhiozzare: e, vedendolo così disperato, don Camillo si calmò.

— Andate e datemi il tempo di pensare a quello che si può fare, e di trovare chi mi può aiutare.

— Faccia lei.

Il vecchio se ne andò e don Camillo, invece di mettersi a letto, rimase lì a meditare attorno alla straordinaria storia del carro armato.

*   *   *

Celebrata la Messa del mattino, don Camillo corse da Peppone e lo trovò in officina.

Appena se lo vide comparire davanti, Peppone fece la faccia dell'uomo che è stato colto improvvisamente da un tremendo mal di denti.

— Peppone, — disse don Camillo, — ti farebbe comodo un carro armato?

Peppone lo guardò cupo:

— Se si trattasse di un carro armato pesante e se voi v'impegnaste a rimanere fermo mentre io vi passo sopra, sì.

— Non so di che tipo di carro armato si tratti, — spiegò calmo don Camillo. — So che è un carro armato tedesco e, quindi, una faccenda massiccia. Bisognerebbe cavarlo fuori da un certo posto e portarlo a qualche chilometro di distanza.

Peppone si buttò il cappello indietro sulla nuca.

— Reverendo, avete dormito da piedi, stanotte? — si informò.

— Non ho dormito per niente, — rispose don Camillo. — Si tratta di liberare da un incubo un poveretto che ha tenuto nascosto in casa sua un carro armato. Gliel'hanno abbandonato nell'aia i tedeschi mentre stavano scappando. Egli ha subito pensato di giovare alla causa della resistenza occultando l'arnese bellico. Poi, finita la guerra, non ha più trovato la forza di consegnare il *Panzer* alle autorità: gli si era affezionato. Adesso vorrebbe togliersi quel peso dallo stomaco. Ed è venuto da me non per confessare il suo peccato a Dio, ma per avere il mio aiuto materiale. Io non ho pratica di carri armati e, se tu non mi dai una mano, è un guaio.

Peppone non riusciva a convincersi che don Camillo parlasse sul serio: — Sono faccende che non mi interessano, — rispose. — Andate a raccontarle in Vaticano. Là c'è gente che se ne intende di carri armati.

Don Camillo non si turbò:

— Si dà poi il caso che il brav'uomo che ha il *Panzer* sullo stomaco abbia anche qualche figlio iscritto a un Partito, diciamo, di estrema sinistra. Il *Panzer* non è stato nascosto, a quanto mi consta, in attesa di sostenere con esso la rivoluzione proletaria. Però se l'autorità di polizia scoprisse, adesso, il *Panzer* in quella casa, chi potrebbe evitare ai soliti maligni di collegare il *Panzer* alla rivoluzione proletaria?

Peppone si strinse nelle spalle.

— Fate quel che volete, reverendo: io ho le carte perfettamente a posto e non so niente di carri armati.

— Adesso lo sai perché te l'ho detto io, — ribatté calmo don Camillo. — Se io avessi voluto sfruttare la cosa dal punto di vista politico, invece di venire da te sarei andato direttamente dai carabinieri. Invece, pur essendo mio intendimento che il *Panzer* venga consegnato all'autorità, non voglio procurare guai a nessuno, se è possibile. Tu vai a dare un'occhiata al *Panzer*, e vedi di rimetterlo in efficienza. Si sceglie il momento buono e lo si porta fino alla Buca del Boscone e lo si lascia lì. Poi si avverte chi di ragione e lo si mette in grado di ritrovarlo.

Peppone pestò una martellata sull'incudine.

— Straordinario! Anzi meraviglioso perché, per rendere più perfetta la cosa, si lascia che Peppone si metta in viaggio e si avverte chi di ragione al momento giusto, in modo che Peppone venga pescato mentre sta portando a spasso il carro armato. Così si recupera il *Panzer* e ci si libera di Peppone che va in galera.

Don Camillo scosse il capo:

— Buona idea, ma non conveniente per me. Perché se Peppone accetta di fare quel che dico, dentro il carro armato, assieme a Peppone, ci sarò anch'io.

Peppone lo guardò a lungo senza parlare. Ma era un silenzio che valeva un discorso completo.

*   *   *

Si trovarono la notte stessa dietro la catasta della fascine. Il vecchio Dorini aveva ricevuto l'ordine di non mettere fuori nemmeno il naso dalla finestra. Tirarono giù alcuni strati di fascine fino a scoprire il coperchio della torretta. Peppone s'era portata la torcia elettrica e si inabissò dentro il carcassone di ferro. Rimase là giù un bel pezzo e, quando riemerse, era fradicio di sudore.

— Intanto occorre ricaricare la batteria della messa in moto, — spiegò. — Poi si vedrà. Il motore sembra a posto.

Ricostruirono la catasta e si allontanarono.

Ritornarono due sere dopo con la batteria ricaricata. Era una notte tempestosa con vento e tuoni: pareva fatta apposta per quell'avventura. Peppone lavorò un paio d'ore dentro il carcassone, poi si affacciò un momentino e disse:

— Provo a mettere in moto: se capite che c'è pericolo avvertite così smetto.

Ma non c'era da temere di niente: Peppone grattò fin che volle e smise soltanto quando la batteria fu esaurita.

Peppone uscì dal catafalco imprecando contro i tedeschi e tutte le loro macchine. Però, due sere dopo, ritornò e dopo aver lavorato due ore, finalmente riuscì a far rombare il motore.

Le fascine vennero rimesse al loro posto:

— Alla prima notte di burrasca si fa il colpo,
— spiegò Peppone.

Invece pensarono, poi, che avrebbero fatto meglio a scegliere una notte normalissima: erano quelli i tempi dell'aratura e, a cominciare dalle due di notte, motori rombavano un po' dappertutto nei campi e il buio era rotto qua e là dai fari dei trattori. Per arrivare alla Buca del Boscone non occorreva traversar la strada: bastava conoscere le carrarecce: il pericolo non era eccessivo.

Peppone, all'ultimo momento, decise che don Camillo non sarebbe entrato nel *Panzer*: studiato di giorno il percorso, la notte prescelta don Camillo l'avrebbe preceduto come guida:

— Se mi fate qualche scherzo da prete vi sparo una cannonata, — lo avvertì Peppone.

E così don Camillo si studiò con estrema diligenza il percorso e così venne la notte famosa. I Dorini erano a letto col cuore in sconquasso e con la testa ficcata sotto il cuscino. Peppone, tolte le fascine sufficienti per entrare nella pancia del *Panzer*, mise in moto la baracca e ingranò decisamente la marcia mentre don Camillo, segnatosi in fretta, si raccomandava l'anima a Dio.

La catasta di fascine sussultò: i cingoli del *Panzer* macinarono sterpaglia per qualche minuto, indi la catasta si mosse per franare man mano che il bestione d'acciaio procedeva.

E alla fine il *Panzer* fu libero. Non era un bestione di quelli grossissimi ma era sempre un arnese ben curioso: don Camillo, tiratasi su la sottana, correva come inseguito dal mostro.

Era uno sferragliare da far accapponare la pelle, ma altri motori cantavano nella notte e confondevano le cose. E poi si era in ballo e bisognava ballare.

Peppone sapeva il fatto suo: durante la guerra aveva riparato camion militari e carri armati e marciava tranquillo e sicuro. Pareva ci si divertisse, anzi.

Non fu un viaggio avventuroso: arrivato al Canalone che era quasi asciutto, il *Panzer* entrò nel torrente e incominciò a procedere in mezzo alla ghiaia. E questo era previsto per non lasciar tracce. Qui però don Camillo fece fermare la macchina e si infilò nel *Panzer* anche lui. Era stanco, e voleva la sua parte di divertimento.

Procedettero fino alle Due Pioppe: qui risalirono sull'altra riva e la Buca del Boscone era là. Arrivati sotto la sterpaglia e il frascame, spensero il motore e stettero un momento ad ascoltare, col cuore che pareva avesse sei cilindri e marciasse a tutto gas.

Udirono rombare i motori dei trattori: gli unici svegli erano i trattoristi; oltre al baccano delle loro macchine, non avrebbero mai potuto sentire niente.

— Con l'aiuto di Dio pare che sia andata bene, — sussurrò don Camillo.

— Con l'aiuto di Dio e di quel disgraziato di Peppone, — precisò Peppone.

Rimasero ancora un po' ad attendere in silenzio, seduti dentro la pentolaccia.

— Però è un peccato buttar via una così bella macchina, — sospirò ad un tratto Peppone.

— Non è buttata via, — rispose don Camillo. — Servirà ancora.

— Sì, servirà magari per la vostra porca guerra! — ruggì Peppone.

— Meglio che serva per la nostra guerra che per la vostra pace! — replicò don Camillo. — E poi devi essere orgoglioso di aver collaborato alla ricostruzione dell'esercito del tuo Paese.

Peppone perdette la calma e si agitò parecchio. Si agitò e toccò con le zampe un sacco di cose che sarebbe meglio non toccare.

Tanto più che il cannoncino del *Panzer* era carico e, perfezione del munizionamento tedesco, lasciò partire il colpo.

Fu qualcosa di spaventoso: un colpo di cannoncino a quell'ora e in quella situazione è mille volte più sconvolgente dello scoppio di un'atomica..

Don Camillo e Peppone, più che uscire, schizzarono fuori dalla pentola e si misero a correre e si fermarono soltanto quando mancò loro il fiato.

Erano arrivati ai piedi dell'argine vicino al fiume grande e rimasero lì senza riuscire a pensare a niente. Finalmente Peppone balbettò:

— Dove sarà andato a finire?

— Chi?

— Il proiettile, per bacco!

— Il proiettile?

— Certo! Non crederete mica che i tedeschi viaggiassero coi cannoni carichi di mortadella!

Cercarono di pensare come diavolo fosse orientato quel maledetto cannone ma non riuscirono a raccapezzarsi.

Tornarono, attraverso i campi, in paese e trovarono in piazza una confusione spaventosa.

S'erano ripuliti la faccia e le mani, in canonica: si intrufolarono in mezzo alla gente.

— Cosa succede? — domandò con voce imperiosa Peppone.

— Qualcuno ha fatto scoppiare con una bomba la colomba della pace! — spiegò agitatissimo lo Smilzo.

Ed in verità, la enorme colomba della pace, tutta di legno verniciato, che Peppone aveva fatto issare sul tetto della Casa del Popolo, era ridotta a brandelli.

— Non raccogliamo la provocazione, anche se è sanguinosa! — gridò Peppone. — L'indignazione spontanea del popolo sarà sufficiente per bollare a fuoco questa criminosa azione dei nemici del popolo. Viva la pace!

— Viva! — gridarono gli altri avviandosi verso le case per tornare a letto. Avevano tutti sonno e poi, quando la reazione mette sul tappeto l'argomento delle bombe, le forze rivoluzionarie si sentono più che mai attirate dalla vita pacifica.

*　　　*　　　*

Alla Buca del Boscone non ci andava mai nessuno si può dire, e il *Panzer* poteva dormire tranquillo. I Dorini ebbero il tempo necessario per buttare all'aria con l'aratro tutti i prati attraverso i quali era passato il *Panzer* e per nascondere sotto un fitto stratto di sterpaglia il *Panzer* già acquattato nel frascame della Buca.

'Quando ogni cosa fu all'ordine, don Camillo andò ad avvertire il maresciallo che avrebbe fatto bene a passare un'ispezione alla buca.

— Credo che lei avrà modo di recuperare un carro armato tedesco in perfetta efficienza, — gli disse confidenzialmente.

Il maresciallo andò e poco dopo era di ritorno:

— Tutto bene? — domandò don Camillo.

— Tutto bene, — rispose il maresciallo. — Trovato il carro armato in perfetta efficienza. Soltanto che, invece di essere tedesco, è un carro armato americano.

Don Camillo allargò le braccia:

— I particolari sono di secondaria importanza, quel che conta è il concetto.

Poi, quando incontrò il vecchio Dorini, parecchio tempo dopo, gli disse:

— Disgraziato! Quelli non erano tedeschi che scappavano, erano americani che arrivavano.

Il vecchio si strinse nelle spalle: — Reverendo, l'Italia è un porto di mare, chi va e chi viene. Come si fa a capire chi è che va e chi è che viene? Parlano tutti forestiero!

E anche lui, poveretto, non aveva torto.

VITTORIA PROLETARIA

Lo Smilzo spense la radio, e il silenzio cadde nello stanzone semibuio e freddo.

Per ore ed ore gli uomini dello stato maggiore avevano aspettato con ansia il bollettino e, adesso che il bollettino era arrivato, nessuno trovava la forza di parlare.

— E adesso, cosa si fa? — domandò alla fine il Bigio.

— La situazione è delicata, — rispose Peppone. — Appunto per questo occorre non perdere la calma. La prima cosa da fare è di aumentare la vigilanza. Non si sanno le intenzioni degli avversari e, tanto per incominciare, mettiamo al sicuro schedari e documenti.

In verità gli avversari non mossero un dito: si limitarono a commentare sobriamente la scomparsa del *padre dei popoli*: « Uno di meno! ».

Don Camillo, abilmente tirato sull'argomento

da un agente provocatore, si strinse nelle spalle:

— Sono affari di sua stretta competenza: adesso se la deve vedere lui col Padreterno.

— Secondo me è un uomo che ha fatto tanto bene ai poveretti che andrà dritto in Paradiso, — replicò l'agente provocatore.

— Se il Padreterno ha affidato l'amministrazione del Paradiso a Roosevelt può anche darsi che Stalin arrivi pure in Paradiso, — borbottò don Camillo.

Peppone si rese conto che la vigilanza doveva essere rafforzata non tanto all'esterno quanto all'interno del Partito.

— Molti dei nostri sono schiacciati dal dolore per la perdita del Capo, — disse Peppone. — Bisogna tirarli su di giri, galvanizzarli.

Decise quindi di fare subito l'altarino: e l'altarino venne eretto davanti alla Casa del Popolo. Il grande ritratto del Capo campeggiava su un ricco drappeggio di bandiere rosse, illuminato da una grossa stella di lampadine elettriche.

Sistemato l'altarino, Peppone disse agli uomini dello stato maggiore:

— Sia ben chiaro: non si tollerino provocazioni. Da qualsiasi parte vengano. Il momento è delicato: gli avversari credono di poter tirar su la testa. Bisogna agire senza esitazione. Far capire alla gente che niente è cambiato. Mettetevi in giro: occhi e orecchie aperti. Nei casi semplici intervenire. Nei casi complicati riferire subito.

Ed ecco che il caso complicato si presentò subito. Fu lo Smilzo a darne notizia.

*   *   *

— Capo, — disse lo Smilzo, — può il Partito prendere a sberle la vecchia Desolina?

La vecchia Desolina aveva ottantatré anni e pareva la *réclame* del mal di reni.

— Non diciamo stupidaggini! — rispose Peppone. — Cosa c'entra la vecchia Desolina?

— C'entra perché, per colpa sua, il paese sta sghignazzando alle nostre spalle.

Peppone rimase sbalordito.

— Cos'ha fatto quella disgraziata?

— Ha messo fuori un cartello che tutti vanno a leggere.

— Un manifesto contro di noi?

Lo Smilzo allargò le braccia:

— Capo, è difficile da spiegare. Vieni fino alla casa della Desolina e vedrai.

Si incamminarono e ben presto si trovarono in mezzo a gente che ridacchiava, radunata davanti alla botteguccia della Desolina. Quando la gente vide Peppone, il consesso si sciolse. Peppone aveva una faccia che non prometteva niente di buono e tutti se ne resero conto.

Un cartello era appiccicato, dal di dentro, al vetro della mostra della botteguccia e Peppone, letto quanto stava scritto sul cartello, strinse i pugni ed entrò.

La bottega della Desolina era un bugigattolo dentro il quale ci si poteva appena muovere: un banco mal combinato e una scansia con quattro scatoloni costituivano tutto il capitale dell'azienda. E la scorta-merci era composta di qualche rotella di fettuccia, qualche carta di bottoni, un po' di bustine di aghi, un mazzo di stringhe per scarpe, due vasi con caramelle colorate e via discorrendo.

Ma la botteguccia della Desolina era importante per una specialità di cui era, per la zona, concessionaria esclusiva la Desolina.

La Desolina, infatti, era in grado di cavar fuori i numeri del lotto da qualsiasi avvenimento, da qualsiasi sogno: così un sacco di gente frequentava la bottega della Desolina. E non invano, perché, più d'una volta, la vecchia ci aveva azzeccato giusto.

Vedendo entrare Peppone, la Desolina levò gli occhi. Era una vecchina calma e imperturbabile che non si meravigliava mai di niente.

— Sentite, — domandò Peppone. — Cosa significa quel cartello che avete messo fuori?

— C'è scritto su, — spiegò la vecchietta. — Sono i numeri del morto.

— E perché l'avete messo fuori con la spiegazione? — domandò ancora Peppone.

La vecchietta scosse il capo:

— Era un via vai continuo: tutti volevano i numeri del morto e tutti volevano la spiegazione. Non si poteva più vivere. Così ho messo fuori il cartello coi numeri e con la spiegazione.

Lo Smilzo intervenne:

— Quella non è una spiegazione, è una provocazione! — esclamò.

La vecchia lo guardò stupita. Tolse dalla vetrina il cartello e lo mise sul banco.

— A me pare che tutto sia chiaro, — disse la Desolina. E lesse ad alta voce il cartello:

23 - *Brigante*
18 - *Sangue*
62 - *Meraviglia*
59 - *Avvenimento lieto*

La Desolina guardò su verso Peppone.

— Cosa ci trovate di strano? Era o no un brigante? E se era un brigante fa 23.

— Non diciamo stupidaggini! — gridò Peppone. — Era il più grande galantuomo dell'universo, uno che ha fatto un sacco di bene ai poveretti!

La vecchia scosse il capo:

— Era uno scomunicato, un senza Dio, un anticristo che ammazzava i preti e tutti quelli che non la pensavano come lui. Quindi era un brigante e il suo numero è 23. Siccome era un brigante e ha fatto ammazzare dei milioni di persone, il secondo numero è il 18 perché il *sangue* fa 18. Il terzo numero è 62 che significa *meraviglia*. Infatti la morte ha riempito di meraviglia tutti. Quelli contro di lui che si sono meravigliati che il Padreterno l'abbia tenuto vivo tanto tempo. Quelli del suo Partito che si sono meravigliati che un individuo così onnipotente potesse morire come tutti gli altri uomini. E poi c'è l'*avvenimento lieto*. Se non è un avvenimento lieto la morte di un tipo come quello lì, di che cosa ci si può rallegrare al mondo? Del resto basta parlare con la gente per sentire come tutti sono contenti. Quindi il quarto numero è 59 che significa avvenimento lieto.

Peppone schiumava di rabbia.

— Desolina, io, se volessi, potrei farvi arrestare! — esclamò. — Questa è tutta una denigrazione infame. Una sporca provocazione politica.

— Questi sono i numeri del morto, — affermò tranquilla la vecchietta. — Chi li vuol giocare li gioca, chi non li vuol giocare non li gioca.

— Voi tirate dentro questo cartello e non lo mettete più fuori! — gridò Peppone.

La vecchietta si strinse nelle spalle:

— Ho ottantatré anni, — sospirò, — ed è la prima volta che mi viene fatta una prepotenza come questa. Prendetevi pure il cartello: vuol dire che i numeri del morto li darò a voce.

Peppone nascose il cartello sotto il tabarro e si avviò per uscire. Poi si volse:

— Desolina, — disse con voce calma, — voi state facendo il gioco di qualche farabutto che si serve di voi per offenderci. Non è una bella cosa, questa.

— Io non faccio il gioco di nessuno, — replicò la vecchia. — Io faccio il gioco del lotto. I numeri del morto sono questi, e questi numeri io dò a chi me li chiede.

Peppone scosse il capo:

— Desolina, non prendetemi per stupido. Siate sincera: questi numeri ve li ha suggeriti qualcuno e voi vi siete prestata perché quel qualcuno, magari, è il parroco, e allora quel che dice il parroco è Vangelo, per voi che siete di chiesa. Se volete tirare fuori i numeri del morto, tiratene fuori degli altri, date retta.

— I numeri del morto sono questi! — affermò cocciuta la vecchietta. — E se devo tirar fuori i numeri del morto non posso tirar fuori che questi. *Brigante, sangue, meraviglia, avvenimento lieto.* 23, 18, 62, 59. Il mio mestiere lo so.

* * *

Più tardi la squadra di sorveglianza venne a
dire a Peppone che c'era folla davanti alla bottega della Desolina : anche dai paesi vicini arrivava
gente per avere dalla vecchia i numeri con « spiegazione ».

— A quei maledetti non interessano niente i
numeri : interessano le « spiegazioni » ! — esclamò
lo Smilzo.

— È una cosa che non può continuare! — urlò
imbestialito Peppone. — È una provocazione in-
sopportabile! Bisogna fare qualcosa!

Il Brusco, che parlava soltanto in casi di emer-
genza, fece udire la sua voce :

— Per conto mio, intanto, comincerei col giocare i numeri...

Peppone balzò in piedi e lo agguantò per il
petto :

— Brusco, — urlò, — spero che tu scherzi!

Il Brusco allargò le braccia :

— Capo, di' quel che vuoi: fino a domani a
mezzogiorno c'è tempo. Io domattina vado in città e, senza che nessuno ne sappia niente, mi gioco
i numeri.

— Brusco, mi fai orrore! — disse inorridito.

— Capo, — rispose il Brusco. — La politica
è la politica, il gioco del lotto è il gioco del lotto.
Io, dei numeri della Desolina, prendo in considerazione soltanto la parte che riguarda il gioco del
lotto. In fondo la Desolina ci indovina spesso e
i numeri possono uscire.

— Non possono uscire! — urlò Peppone. —

Sono fondati sulla menzogna e sulla più sporca speculazione propagandistica!

Era ormai sera e la seduta si sciolse senza altre parole.

Il disgustoso episodio del Brusco aveva indignato oltre misura Peppone che, una volta a letto, non riuscì a prendere sonno e continuò a rigirarsi tra le lenzuola come se avesse mangiato un gatto vivo.

Sentì suonare le ore al campanile. Le sentì suonare tutte e, quando scoccarono le cinque e mezzo, qualcuno dalla strada buttò un sasso contro le persiane della finestra.

Peppone si affacciò, ed era il Brusco.

— Capo, hai bisogno di qualcosa? Io vado in città.

Peppone gli buttò un fagottino.

— Terno e quaterna per tutte le ruote, — disse con ferocia Peppone.

Poi sbatacchiò le gelosie e tornò a letto. E soltanto allora poté prendere sonno.

*   *   *

Si alzò dal letto tardissimo e non si mosse di casa. Alle sei e trenta del pomeriggio arrivò di corsa lo Smilzo:

— Capo, hai sentito la radio?

— No.

— Ci sono novità grosse. Vieni subito in sede.

Appena Peppone entrò nel suo ufficio il Brusco gli corse incontro agitatissimo:

— È uscito il terno sulla ruota di Milano!

Peppone si asciugò il sudore.

— Io ci cavo fuori circa trecentocinquantamila lire! — disse. — E voi?

— Idem: abbiamo giocato quello che hai giocato tu.

— Bene... pensate se fosse uscita la quaterna! — ansimò Peppone. — Quale numero non è venuto?

— Il 62, quello della meraviglia! — spiegò il Bigio.

— C'era da immaginarselo! — osservò il Brusco. — *Brigante, sangue, avvenimento lieto*: lì un senso c'era. Ma la *meraviglia* proprio non c'entrava! Che meraviglia ci può essere se uno vecchio come il cucco un bel giorno muore?

Il Lungo ricevette l'ordine di sbarrare porte e finestre e di trovare roba da mangiare e da bere.

Mangiarono e bevvero lì, nello studio di Peppone e, all'una di notte, stavano ancora mangiando e bevendo.

All'una di notte lo Smilzo riempì il bicchiere e si alzò:

— Beviamo alla salute del grande Capo! — esclamò con voce solenne. — Ricordiamoci che se egli non fosse morto, noi non avremmo vinto il terno!

— Egli non è morto perché la sua opera è viva ed eterna! — precisò Peppone levando il bicchiere. Poi riprese ad affettare il culatello finale.

Il vento corse impetuoso per le strade, quella notte. Ma non veniva dalla steppa. Era vento di casa.

MENELIK

Giaròn il carrettiere era conosciuto come la betònica e, in paese, si sapeva tutto su Giaròn eccettuata una cosa soltanto: se fosse più bestia lui o il suo cavallo.

In generale, alla gente grossolana scappa, quando parla, qualche bestemmia: Giaròn, al contrario, era un tipo al quale, nel parlare, scappava qualche parola pulita, perché il suo vocabolario era composto esclusivamente di bestemmie, e le bestemmie non sono parole.

Giaròn aveva conosciuto tempi splendidi e si era trovato ad avere nove magnifiche bestie da tiro: sei cavalli e tre figli. Allora, quando uno del paese o dei dintorni si metteva in strada con un barroccio, una bicicletta, una moto o una automobile, doveva ogni volta pregare il Padreterno che non lo facesse incocciare in qualche Giaròn.

Salvo la provinciale, le strade della Bassa erano tutte poco più di grossi sentieri e ogni Giaròn ragionava così: «Se la strada basta appena appena per me, perché pretenderesti di servirtene anche tu? Lasciami dormire e arrangiati!».

Brutto affare svegliare un Giaròn quando dormiva bocconi sul colmo del carico di ghiaia o sabbia del suo barroccio. Brutto affare perché tutti i Giaròn erano fabbricati della stessa stramaledetta pasta e non ci mettevano niente a tirar giù legnate col manico della frusta o sventole col badile.

Del resto, a quei tempi, non soltanto i Giaròn la pensavano così: la faccenda di andár giù di strada e cedere il passo a qualcuno era una questione d'onore per tutti i carrettieri in genere. E non si trattava neanche di cattiveria o di prepotenza: quando il carrettiere tornava su dal fiume dopo aver caricato un cassone di roba, si sentiva in diritto di esser lasciato tranquillo: si buttava con la pancia sulla sabbia fresca e, mentre il sole gli arrostiva la schiena, si addormentava e lasciava che il cavallo se la sbrigasse. E il cavallo tirava avanti e si arrangiava da solo fin dove poteva.

I cavalli dei carrettieri erano brave bestie, le più brave bestie del mondo e la gente si trovava d'accordo nel dire che erano meno bestie dei loro padroni. Salvo nel caso del cavallo di Giaròn padre la gente aveva qualche perplessità. Perché il cavallo di Giaròn padre non si limitava a tirare avanti per la sua strada quando il padrone dormiva: ma, ogni volta che passava davanti a un'osteria, si fermava e rimaneva lì fino a quando Giaròn non si fosse svegliato.

— No, — diceva sempre don Camillo, — per me Giaròn è più bestia del suo cavallo perché è stato lui ad abituare il cavallo a fermarsi davanti a ogni osteria. Il cavallo si limita a fare quello che gli hanno insegnato.

— Per me, invece, è più bestia il cavallo che Giaròn, — replicava qualcuno. — Perché un cavallo, bestia che sia, avrebbe il dovere morale di ragionare lui quando il ragionamento del suo padrone non funziona. Un cavallo che non fosse più bestia di Giaròn non si fermerebbe davanti alle osterie costringendo il padrone a svegliarsi e a scendere per riempirsi di vino.

Discussioni peregrine, baggianate se si vuole, ma che servono a spiegare che arnese fosse Giaròn e che razza di arnesi potessero essere i figli di uno stramaledetto del genere.

Giaròn, dunque, aveva conosciuto tempi splendidi poi, una bella volta, era scoppiato il guaio grosso.

Rincasando, una sera, Giaròn trovò che i suoi tre figli avevano un'aria differente dal solito. Mangiarono in silenzio, poi il più vecchio dei figli vuotò il sacco:

— Qui non si va più avanti, — disse. — Qui bisogna venire a una decisione o si crepa di fame.

Giaròn sfoderò una bestemmia con intonazione interrogativa.

— È inutile che vi scaldiate, — esclamò cupo il figlio. — Guardatevi d'attorno e vedrete che noi siamo gli unici in tutta la plaga a insistere nel nostro mestiere. Tutti gli altri hanno capito già da un pezzo che coi cavalli non si può fare concorrenza ai camion. Il camion carica dieci volte tanto e fa dieci volte più strada di un cavallo. E, mentre al cavallo bisogna dar da mangiare anche quando non c'è lavoro, il camion, quando sta fermo, non consuma niente.

Giaròn domandò dove il figlio volesse arrivare con questo suo discorso. E il figlio glielo spiegò:

— Abbiamo sei bestie e un po' di quattrini da parte: vendiamo le bestie e compriamo un camion. C'è un'occasione buona e non bisogna lasciarla perdere.

Giaròn si guardò attorno e si accorse che tutt'e tre i figli erano d'accordo: allora la sua ira esplose e ne saltò fuori una scena spaventosa.

— Chi vuol cambiare, se ne vada. La roba è mia e ne faccio quel che voglio io!

— La roba è nostra! — replicò il figlio più vecchio, — perché anche noi abbiamo lavorato come voi. I diritti sono uguali.

Giaròn sparò la sua più orrenda bestemmia poi concluse:

— Voi fate come volete: io mi tengo Menelik e la Bionda e continuo il mio mestiere.

Tre sere dopo, rincasando, carico di vino, Giaròn trovò sotto il portico un grosso camion. Era una bella macchina, e i tre figli di Giaròn se la stavano rimirando come se fosse il panorama di Napoli.

Giaròn lo guardò con odio e sputò per terra.

— Gli passerà! — borbottò ridacchiando il figlio più vecchio rivolto agli altri due.

Non gli passò, e anche quando, un mese dopo, i figli gli mostrarono i conti e gli spiegarono il guadagno di trenta giorni di lavoro, Giaròn non si mosse.

— I conti non si fanno dopo un mese, — affermò. — I conti si fanno in ultimo.

Non volle neppure toccare quei soldi.

— Puzzano di petrolio, — disse. — È il petrolio che ha rovinato il mondo. Da quando in questa casa si sente puzzo di petrolio non va più bene niente.

Il figlio maggiore saltò su imbestialito:

— In questa casa non va bene niente quando voi puzzate di vino come adesso! — replicò.

Giaròn si scagliò su di lui per picchiarlo ma il figlio lo respinse con una manata. Giaròn era gonfio di vino fino agli occhi e finì per terra lungo disteso.

Si rialzò faticosamente e la sua ira era diventata furore perché sentiva che riusciva a malapena a reggersi in piedi.

— Avete avuto tutto quello che vi spettava e anche di più! — urlò ai figli. — Andatevene via di qui e portatevi via quel cànchero perché se io me lo trovo domani ancora fra i piedi gli dò fuoco! Via tutti, porci vigliacchi!

I tre se ne andarono la notte stessa: caricarono le loro carabattole sul camion e partirono senza dir niente.

In casa rimasero soltanto Giaròn e la vecchia e fu una vita schifosa perché tutti i discorsi fra i due erano costituiti dalle furibonde bestemmie di Giaròn e dal silenzio cupo di sua moglie.

Giaròn continuò a fare il carrettiere: non aveva rinunciato a niente. Era l'unico di tutta la Bassa che continuasse a portare la fascia di lana rossa e verde attorno alla vita, le camicie a quadroni, il gilè a doppio petto col catenone del grosso « Roskoff » d'argento, il cappello alla socialista buttato in testa alla diotifulmini.

Giaròn continuò a fare il carrettiere senza rinunciare a niente anche se, a un bel momento, dovette rinunciare alla Bionda e accontentarsi di tirare avanti alla bell'e meglio con Menelik.

Non rinunciò alla sua fascia rossa e verde, non rinunciò al suo vino, non rinunciò alle sue orrende bestemmie. E la volta in cui in una stradetta solitaria, don Camillo gli arrivò alle spalle in bicicletta e gli gridò che si facesse da parte perché la strada non era sua e anche gli altri avevano diritto di passare, Giaròn urlò con voce roca cose da far drizzare i capelli a un ateo calvo.

Don Camillo, abbandonata la bicicletta, lo agguantò per una gamba e lo tirò giù dal barroccio.

— Giaròn, — ruggì don Camillo sbatacchiando il carrettiere contro una sponda del barroccio. — Questa volta io te le faccio pagare tutte.

— Siete un vigliacco uguale a mio figlio che mi ha messo le mani addosso approfittando che avevo bevuto un po', — rispose Giaròn afflosciandosi come uno straccio tra le mani di don Camillo. — Picchiatemi quando sono giusto, se avete il coraggio!

Don Camillo mollò il carrettiere e risalì sulla sua bicicletta.

— Giaròn, — disse don Camillo, — chi semina vento raccoglie tempesta. Tutti ti abbandoneranno se continui questa tua porca vita. Un giorno sarai solo come un cane.

— Non me ne importa un accidente, — replicò Giaròn. — A me basta che non mi abbandoni il mio cavallo.

— Ti abbandonerà anche lui!

— I cavalli sono più galantuomini dei cristiani! — urlò Giaròn. — I cavalli non tradiscono.

Fu la stessa sera che, rincasando, Giaròn non trovò più sua moglie. Trovò un bigliettino sulla tavola apparecchiata: «*Vado coi miei figli: ho sopportato anche troppo*».

Giaròn spaccò tutto quanto gli capitò sottomano, ma quello sfogo non gli bastava e allora andò nella stalla e, urlando come un pazzo, si scagliò su Menelik.

— Tu no, porco maledetto! — urlava mentre furibondo riempiva di pugni la testa del cavallo. — Tu non mi pianterai come gli altri! Tu non mi tradirai! Tu non ti ribellerai!

Giaròn era pieno di vino e le sue mani non riuscivano a colpire bene la bestia: allora afferrò la corta frusta per la parte sottile e incominciò a menar legnate a Menelik. Sulla testa, sulla schiena, sul ventre: legnate feroci come se, invece di picchiare un cavallo, stesse picchiando un uomo.

Menelik nitrì e prese ad agitarsi atterrito ma Giaròn continuò a pestarlo sempre più ferocemente. Ad un tratto la cavezza si spezzò e, con un balzo, il cavallo si scagliò verso la porta della stalla.

Giaròn fu travolto e cadde. Quando si rialzò il cavallo era già scomparso in mezzo ai campi.

«Anche lui ti abbandonerà»: Giaròn si ricordò le parole di don Camillo e gridò ancora un'orrenda bestemmia.

Poi si sentì spossato e con la testa vuota e andò a buttarsi sul letto.

Si svegliò che il sole era già alto: si trovò ancora vestito e con le ossa peste. Nel fuggire, Menelik col ferro di uno zoccolo gli aveva ferito uno stinco.

Scese zoppicando e la casa era silenziosa e deserta: in cucina i cocci delle stoviglie che, nel suo furore, Giaròn aveva spaccato, occupavano il pavimento.

Sulla tavola devastata c'era ancora il bigliettino della donna: «*Vado coi miei figli*».

Poco male se gli fosse rimasto Menelik: ma anche il cavallo se ne era andato. Giaròn entrò nella stalla vuota. Guardò la cavezza spezzata.

Il furore lo riprese e voleva urlare chi sa cosa: ma per la prima volta nella sua vita, non ebbe la forza di bestemmiare.

Uscì a testa bassa dalla stalla e andò dietro la casa per dare un'occhiata al barroccio, sotto il portico.

Il barroccio era là e, fra le stanghe, stava fermo, ad aspettare pazientemente, Menelik.

Giaròn rimase un istante perplesso, poi si avvicinò lentamente al cavallo e, buttatigli addosso i finimenti che erano appesi al muro, glieli affibbiò. Nel mettergli il sottopancia si accorse che Menelik aveva una scorticatura. Chi sa quante altre ne aveva sulla schiena e sul muso.

— Hiup! — gridò Giaròn mettendo un piede su un raggio di una delle alte ruote del cassone e aggrappandosi con le mani alla fiancata. — Hiup!

Il cassone si mosse, la ruota girò sollevando il carrettiere che saltò al momento giusto dentro il cassone.

*　　*　　*

Giaròn rivide due dei suoi figli un anno dopo.

Era un pomeriggio pieno di sole e il cassone di Giaròn stava rollando sui sassi della Strada Quarta mentre Giaròn dormiva con la pancia sul colmo del carico di sabbia fresca.

Un suono prepotente di clacson lo svegliò: si volse e vide che un grosso camion era dietro il biroccio e domandava il passo.

Riconobbe nei due uomini che stavano dentro la cabina i primi due dei suoi tre figli, i più anziani.

Non disse bai. Riprese a dormire e lasciò che Menelik continuasse a camminare nel bel mezzo della strada.

Quelli del camion non insistettero col clacson: avevano riconosciuto Giaròn e seguirono zitti zitti il barroccio per sei chilometri, fino al quadrivio della Pioppaccia: qui il cassone svoltò a destra e il camion tirò diritto.

Passarono altri due anni e Giaròn ricevette la notizia che sua moglie era morta. Non andò al funerale perché non voleva incontrarsi coi figli. Ma con due dei figli doveva incontrarsi sette od otto mesi più tardi.

Fu sulla provinciale vicino al bivio del Molinetto. Giaròn dormiva come al solito in cima al suo cassone carico di sabbia e, ad un tratto, qualcuno fermò il cavallo e urlò qualcosa. Giaròn si trovò davanti a un gruppo di gente che stava discutendo. C'erano anche i carabinieri.

Giaròn scese e andò a curiosare anche lui. Niente di straordinario:

— Un camion è finito dentro il canale, — gli spiegò qualcuno. — Uno degli autisti dormiva nella cuccetta della cabina, l'altro deve aver preso sonno per il caldo e la stanchezza. Sono morti tutt'e due sul colpo.

I due cadaveri stavano sul ciglio della strada coperti da un telone: Giaròn si appressò e, chinatosi, sollevò un lembo della tela.

Lo sapeva anche prima di sollevare la tela : erano Diego e Marco, i suoi due ragazzi più vecchi.

Allora Giaròn bestemmiò come non aveva mai bestemmiato :

— Era meglio se lo bruciavo! — urlava. — Maledetti stupidi, ve l'avevo detto che il petrolio è la rovina.

Scese nel canale per sputare sui rottami del camion. Voleva incendiare tutto e dovettero tirarlo via per forza.

Risalì sul cassone e riprese la sua strada. E la gente lo vide agitarsi e lo sentì bestemmiare fino a quando Menelik non svoltò per la stradetta del Molino vecchio.

Gli rimaneva il terzo figlio e gli dissero che adesso abitava a Fiumetto dove faceva servizio di corriere con un motocarro veloce. Un anno dopo lo vennero ad avvertire che anche il terzo figlio aveva raggiunto gli altri due. Un autotreno lo aveva appiccicato a un muro assieme al motocarro.

Giaròn bestemmiò come un pazzo e il giorno in cui incontrò don Camillo e don Camillo scese dalla bicicletta per venirgli a parlare e fargli animo e convincerlo a sopportare con animo sereno le sue disgrazie, Giaròn agguantò la frusta per la parte sottile e urlò :

— Prete maledetto : se hai il coraggio di parlare ti ammazzo a legnate!

Le bestemmie del vecchio fecero impallidire don Camillo che non ebbe la forza di farlo tacere.

Una volta che il vecchio tacque perché il fiato gli mancava, don Camillo gli parlò con dolcezza :

— Giaròn, il dolore vi rende pazzo : che Dio vi faccia rinsavire e vi protegga.

— Dio! — urlò Giaròn. — Non voglio aver niente a che fare col tuo Dio! Il tuo Dio mi ha tradito: soltanto il mio cavallo non mi ha tradito e non mi tradirà!

Continuò mesi ed anni a girare per le stradette della Bassa il biroccio di Giaròn e, quando la gente lo incontrava, aveva l'idea di veder passare la carretta del demonio perché Giaròn era tanto gonfio di odio verso Dio e verso il suo prossimo che le sue bestemmie non soltanto orrore facevano, ma paura.

Continuò mesi ed anni, a navigare tra i campi della Bassa la carretta del demonio e a incontrarla veniva fatto alla gente di segnarsi. Giaròn non parlava più con nessuno: parlava soltanto con Menelik: sdraiato sulla sabbia del cassone, Giaròn parlava con Menelik e ci fu una ragazza che, un giorno, arrivò spaventata da don Camillo e gli giurò di aver sentito lei, con le sue orecchie, che Menelik rispondeva a Giaròn.

— Ho sentito un cavallo parlare come un cristiano! — gemette la ragazza.

— Io ho sentito di peggio, — replicò don Camillo. — Ho sentito adesso una ragazza parlare come una gallina. Cerca di dire delle cose meno stupide!

Menelik continuò a trascinare il biroccio del vecchio Giaròn per un sacco di tempo ancora, e il vecchio Giaròn continuò a parlare con Menelik. O urlava come un ossesso, o parlava sottovoce con Menelik. Ma una sera d'autunno, accadde qualcosa che fece rimanere perplesso Menelik.

Il vecchio Giaròn, dopo aver parlato a lungo con Menelik, tacque e non prese a urlare: incominciò a gemere e quel lamento appunto fece drizzare le orecchie a Menelik.

Era ormai buio e le strade deserte e silenziose: Menelik si fermò e lanciò un nitrito. Ma gli rispose soltanto il gemito di Giaròn. Allora Menelik riprese il cammino e, arrivato al fontanile, là dove la strada si allargava, lentamente girò e ritornò indietro, verso il paese.

Don Camillo s'era appena messo a tavola per cenare, quando udì il rumore e, siccome il rumore non finiva, andò a dare un'occhiata per vedere cosa stesse succedendo davanti alla canonica e si trovò davanti a Menelik che scalpitava fermo davanti alla porta. Udì il gemito venire dall'alto del biroccio e, fattosi scaletta della ruota, salì.

Si trovò con la faccia a pochi centimetri dalla faccia dell'uomo sdraiato sul colmo del carico di sabbia.

— Giaròn! — esclamò don Camillo, — sono io, don Camillo!

— Che Dio mi perdoni... — sussurrò con un filo tenue di voce il vecchio Giaròn.

Poi il vecchio Giaròn non disse più niente di niente. Non gemette più.

Ma ormai Dio l'aveva perdonato.

Don Camillo si trovò giù, e sentì il fiato caldo di Menelik.

— Menelik, — sussurrò don Camillo accarezzando il muso del cavallo. — Non può averti guidato lui fino a qui. Le redini non le teneva più lui: gli sono scappate di mano fin da quando s'è sentito male e questo deve essere successo tanto tempo fa perché si vede che le redini hanno strusciato a lungo per terra e ti son finite sotto gli zoccoli e tu le hai spezzate. Menelik come hai fatto per arrivare fin qui?

Don Camillo ebbe paura del silenzio e del buio.

— Menelik, — implorò con angoscia. — Te lo ha detto lui di venire qui o l'hai portato di tua ispirazione?

Menelik non rispose perché i cavalli non possono parlare e allora don Camillo si accorse della cosa pazza che stava facendo.

— Gesù, — gemette. — Illuminate la mia mente perché ho la testa piena di nebbia, tanto è vero che adesso io sto parlando con un cavallo!

— Don Camillo, — rispose la voce del Cristo, — un uomo è venuto qui per morire nella grazia di Dio. Perché di questo fatto vuoi essere grato a un cavallo mentre tu devi esserne semplicemente grato a Dio?

Don Camillo trasse un sospiro:

— Gesù, perdonatemi: ma non so come sia successo. M'è venuta in mente la poesia della cavallina storna, quella che risponde col nitrito...

— Don Camillo, non confondere la fede con la poesia.

Menelik era nero come la notte e immobile come fosse di pietra.

Ad un tratto nitrì e, più che un nitrito, pareva un singhiozzo.

Ma era poesia, solo poesia e don Camillo scoppiò a piangere come s'era messo a piangere quando, ragazzo, aveva letto l'ultimo verso della *Cavallina storna*. Poesia, solo poesia.

FAVOLA DI SANTA LUCIA

Cesarino si alzò e, prima ancora di lavarsi, prese il lapis blu e cancellò sul calendario un altro giorno.

Ne rimanevano ancora tre che poi erano due in quanto il terzo era quello famoso. Mentre si lavava con l'acqua gelata, Cesarino d'improvviso ebbe un pensiero: « E la crusca? ».

Era una cosa importante, ma risultava anche logico che non ci avesse pensato perché, fino all'anno prima, tutto si era svolto laggiù, al paese dove, per trovare della crusca, bastava allungare una mano.

Gli venne in mente il pane fatto in casa, e il profumo che usciva dal forno. Risentì il cigolio della gramola e pensò a sua madre.

Uscì in fretta e, passando dalla portineria, si fermò per consegnare la chiave alla portinaia: suo padre era andato via alle quattro perché, in quei giorni, c'era un sacco di lavoro per chi aveva un camion.

La strada era piena di gente che aveva una premura maledetta e la nebbia di quella fradicia mattina di dicembre era traditrice perché macchine e ciclisti saltavano fuori d'improvviso da ogni parte e bisognava stare attenti. Non poté pensare molto alla faccenda della crusca, ma quando fu a scuola, riprese a pensarci.

Aveva dimenticato l'asino e adesso erano guai. Bisognava mettere sul davanzale, vicino alla scarpa, anche il sacchetto pieno di crusca per l'asino che portava le ceste dei regali.

A non mettere la crusca, Santa Lucia si sarebbe offesa certamente.

Cesarino, quando alle dodici e mezzo lo lasciarono libero, corse subito alla panetteria e domandò un po' di crusca. Ma di crusca non ne avevano. Ed era anche logico perché, in una città come Milano, a cosa potrebbe servire la crusca?

Provò da un altro panettiere, poi da un terzo e, alla fine, perdette la speranza.

Arrivato a casa, trovò la chiave ancora in portineria: suo padre non era ancora arrivato e Cesarino mangiò da solo nella cucina fredda e in disordine. Il padre tornò la sera, ma non salì neppure in casa: lo chiamò dal cortile e assieme andarono alla trattoria dell'angolo.

La minestra calda diede a Cesarino tanta gioia da fargli dimenticare tutte le sue preoccupazioni: ma, quando ebbe finito di mangiare, le preoccupazioni ritornarono a galla.

Cesarino aveva una soggezione tremenda di suo padre che era un uomo cupo e di poche parole, quindi fece una fatica matta a entrare in argomento. Alla fine gli disse:

— Ci vorrebbe un po' di crusca.

Il padre di Cesarino stava parlando con un uomo in tuta che era venuto a bere un bicchiere in compagnia: si volse sbalordito e domandò:

— Crusca? E cosa te ne fai della crusca?

— Ci vuole per l'asino, — balbettò il ragazzo.

L'uomo in tuta si mise a sghignazzare e domandò di che asino si trattasse.

— L'asino di Santa Lucia, — spiegò Cesarino timidamente.

L'uomo in tuta sghignazzò ancora più forte, ma il padre di Cesarino gli strinse d'occhio poi, rivoltosi al ragazzino, gli disse brusco:

— Lascia perdere l'asino. Qui Santa Lucia non usa.

Il ragazzo lo guardò perplesso:

— Santa Lucia sul calendario c'è!

— C'è, ma non usa! — esclamò secco il padre. — Sul calendario c'è anche Sant'Ilario allora: ma, qui, invece, usa Sant'Ambrogio. Ogni città ha i suoi santi. Qui è il Bambino che porta i regali. Qui usa il Bambino.

Il ragazzo guardò l'uomo in tuta, e quello gli confermò il fatto.

— Perbacco, è proprio così! I santi sono delle autorità provinciali e ognuno ha la sua provincia. Qui la faccenda è di competenza del Bambino.

Cesarino abbassò la testa, poi preoccupatissimo obiettò:

— Ma il Bambino non mi conosce: è soltanto sei mesi che sono a Milano.

L'uomo in tuta lo rassicurò:

— Stai sicuro che il parroco del tuo rione lo ha già informato che siete qui tu e tuo padre! Ad ogni modo, per essere più sicuro, scrivi a De Gasperi così lui glielo dice.

Altri due o tre che si erano avvicinati si misero a ridere e allora il padre intervenne e disse a Cesarino:

— Adesso va a casa e mettiti a letto. Lascia la chiave sulla porta.

Il ragazzino uscì e il padre spiegò la storia a quello della tuta ed agli altri:

— Sono stupidaggini, ma non posso dirglielo così, in quattro e quattr'otto! È sua madre che gli ha messo in testa queste cretinate e, anche il giorno prima di morire, mi ha raccomandato: « Carlo, lascialo stare, il ragazzo. Lascialo così com'è. Quando sarà ora, capirà da solo. Non mi far dispetto quando sarò morta ».

L'uomo allargò le braccia:

— Ragazzi, se si tratta di far dispetto a un vivo, ci sto anche se c'è da scannarsi: ma non mi va di far dispetto a un morto. È soltanto sei mesi che è morta!

Quello dalla tuta scosse il capo:

— Sentimentalismi idioti, roba da medioevo! Intanto tu, per non far dispetto a un morto, fai dispetto a tuo figlio vivo perché gli lasci la testa piena di stupidaggini.

— Non ti preoccupare, — ribatté il padre di Cesarino. — Quando vedrà che né santi né Madonna gli portano più niente, si convincerà da solo.

*   *   *

Cesarino si svegliò presto, quella mattina. Cancellò ancora col lapis blu un altro giorno del calendario, ma aveva la testa piena dei ragionamenti della sera precedente e la cosa, invece di dargli gioia, lo angustiò. Adesso, il tempo passava troppo alla svelta.

Riuscì a bloccare suo padre prima che uscisse:
— Chi è De Gasperi? — domandò.
— È uno che sta a Roma, — borbottò il padre. — Pensa piuttosto a fare i tuoi compiti, che sarà meglio!

Roma doveva essere in capo al mondo e chi sa quanto tempo ci voleva perché una lettera arrivasse. Oramai era troppo tardi.

E poi a Cesarino interessava Santa Lucia. Bisognava trovare il modo di farlo sapere a Santa Lucia.

Aveva più d'un'ora davanti a sé, prima della scuola: riuscì a ispezionare quattro chiese, ma in nessuna c'era un'immagine di Santa Lucia. La conosceva benissimo e, se ci fosse stata, anche piccola, l'avrebbe subito vista.

Uscito da scuola Cesarino abbandonò le sue ricerche. Aveva perso un sacco di tempo e si trovava a mani vuote, senza neppure la crusca per l'asino.

Pensò allora che se, invece di crusca, avesse riempito un sacchetto di crostini di pane, la cosa avrebbe funzionato ugualmente.

Col pane vecchio trovato in casa, riuscì a combinare poco o niente. Aggiunse mezzo il suo della colazione di mezzogiorno e, siccome il pane era fresco e molliccio, lo tagliò a pezzetti e lo fece abbrustolire sul gas.

La sera, il padre rincasò tardi: aveva portato un fagottino di roba e mangiarono in cucina, senza parlare.

Prima di addormentarsi, Cesarino ci mise parecchio tempo. Comunque il fatto del sacchettino pieno di crostini gli dava una relativa tranquillità.

Alle sei, quando suo padre se ne fu andato, Cesarino saltò giù dal letto. Ormai non c'era più niente da cancellare sul calendario e gli parve che la notte dovesse arrivare fra pochi minuti anche se si trattava di parecchie ore.

Alle sette e mezzo uscì di casa e incominciò a camminare in fretta e camminò fino a quando non si trovò fuori dalla città, al margine di una grande strada piena di autocarri che andavano e venivano.

Gli era venuta una fame tremenda e non poté resistere: mangiò due o tre crostini dell'asino:

« Capirà... », pensò.

Riprese il cammino e continuò a camminare altre due ore. Poi il cuore gli diede un tuffo perché, fermo a far nafta a un distributore, vide un camion che portava sulla targa due lettere che Cesarino conosceva bene. E il muso del camion era rivolto anche per il verso giusto. Quando il camionista fu risalito e stava per chiudere la portiera, Cesarino si fece avanti.

Il camionista lo lasciò salire e, due ore e mezzo dopo, lo scaricò al Crocile. Qui bisognava prendere la strada della Bassa, altri trenta chilometri, ma Cesarino doveva arrivare.

Prese a camminare ma, fatto un chilometro, dovette mangiare altri due crostini dell'asino. Quando Dio volle, passò un carro trascinato da un trattore e Cesarino saltò su.

Il tran-tran del carro gli faceva venire un sonno maledetto; ma Cesarino resistette e non mollò: conosceva la strada, adesso e, al bivio del Pontaccio, saltò giù perché il carro aveva preso la strada di destra mentre a Cesarino serviva la strada di sinistra.

A un certo punto, il ragazzino lasciò la strada e prese una carrareccia: il buio incominciava a diventare spesso, ma Cesarino ci sarebbe arrivato a occhi chiusi nel posto dove aveva in mente di andare.

E così, si trovò ad un tratto davanti ad una casa buia e silenziosa e, più che vederla, l'indovinò.

Era la vecchia casa dove, fino a sei mesi prima, Cesarino aveva abitato coi suoi. Suo padre aveva sempre sognato di abbandonare il paese e così, mortagli la donna, aveva caricato un po' di roba e il ragazzino sul camion, ed era andato a Milano dove aveva già dei parenti che lavoravano nei trasporti.

E la casa era rimasta lì, deserta e abbandonata.

Cesarino cavò di tasca la grossa chiave e, dopo aver lavorato un bel pezzo perché la serratura era piena di ruggine, si trovò nell'andito basso e buio.

Infilò la porta della cucina. Sentì l'odore del camino. Passò la mano sull'asse del camino, trovò un mozzicone di candela e un mazzetto di fiammiferi.

Quel po' di luce gli fece sembrare ancora più deserta e abbandonata la vecchia casa ed ebbe paura. Poi pensò a Santa Lucia e gli venne l'idea che di sicuro, da qualche parte ci doveva essere della crusca.

Se trovava un po' di crusca, avrebbe potuto mangiare i crostini del sacchetto. Ma la credenza era vuota e, anche negli altri posti, non c'erano che polvere e ragnatele.

Mangiò ancora un po' di crostini dell'asino. Poi sentì suonare al campanile una quantità enorme di ore e gli venne l'orgasmo.

Per l'amor di Dio che Santa Lucia non lo trovasse sveglio!

Si tolse la scarpa destra, la ripulì e, aperte le ante della finestra di cucina, la mise sul davanzale, come aveva sempre fatto e vicino depose il sacchetto dei crostini.

Poi chiuse le imposte a vetri e salì su nella sua stanza, camminando con una scarpa sì e una no.

I vecchi letti tarlati c'erano ancora, ma senza materassi. Nella camera della nonna il letto aveva il pagliericcio e Cesarino si buttò lì sopra. Non avrebbe voluto spegnere la candela, ma l'idea che la luce disturbasse Santa Lucia lo convinse a rimanere al buio.

Non fece neppure a tempo ad aver paura perché la stanchezza lo sprofondò a capofitto nel sonno.

*   *   *

All'una di notte una motocicletta si fermò nella strada, davanti alla casa solitaria.

Scese un uomo intabarrato che traversò l'aia e, arrivato davanti alla porta, accese una torcia elettrica. Il cerchio di luce vagò sulla facciata e si fermò sulla finestra con gli antoni spalancati e con la scarpa e il sacchetto sul davanzale.

L'uomo intabarrato rimase lì un bel pezzo a guardare quella scarpa. Poi ritornò sulla strada e, messa da parte la motocicletta, si incamminò verso il paese addormentato.

Fu quella la notte che a Cibelli rimase impressa come la più strampalata della sua placida vita di bottegaio. Cibelli fu svegliato infatti all'una e mezzo da qualcuno che stava sulla strada e, affacciatosi, riconobbe chi lo chiamava e scese domandandosi che accidente volesse a quell'ora. E quando ebbe saputo quello che voleva esclamò:

— Carletto, l'aria di Milano ti ha fatto diventare matto?

*　　*　　*

Cesarino si svegliò di soprassalto alle nove del mattino e subito si cavò fuori dal pagliericcio dentro il quale s'era avvoltolato e corse giù in cucina a spalancare la finestra.

La scarpa era zeppa di fagottini e altri fagottini erano sul davanzale, vicino alla scarpa.

Cesarino portò tutto sulla tavola e già si apprestava a sciogliere le funicelle dei pacchetti, quando sentì arrivare nell'aia una motocicletta. Poco dopo, compariva sulla porta della cucina suo padre.

— Tutta la notte che ti cerco! — gridò l'uomo cavandosi fuori dal tabarro. — Da Milano in moto son venuto qui!

Cesarino lo guardò a bocca aperta.

— Quando siamo a casa regoliamo i conti, — urlò con voce tremenda il padre. — E se fai ancora una cosa così, ti ammazzo!

Cesarino scosse il capo:

— Non lo faccio più, — balbettò. — Ormai Santa Lucia lo sa che sono a Milano... Le ho messo un bigliettino dentro la scarpa, e il bigliettino lo ha preso...

Era una bella giornata di dicembre con un sole limpido e splendente: il padre, con un urlaccio uscì dalla cucina e tornò portando una gran bracciata di legna che buttò sul fuoco.

La fiamma divampò nel camino:

— Scàldati, assassino! — urlò l'uomo agguantando Cesarino per una spalla e ficcandolo su una sedia, davanti al fuoco.

Poi uscì e tornò con due scodelle di latte bollente e una micca di pane fresco.

— Mangia! — gridò l'uomo mettendogli fra le mani pane e scodella. — E lascia stare quelle stupidaggini! E rimettiti la scarpa!

Cesarino era in una confusione spaventosa per via del pane, del latte, dei fagottini aperti, di quelli ancora da aprire. E poi la fiamma gli imbambolava gli occhi.

Intanto il padre mangiava cupo e accigliato a occhi bassi.

Poi non poté più resistere e si volse un momentino, e *lei* era lì, dietro di lui, e gli sussurrava:

— Da che ci siamo conosciuti questo è il primo regalo che mi fai, Carletto. Ma è un gran regalo... Non me lo guastare, Carletto, il mio ragazzo. Lascialo così...

Il padre ebbe un ruggito e, piantati due occhi feroci in faccia a Cesarino, urlò:

— E così, per colpa tua, io ho perso una giornata!

Invece non l'aveva persa per niente. E lo sapeva, ma non voleva confessarselo.

IL FRATICELLO

Fermi a piè della stradetta che si arrampicava sull'argine, Peppone e soci stavano discutendo sulla perfidia del clero in genere e di don Camillo in particolare, quando arrivò come un piccioncino dentro un nido di falchi, un frate:

Era un fraticello striminzito e scarlingàto con un sacchetto in spalla e a vederlo camminare così sbilenco dava l'idea che dovesse sfasciarsi da un momento all'altro oppure inabissarsi d'improvviso dentro il saio.

Arrivava da Dio sa dove per la strada sull'argine e quando vide il gruppo di Peppone e soci venne giù come una piccola valanga d'ossa.

Lo guardarono cupi e lo lasciarono parlare un bel po', quindi Peppone disse con sarcasmo:

— Se, invece di sciuparvi ad andare in giro, provaste a fare qualche lavoretto di utilità pratica, forse vi trovereste meglio.

Il fraticello sorrise:

— Noi non cerchiamo di trovarci meglio, cerchiamo di trovarci peggio.

— Affari vostri! — borbottò Peppone.

Il fraticello era timido e umile:

— Non sono affari nostri: il convento non ha niente e ogni giorno gente che ha fame viene a bussare alla porta del convento. Noi chiediamo il superfluo per poter fornire il necessario a chi soffre.

Peppone sghignazzò:

— Se quelli che soffrono, invece di andare a bussare alle porte dei conventi, si unissero e portassero legnate sulla zucca di quelli che stanno troppo bene tutto andrebbe a posto subito.

— Bisogna aver fede nella Divina Provvidenza, — mormorò il frate. — Con la violenza si ottiene soltanto altra violenza. Il male non lo si guarisce col male. Per avere del bene, bisogna fare del bene.

Peppone sghignazzò.

— Allora rimaniamo intesi così. Arrivederci.

Il frate non si scoraggiò.

— Non potreste darmi qualcosa? Anche pochino.

— No! — urlò Peppone con violenza.

Il fraticello ebbe un sussulto: frugò nella manica e, pescato un foglietto, lo porse a Peppone.

— Fatemi la carità di accettare almeno questo santino, — sussurrò.

— Non mi serve, — rispose Peppone.

Il fraticello pareva che non si fosse accorto della presenza di tutti gli altri e aveva occhi soltanto per Peppone.

Ritirò lentamente la mano col santino. Poi si volse e risalì faticosamente sull'argine per riprendere la sua strada.

— Bisogna mettere dei cartelli in paese, — disse Peppone. — «*Vietato l'accattonaggio anche ai frati e alle suore*».

— Giusto! — approvò lo Smilzo. — È ora di passare energicamente all'azione. Questi frati, per il novantacinque per cento sono spie del Vaticano.

Venne sciolta la seduta e ognuno tornò a casa per conto suo.

Peppone scelse la strada più lunga, quella dell'argine: aveva bisogno di rimanere un po' solo per poter smaltire tutta la bile che aveva nello stomaco. Giunto sull'argine guardò verso Castelletto e riuscì a intravedere ancora il fraticello che si allontanava rapidamente.

— Va a farti benedire tu e il tuo santino! — borbottò.

Arrivato a casa si cavò la giacchetta, si mise la tuta, andò in officina e cercò di lavorare, ma era ancora troppo nervoso per poter concludere qualcosa di buono.

Si rimise la giacchetta, e tirata fuori la bicicletta, uscì per fare un giretto fino al paese.

Si ritrovò sulla strada dell'argine e già una nebbiolina leggera era venuta su dal fiume. Peppone incominciò a pigiare forte sui pedali: bisognava fare presto altrimenti non avrebbe più potuto trovare niente.

Pedalò un bel pezzo poi, incontrato un vecchio poco prima del bivio della Pioppetta, si fermò.

— Avete visto un frate?

— Mi pare, — rispose il vecchio.

— Come si fa a dire « mi pare »? O l'avete visto o non lo avete visto!

— Un quarto d'ora fa io ho incontrato alla

chiavica vecchia un fagotto di stracci che aveva il colore del frate, ma non ho visto bene cosa c'era dentro il fagotto.

Peppone riprese il cammino.

Passò la chiavica vecchia di due chilometri e poi tornò indietro perché, anche ammesso che quel dannato frate avesse le gambe di Dorando Petri, non poteva essere andato più in là. Sicuramente era svoltato subito dopo la chiavica vecchia.

Peppone si buttò su questa nuova pista ma non trovò nemmeno l'ombra di un frate. E intanto la nebbia si ispessiva.

Nel ritornare verso la chiavica vecchia, poco prima di sfociare sull'argine, notò uno stradello che si inoltrava tra i campi verso Torricella.

— Cretino! — borbottò. — C'è un convento tra Torricella e Gabiòlo. Dovevo pensarci!

Sudava come sapeva sudare soltanto lui e lo stradello era schifoso, come fondo, e la nebbia diventava sempre più fitta, ma oramai Peppone aveva mollato i cavalli e nessuno poteva fermarlo.

Ad un tratto intravide qualcosa di scuro sul ciglio del fosso. Strinse i freni ed era il fagotto di stracci color frate.

Il fraticello che era seduto sul ciglio del fosso si levò e guardò sbalordito quell'omaccio.

Lo riconobbe.

— Mi sono perduto nella nebbia, — borbottò Peppone. — Sapete se vado bene per Gabiòlo?

— Sì, — rispose il frate. — Io torno al convento che è due chilometri prima di Gabiòlo.

Peppone rimase perplesso. Poi prese coraggio:

— Venite su, vi porto in canna fino al convento.

Il frate sorrise:

— Grazie, fratello. Noi cerchiamo sempre di star peggio, non di star meglio.

Si avviò col sacchetto in spalla e Peppone scese dalla bicicletta e camminò al suo fianco. La nebbia si incupiva sempre di più e i due adesso erano lontani dal mondo un milione di chilometri.

Ad un tratto, Peppone si fermò e si fermò anche il frate.

— Per i vostri poveri, — borbottò Peppone porgendo al frate un foglio da cinquecento.

Il fraticello guardò sbalordito l'omaccio e non sapeva risolversi ad allungare la mano.

— Dio ve ne renderà merito, — mormorò alla fine e, riposto il danaro, riprese a camminare. Ma Peppone non si mosse e allora il frate si volse e domandò:

— Cosa c'è?

— Il santino! — disse Peppone.

Il fraticello si frugò nella manica e pescato il santino lo porse a Peppone che se lo ficcò in saccoccia.

— Buona sera, — borbottò Peppone facendo dietro front e saltando sul biciclo.

Il frate lo guardò scomparire nella nebbia. Era sconcertato: quello non aveva detto che doveva andare a Gabiòlo? Com'è che adesso tornava indietro?

Era un frate semplice e, quando non capiva una cosa, non si incupiva nel volerla ad ogni costo capire. Si strinse nelle spalle e riprese il suo cammino.

Ma subito sentì una grande dolcezza scaldargli il cuore e allora volse gli occhi al cielo e mormorò:

«Deve essere una cosa molto bella. Gesù ve ne ringrazio».

Peppone navigava a tutta birra in mezzo alla nebbia. Quando si ritrovò sull'argine, alla chiavica vecchia, fermò il biciclo, trasse di saccoccia il santino e lo ripose nel portafogli, dentro la tessera del Partito.

Gli venne fatto di ripensare al frate lasciato nello stradello solitario e se lo figurò fermo sulla riva del fosso, intento a parlare agli uccelli che sbucavano a centinaia dalla nebbia e gli si posavano sulle mani e sulle spalle cinguettando.

— Oscurantismo medievale! — borbottò Peppone riprendendo a pigiare sui pedali. — Noi siamo impregnati di oscurantismo medievale! Bisogna vigilare noi stessi!

Montò immediatamente di sentinella ai suoi sentimenti, pronto a dare l'allarme.

Ma, clandestinamente continuò a pensare al fraticello fermo sulla riva del fosso a chiacchierare con i passeri e con gli scrìccioli.

IL MURAGLIONE

I più lo chiamavano l'orto di Manasca ma si trattava di un millecinquecento metri quadrati di sterpaglia, con ortiche alte come pioppette, recintati da un muraglione alto circa tre metri. Un rettangolo di terra dimenticata con cinquanta metri di fronte sulla piazza e trenta metri sullo stradone alberato che sboccava sulla piazza.

Bella posizione, d'angolo, l'unica area rimasta libera sulla piazza: e al vecchio Manasca l'avevano chiesta un milione di volte offrendogli anche un sacco di quattrini, ma il vecchio non l'aveva mai voluta cedere. Da anni e annorum teneva quella terra lì, incolta e malcreata come il suo padrone, ma poi il vecchio morì e la terra passò al Manasca giovane assieme a un gran mucchio di biglietti da mille e roba un po' dappertutto, di qua e di là dal fiume.

E il Manasca giovane pensò che era un peccato non utilizzare quella terra e, una bella volta, si decise e andò dal sindaco.

— Qui la gente crepa di fame perché non ha lavoro, — disse il Manasca che era un tipo spiccio, — però voi proletari dal fazzoletto rosso siete una tal maledetta razza che è un peccato farvi lavorare.

— Mai carogne come voi signori, — rispose pacatamente Peppone. — Il più buono di voi bisognerebbe impiccarlo con le budella del più cattivo.

Peppone e il Manasca si erano picchiati ogni giorno fino ai venti anni cominciando da quando ne avevano tre: erano amici grandi e si capivano al volo. Peppone gli domandò dove voleva andare a finire.

— Se tu mi garantisci che poi non mi metti tra i piedi i sindacati, la Camera del lavoro, il Partito, il vice-Partito, le vittime della resistenza, la giustizia sociale, le giuste rivendicazioni, la rivalutazione, gli scioperi di protesta e tutte le altre porcherie del vostro repertorio, io fra una settimana dò da lavorare a mezzo paese.

Peppone si mise i pugni sui fianchi:

— E cosa pretendi, che io ti aiuti a strangolare i lavoratori? Che li convinca a lavorare per una fetta di polenta e una pedata nel sedere?

— Io non pretendo di strangolare nessuno: io pago la tariffa giusta, pago i contributi e ti regalo anche una damigiana di vino, però tu mi garantisci che, un bel momento, non si verifica che quei diolistrafulmini mi piantano il lavoro a metà e mi fanno il ricatto. È un'impresa grossa e se tutto non funziona come deve funzionare io mi rovino.

Peppone disse che mettesse le carte in tavola.

— Io tiro su un palazzo di quattro piani nell'area dell'orto, — spiegò il Manasca. — Roba da città, con un gran portico di trenta metri sulla piazza e venti sullo stradone. Negozi, un caffè, un ristorante col suo alloggio. Garage, servizi e via discorrendo. Se combiniamo, il garage col distributore della benzina lo dò a te che sei un canchero, ma, sei vuoi, funzioni bene. Con una faccenda così noi raddoppiamo l'importanza del mercato e facciamo fare i cittadini a questi villani svirgolati.

Peppone non aveva mai visto New York o Parigi o Londra: pensò però che la piazza doveva risultare una roba sul genere di New York, Parigi o Londra. Vide la sua officina col distributore rosso e giallo davanti con l'aria compressa per gonfiare le gomme.

— Ci vorrebbe anche il coso idraulico per sollevare le macchine, — balbettò.

— Ci sarà anche il coso idraulico e tutti gli accidenti che vorrai, — rispose il Manasca. — Però qui tu devi impegnarti.

— E se non mi fanno più sindaco? — domandò molto preoccupato Peppone.

— Meglio, perché il nuovo sindaco avrà paura di te e della tua banda, mentre tu adesso non hai paura né del sindaco né della sua banda.

Peppone pestò un pugno sul tavolo:

— Deciso! Il primo che sgarra lo macello! Qui c'è di mezzo l'avvenire del paese e chi non lavora a dovere piglia un sacco di pedate. Dimmi di che cosa hai bisogno e ti trovo io tutta la gente che va bene.

— Patti chiari, — disse il Manasca. — Si fanno le cose giuste, non che tu debba trovar soltanto gente del tuo porco Partito. Voglio gente che sa lavorare e ha voglia di lavorare.

— La fame è uguale per tutti, — sentenziò Peppone.

La sera stessa Peppone, con la dovuta solennità, comunicò la notizia allo stato maggiore.

— Dite alla gente, — concluse, — che noi, mentre gli altri fanno delle chiacchiere, facciamo dei fatti. Facciamo dei grattacieli!

Una settimana dopo veniva dato il via alla squadra dei guastatori e incominciava la demolizione del muraglione. Ma incominciavano anche i guai.

Il muraglione era una gran porcheria di sassi e rottami e malta: roba marcia di almeno trecento anni che veniva giù senza nessuna fatica, ma c'era sul muraglione una cosa che tutti sapevano ma cui nessuno aveva pensato prima. Sul lato dello stradone, a un metro dallo spigolo verso la piazza, c'era la Madonnina.

Una nicchia nello spessore del muro, con una grata rugginosa che proteggeva una vecchissima Madonnina pitturata in fondo alla nicchia.

Roba senza nessun valore artistico: una Madonnina pitturata da un poveretto, ma da almeno due o trecento anni era lì, e tutti la conoscevano e tutti l'avevano salutata un milione di volte e tutti avevano infilato un fiore dentro il barattolo da conserva posato sulla mensolina di legno.

Se si demoliva il muro, la Madonnina sarebbe finita tra i calcinacci.

Il Manasca fece venire dalla città uno specialista, uno di quelli che, senza rovinar niente, tirano via le pitture dai muri.

Guardò, studiò e poi disse che non c'era niente da fare.

— Se tocchiamo la pittura, tutto finisce in polvere, — concluse.

Intanto gli operai venivano avanti rapidamente con la demolizione del muro e, quando furono arrivati, da un lato e dall'altro, a un paio di metri dallo spigolo, smisero.

Peppone intervenne: guardò la Madonnina rimasta aggrappata al mozzicone di muraglia poi scosse il capo.

— Stupidaggini! — disse. — Qui la religione non c'entra, siamo nel campo della superstizione. Qui non si fa per offendere nessuno. Se non è possibile salvare la pittura si deve rinunciare a un lavoro che dà pane a un sacco di gente ed è di pubblica utilità per il paese?

Gli spicconatori, gente dura che avrebbe demolito anche suo padre, stavano lì fermi davanti al mozzicone di muro.

Bagò, che era il capo della squadra, sputò la cicca che stava masticando poi scosse il capo:

— Io non la butto giù neanche se me lo ordina il Papa! — disse.

Gli altri davano l'idea di essere dello stesso parere.

— Nessuno ha detto di buttarla giù, — gridò Peppone: — qui c'è di mezzo il sentimentalismo, il tradizionalismo e via discorrendo. Qui c'è da fare soltanto una cosa: si tira giù il muro fin che si può, si arma il resto, lo si imbriglia e si porta via tutto intero il pezzo di muro e lo si mette da un'altra parte. Perbacco! In Russia spostano i palazzi di quindici piani da una strada all'altra: va bene che siamo retrogrediti ma una cosa così la dobbiamo poter fare!

Bagò si strinse nelle spalle:

— In Russia spostano i palazzi ma non le Madonne, — borbottò.

Il Brusco studiò il problema poi allargò le braccia:

— Dietro la nicchia c'è una crepa: è un miracolo se non è ancora venuta giù tutta la baracca. È un muro fatto di fango e sassi. Se lo imbrigliamo ci resta in mano come un mucchio di noci.

Peppone camminò a lungo in su e in giù e c'era mezzo paese a guardare lo spettacolo.

— Io vorrei sentire voi, — urlò ad un tratto Peppone. — Sapete di che cosa si tratta. Dobbiamo piantare i lavori allora? Sputate fuori qualcosa, che Dio vi strafulmini!

La gente non sapeva cosa rispondere.

— Qui l'unico che può dire qualcosa è l'arciprete, — conclusero alla fine.

Peppone si pestò il cappello sulla zucca:

— E va bene! Dato che si tratta dell'interesse del paese, facciamo uno sforzo e andiamo dal signor prete.

Il signor prete era nell'orto a trapiantare roba: Peppone e tutta l'altra gente si fermarono davanti alla siepe. Il Manasca spiegò il caso. Peppone concluse:

— Cosa dobbiamo fare?

Don Camillo discusse a lungo facendosi spiegare e rispiegare come stessero le cose. Ma lo sapeva benissimo e voleva soltanto guadagnar tempo.

— Ormai è tardi, — concluse alla fine. — Domattina decideremo.

— In città ho visto almeno dieci chiese che sono state sconsacrate e adesso c'è la rivendita del carbone o un'officina o una fabbrica di mobili, — disse Peppone. — Se si può fare così per una chiesa, perché ci dovrebbero essere difficoltà a farlo per una immagine pitturata su un muro?

— Se siete venuti tutti qui, pare che le difficoltà ci siano, — rispose don Camillo.

Don Camillo, quella notte, stentò a prendere sonno perché la faccenda lo preoccupava. Ad ogni modo, la mattina dopo quando si trovò davanti Peppone e tutta la squadra aveva già pronta la risposta.

— Se, in coscienza, avete la sicurezza che non ci sia modo per salvare l'immagine, demolite il muro. Ciò viene fatto a fin di bene per la comunità e non sarà certo una povera vecchia Madonnina pitturata su un vecchio muro scalcinato che si opporrà al cammino del progresso e che toglierà il pane a tanta gente che ha fame. Dio sia con voi... Ad ogni modo picchiate adagio.

— Sta bene! — disse Peppone e, toccatasi la falda del cappello, iniziò la marcia verso la piazza.

Giunti davanti alla Madonnina, Peppone si rivolse a Bagò.

— Procedi! — ordinò Peppone. — Hai sentito anche tu. Non si fa per offendere nessuno.

Bagò si tirò su la visiera del berretto da una parte, si sputò nelle mani e abbrancò il manico del piccone.

Alzò il piccone, rimase col piccone sospeso qualche istante, poi lo riabbassò.

— No, — borbottò.

Peppone si mise a urlare, ma nessuno della squadra accettò di dare la picconata fatale. E allora Peppone strappò dalle mani di un giovanotto il piccone e si avanzò verso il mozzicone di muro. Alzò il piccone poi, attraverso la grata, vide che gli occhi della Madonnina lo guardavano e buttò il piccone.

— Vecchio mondo! — urlò. — Ma perché deve essere il sindaco a fare questo? Cosa c'entra il sindaco con le Madonne? Cosa ci sta a fare un prete in un paese? Venga lui e si arrangi! Ognuno faccia il suo mestiere.

Peppone ritornò alla canonica ed era furibondo.

— Ebbene? — domandò don Camillo. — Fatto?

— Fatto un accidente! Non si può, — gridò Peppone.

— Non si può? E perché?

— Perché le Madonne e i santi sono roba vostra. Io non vi ho mai chiamato per tirar giù a picconate il busto di Lenin o di Stalin!

— Ma se mi chiami io vengo, — esclamò don Camillo.

Peppone strinse i pugni:

— Fate quel che volete: ricordatevi però che fino a quando la Madonna è là i lavori non si riprendono e quindi voi avete sulla coscienza la responsabilità delle ore perse, della disoccupazione eccetera. Io faccio il sindaco, non faccio il distruttore di Madonne! Sarebbe comodo poter dire poi che noi siamo i soliti sacrileghi che prendono a picconate i santi!

— Va bene, — disse don Camillo. — Mentre io parlo col signor sindaco voi andate pure.

Rimasti soli in canonica, tacquero per un bel po'. Quindi don Camillo ruppe il silenzio:

— Peppone, succeda quel che vuole, io non la butto giù.

— E io nemmeno, — gridò Peppone. — Se non avete il coraggio voi che siete uno specialista di santi...

— Non è questione di coraggio o di paura, — lo interruppe don Camillo. — È come per il mio angelo della torre, che da cinque o seicento anni veglia sul paese. Gli occhi di quella Madonnina hanno visto tutti i nostri morti. Davanti a quella immagine c'è la disperazione e la speranza, i dolori e le gioie di due o trecento anni. Peppone, ti ricordi quando nel '18 siamo tornati dalla guerra? I fiori erano miei, ma la gavetta era la tua.

Peppone grugnì.

Don Camillo si passò la manaccia sul mento.

Si buttò addosso il tabarro, si mise in testa il cappello.

Arrivarono poco dopo davanti alla Madonnina e c'era mezzo paese lì a guardare.

C'era anche qualcuno non del paese : un giovanotto che era arrivato in macchina e, dal modo col quale Peppone corse a salutarlo, si capiva che era uno della banda grossa di città.

Il giovanotto si fece avanti e guardò la Madonnina.

— Bah, — disse ad alta voce, — se le cose stanno come mi avete detto, se anche il reverendo è d'accordo che non si può rinunciare a un beneficio così importante per i lavoratori e per il paese, posso fare io quello che, per semplice sentimentalismo borghese, nessuno si sente di fare.

Prese un piccone e si avviò per portarsi a fianco del muro. Ma don Camillo lo agguantò per una spalla e lo tirò indietro.

— Non occorre! — disse con voce dura.

Cadde un profondo silenzio.

Tutti fissavano il mozzicone di muro come aspettando qualcosa. Ed ecco che il muro ebbe come un fremito. Una crepa si aperse lentamente.

Il muro non cadde: si sgretolò, diventò un mucchio di sassi e calcinacci e in cima, liberata dal graticcio rugginoso e dalle ombre secolari della nicchia, era la Madonnina, intatta, senza neppure una screpolatura. Vecchia di due o trecento anni, pareva pitturata da due o tre giorni.

— Ritornerà al suo posto nel muro nuovo, — disse il Manasca.

— Approvato per acclamazione! — esclamò Peppone. E pensò alla sua vecchia gavetta con dentro i fiori di don Camillo.

SOMMARIO

V   *Qui si spiega, in quattro parole, come sono nati don Camillo e Peppone e come continuano a vivere*

  1   Le lampade e la luce
  5   Il cerchio si ruppe
 14   La penitenza
 20   L'innocente
 25   Il commissario
 32   La gran giornata
 41   Tecnica del colpo di Stato
 49   Arrivi dalla città
 59   Miseria
 66   La « Volante »
 71   La bicicletta
 81   Legnate matrimoniali
 90   Il « kolchoz »
 99   Gli spiriti
110   L'angelo del 1200
119   Abbondanza e Carestia
126   L'anello
135   Il Bianco
142   « Civìl e la banda »
151   Radamès
159   Due mani benedette

173 L'altoparlante
180 La « Madonna brutta »
191 Fantasma con cappello verde
202 Fulmine detto Ful
217 Triste domenica

Storie dell'esilio e del ritorno

227   I - *Via Crucis*
236   II - *Il popolo*
249   III - *Dal monte al piano*
250   IV - *Il vecchio Tirelli*
256   V - *La Gina e Mariolino*
265   VI - *Don Camillo ritorna*
266   VII - *Come pioveva*
270 VIII - *La campana*
275   IX - *Ognuno al suo posto*
286 Il pellerossa
299 Il pilone
312 Commercio
327 La lettera
336 La danza delle ore
343 Il bullo
357 Emporio Pitaciò
373 Pasqua
382 Il « Panzer »
395 Vittoria proletaria
404 Menelik
417 Favola di Santa Lucia
427 Il fraticello
433 Il muraglione

Finito di stampare nel mese di ottobre 1986
dalla RCS Rizzoli Libri S.p.A. - Via A. Rizzoli, 2 - 20132 Milano

Printed in Italy

BUR
Periodico settimanale: 20 novembre 1986
Direttore responsabile: Evaldo Violo
Registr. Trib. di Milano n. 68 del 1°-3-74
Spedizione in abbonamento postale TR edit.
Aut. n. 51804 del 30-7-46 della Direzione PP.TT. di Milano

UMORISTI

sono apparsi nella BUR

Arbore-Boncompagni
IL MEGLIO DI
ALTO GRADIMENTO

Romano Battaglia
NUOVE LETTERE
AL DIRETTORE

Benvenuti-De Bernardi-Pinelli
AMICI MIEI

Achille Campanile
AGOSTO, MOGLIE MIA
NON TI CONOSCO

SE LA LUNA MI
PORTA FORTUNA

MANUALE DI
CONVERSAZIONE

IL POVERO PIERO

GLI ASPARAGI E
L'IMMORTALITÀ
DELL'ANIMA

VITE DEGLI
UOMINI ILLUSTRI

L'EROE

IN CAMPAGNA È
UN'ALTRA COSA

Cochi e Renato
DUE BRAVE PERSONE

Jerome K. Jerome
TRE UOMINI IN BARCA
(per tacer del cane)

TRE UOMINI A ZONZO

I PENSIERI OZIOSI
DI UN OZIOSO

Luigi Lucatelli
COME TI ERUDISCO
IL PUPO

Carlo Manzoni
IL SIGNOR VENERANDA

Marcello Marchesi
IL MEGLIO DEL PEGGIO

Mario Marenco
LO SCARAFO NELLA
BRODAZZA

DAL NOSTRO INVIATO
SPECIALE

Giovanni Mosca
LA STORIA D'ITALIA
IN 200 VIGNETTE

NON È VER
CHE SIA LA MORTE...

STORIA DEL MONDO
IN 200 VIGNETTE

IL NUOVO GALATEO

CANDIDO IN ITALIA

DIARIO DI
UN PADRE

John Steinbeck
IL BREVE REGNO
DI PIPINO IV

Paolo Villaggio
FANTOZZI

IL SECONDO TRAGICO
LIBRO DI FANTOZZI

FANTOZZI CONTRO TUTTI

LE LETTERE DI FANTOZZI

FANTOZZI SUBISCE
ANCORA

Pelham G. Wodehouse
AMORE FRA I POLLI

IL CASTELLO DI
BLANDINGS

GRAZIE, JEEVES

LE SERE DI MULLINER

PERFETTO, JEEVES!

RIZZOLI
BUR
NARRATIVA

Nel vecchio paese della Bassa, terra di uomini sanguigni, violenti e imprevedibili, Peppone e don Camillo continuano, negli anni dell'immediato dopoguerra, la loro guerra privata, sempre, naturalmente, a maggior gloria di Dio o del Partito. Siamo lontani anche dal centro-sinistra, figurarsi dal compromesso storico: Peppone e don Camillo conducono a modo loro una strategia di opposti estremismi, senza esclusione di colpi, in un esilarante susseguirsi di avventure, vendette, ritorsioni, scherzi atroci. Ma, come si sa, a volte gli estremi si toccano e può capitare che i due uomini escano dalle cabine elettorali e non si sa chi ha fatto la croce sul Pci e chi ha consegnato scheda bianca, oppure che si trovino tutti e due a nascondere un carro armato, souvenir un po' ingombrante della guerra da poco finita. E il lettore si domanda: ma come potrebbe vivere Peppone senza don Camillo o viceversa? Perché, al di là di ogni divergenza politica, i due sono fatti della stessa pasta: si capiscono senza parlare, sono intrisi della stessa umanità, della stessa semplice religiosità.

Giovanni Guareschi nacque a Fontanelle di Roccabianca (Parma) il 1° maggio 1908 e morì a Cervia nel 1968. Giornalista, scrittore, umorista, fondò, insieme con Giovanni Mosca, il celebre settimanale umoristico «Candido». Il suo nome è legato alla notissima serie di romanzi incentrati sul personaggio di don Camillo.

ISBN 88-17-13415-5

In copertina: disegno dell'Autore

Grafica di Renzo Giust